François Garde

Ce qu'il advint
du sauvage blanc

Gallimard

Né en 1959 au Cannet et haut-fonctionnaire, François Garde est l'auteur de *Ce qu'il advint du sauvage blanc*, inspiré d'une histoire vraie, Goncourt du premier roman 2012, et de *Pour trois couronnes*.

Pour Laurence

1

Quand il parvint au sommet de la petite falaise, il découvrit qu'il était seul. La chaloupe n'était plus tirée sur la plage, ne nageait pas sur les eaux turquoise. La goélette n'était plus au mouillage à l'entrée de la baie, aucune voile n'apparaissait même à l'horizon. Il ferma les yeux, secoua la tête. Rien n'y fit. Ils étaient partis.

Absurdement, il se sentit fautif. Lorsque la chaloupe avait atteint la plage, le second maître avait réparti les matelots en trois groupes, pour augmenter leurs chances de découvrir un point d'eau. Trois vers les arbres indistincts qui s'alignaient tout au bout de la plage ; trois, vers l'autre extrémité de la baie, rocheuse et peu avenante ; les autres à fouiller les trous et chercher une grotte au pied du mur de calcaire. Il avait d'abord retourné les blocs de corail avec ses camarades, et s'était vite convaincu que leurs efforts étaient vains : toute pluie tombant sur ce terrain s'infiltrait dans le sable. Plutôt que de creuser au hasard, il lui sembla plus utile de tenter de repérer des traces de vie : des animaux ou des hommes le conduiraient à l'eau. Une brise légère soufflait vers le large et adoucissait la brûlure du soleil tropical.

Avec souplesse, il grimpa droit devant lui, prenant appui sur des racines ou des trous dans le rocher. En quelques minutes, et au prix d'un rétablissement un peu acrobatique, il parvint au sommet. Il fit un grand signe du bras au bateau, où personne ne lui prêtait attention, et se retourna vers l'intérieur. Devant lui s'étendait une vaste plaine à peu près plate. Des touffes d'herbe, des arbres médiocres et espacés partageaient la même teinte d'un vert métallique, le même aspect poussiéreux qui annonçait un pays avare en eau. Aucune construction, aucune fumée. Ce n'est pas dans cette steppe aride qu'il allait trouver la source que tous cherchaient.

En regardant à nouveau ce paysage décevant, il remarqua que non loin de lui naissait une rigole qui allait vers l'intérieur du plateau, se creusait rapidement, devenait vallon. En suivant de l'œil ce sillon, il constata que celui-ci s'approfondissait, s'élargissait. Les arbres qui le bordaient devenaient progressivement plus verts et plus grands que les autres, jusqu'à former un bosquet émeraude, tranchant sur les couleurs ternes de la forêt. Les jours de pluie, cette dépression naturelle devait concentrer les eaux de ruissellement. Une mare subsistait peut-être encore dans un creux à l'ombre. Le plus petit, le plus boueux des points d'eau suffirait à remplir une barrique et à sauver les malades.

Il coupa tout droit pour atteindre la doline, et y descendit pour la suivre jusqu'au fond. La marche était malaisée, parmi une végétation différente de celle du plateau : des buissons ligneux aux troncs entrelacés, de frêles arbustes aux feuilles vernissées entre lesquels il devait se glisser. Une sorte de cresson apparut, et plus il s'enfonçait plus cette plante gagnait sur les autres. Il finit par arriver dans un petit cirque quelques mètres plus bas que le plateau. Il toucha le sol, sentit l'humidité. Mais pas de ruisselet ni même de flaque d'eau. Il s'accroupit, gratta et creusa avec son couteau. La terre était meuble et humide, il put faire un trou de la profondeur de son avant-bras, mais sans rien découvrir.

Un peu désappointé de n'être pas le héros du jour, il se releva et revint vers la mer par le fond de la combe. Cette promenade dans l'allée verte et fraîche, en contrebas de la forêt grise, serait son secret, le minuscule bénéfice de leur tentative dans cette baie anonyme. Il ne se pressa pas et remonta d'un pas tranquille vers la modeste crête surplombant la baie.

Alors, il découvrit qu'il était seul. Il poussa un hurlement, qu'aucun navire ne pouvait entendre. Incapable de penser, fébrile, il fut comme pris de folie : il descendit la falaise à toute vitesse, dérapant, griffé, manquant deux fois se rompre le cou, sauta sur le sable, dévala l'estran, entra dans l'eau jusqu'à la poitrine pour se rapprocher autant qu'il était possible du bateau enfui et hurla de nouveau, cri de rage et appel au secours. Son appel était aussi inaudible depuis la mer que depuis la falaise. Lorsqu'une vague vint lui mouiller le cou, il recula, les yeux fixés vers le large.

Il lui fallait un point haut pour surveiller l'horizon. Tremblant d'émotions diverses, il remonta la falaise.

Que s'était-il passé ? Combien de temps avait duré son excursion solitaire à l'intérieur des terres ? Une heure, tout au plus. Entre-temps, la chaloupe avait été rappelée : il n'avait pu voir le pavillon Retour à bord, ni entendre le coup de fusil. Le *Saint-Paul* avait relevé son ancre, mis à la voile, appareillé. Mais pourquoi ? Pourquoi si vite, pourquoi sans lui ?

Il s'assit à l'ombre d'un arbre chétif et tortu. Son expérience de la mer, quelques phrases échangées entre les officiers et la maistrance lui revinrent en mémoire. Le maître de manœuvre avait rapporté que le mouillage — sable grossier sur roche — n'était pas de très bonne tenue. La pleine lune, deux jours plus tôt, donnait un fort coefficient de marée. Le capitaine n'avait accepté d'entrer dans cette baie inconnue que pour trouver de l'eau pour les malades. Le vent de terre semblait forcir.

À l'entrée de la baie, il commençait à discerner des remous, des tourbillons. Lorsqu'ils s'étaient présentés, le plan d'eau était lisse comme un lac et inspirait confiance. Il voyait maintenant ce que la vigie en tête de mât avait dû voir avant lui : la

14

baie était fermée sur la majeure partie par une barrière de corail en train de découvrir, et qui ne laissait que deux passes étroites. Arrivés à marée haute et, par hasard, par la passe principale, ils étaient entrés sans encombre et sans rien soupçonner. Le début du jusant avait révélé le danger. Avec un mouillage médiocre et ce vent qui se renforçait, le capitaine ne pouvait pas prendre le risque de se laisser piéger dans la baie, il lui fallait sortir au plus vite, pendant qu'il pouvait encore manœuvrer. Peut-être le second maître avait mentionné qu'il manquait un homme. Mais retourner à terre, retrouver l'égaré, rembarquer pouvait prendre une heure encore. Il fallait fuir au large, sauver le navire.

Imaginer la scène, les dialogues, les ordres qui se succédaient le rasséréna. Le capitaine avait eu raison et fait un choix de marin. Ce n'était pas un abandon délibéré, une trahison qui le visait personnellement, mais la conséquence d'une situation périlleuse. En s'écartant du groupe, il avait désobéi aux ordres et cette faute mériterait une punition. Les coups du second ne l'inquiétaient pas trop — il avait l'habitude d'en recevoir, dans l'atelier de bottier de son père, à l'école, puis au gaillard d'avant —, il espérait éviter l'amende. Et dans deux ou trois mois, ils riraient tous ensemble de cette mésaventure.

Le vent augmentait et, au-delà de la baie, la mer libre commençait à se former, à dessiner des rouleaux qui venaient se briser sur la barrière de corail. Machinalement, il ramassa un caillou et le jeta vers un tas de branches mortes. L'une d'elles se révéla être un assez gros lézard aux couleurs argentées qui fila dans les broussailles, marqua un arrêt en dodelinant de sa tête serpentine, et disparut.

Alors seulement il prit conscience de sa situation et eut peur : abandonné sur une côte sans ressources, environné peut-être de bêtes fauves ou de sauvages anthropophages qui n'attendent que la nuit pour le dévorer. Il n'avait rien à boire ni à manger, rien pour faire du feu. Son couteau à la ceinture et ses vêtements étaient ses seuls biens.

Il devait se préparer à dormir à terre. La mer agitée laissait peu d'espoir d'un retour du navire avant la nuit. Mais il ne voulut pas quitter son poste d'observation, ce point haut surplombant la baie en son milieu. Pour s'occuper et avec une imprécise idée de défense, il coupa quelques branches à peu près droites, les écorça et les tailla en biseau. Le résultat fut un faisceau de bois pointus, intermédiaires entre de courts épieux et des flèches épaisses. Disposer d'armes, même primitives, le rassura un peu.

La solitude et la faim naissante pesaient sur lui comme une intense fatigue. Le soleil baissait. L'expérience lui disait qu'il restait une heure de jour, deux heures de clarté. Il se demanda où s'installer pour la nuit. Le vent forcissant toujours pouvait annoncer la pluie et déconseillait de dormir sur la crête de la falaise. Il revint vers la combe, descendit jusqu'à trouver un emplacement sablonneux, sous les arbres, et entreprit d'édifier un abri. Il cassa quelques branches, qu'il entrecroisa et adossa à deux arbres presque jointifs. De longues fougères poussaient non loin, il en fit des brassées pour la couche et les murs. Cette hutte sommaire le protégerait un peu du mauvais temps. Si un animal ou un sauvage voulaient s'en prendre à lui pendant son sommeil, l'effondrement l'alerterait, il se saisirait de ses épieux et vendrait chèrement sa vie.

Avant que la lumière ne soit tout à fait éteinte, il reprit son poste d'observation. De gros nuages couraient sur le ciel obscur. La mer frémissait comme un lac de goudron strié de lames argentées. Le bruit du ressac sur la barrière était assourdissant. Aucune lueur, aucun fanal au large.

Ce serait sa première nuit à terre depuis l'escale du Cap. Au souvenir du Cap, il se mit à sourire malgré lui. La traversée de Bordeaux au Cap s'était déroulée sans encombre, et pendant la semaine d'escale il avait pu bénéficier de deux soirées à terre. Trois camarades et lui avaient découvert le port cosmopolite, goûté le vin blanc des collines avoisinantes, baragouiné en anglais, en hollandais, en espagnol, admiré les étoffes et les colliers des négresses.

Le premier soir, ils avaient déambulé sans but, de terrasse en taverne et de taverne en terrasse, vidant chopes et pichets. Dans le quatrième estaminet, une bagarre avait éclaté pour un motif inconnu entre des matelots français et anglais. Ils

17

avaient pris le parti de leurs compatriotes, rossé les Anglais, et célébré leur fuite dans la taverne d'après avec leurs nouveaux amis. Personne ne se rappelait plus la suite, ni comment ils avaient réussi à rentrer à bord.

Deux nuits plus tard, de nouveau en ville, et après un repas de viandes et de légumes frais, ils s'étaient rendus dans certain établissement conseillé par les anciens et signalé par une lanterne rouge dans une ruelle. Ils entrèrent, s'installèrent à une table et commandèrent à boire pour se donner une contenance. Les filles apparurent et défilèrent en esquissant des pas de danse. Assez vite, les quatre matelots se levèrent, firent leur choix et s'acquittèrent du prix.

Il se retrouva avec la mulâtresse la plus sombre du lot, qui l'entraîna vers l'une des cases en torchis accolées au fond de la cour. Comme elle ne comprenait pas le français, il lui fit une déclaration obscène avec un grand sourire, elle répondit par un long gazouillement murmuré et referma la porte : une paillasse, une cuvette, une bougie. Il enleva ses vêtements dans la pénombre, et s'allongea contre elle. Dans la douceur de l'air, il entendait les grognements de ses camarades à travers les trous dans les murs, puis ne se préoccupa plus que de son propre plaisir.

Quand il eut fini, il s'assoupit presque, sensible à la chaleur de cette peau sombre — lorsque des coups frappés sans ménagement aux portes vinrent leur rappeler que le temps imparti et payé s'était écoulé. Il se rhabilla, rejoignit ses cama-

18

rades, et ils allèrent boire un dernier pichet en commentant avec vantardise leurs prouesses.

Aux toutes dernières lueurs du crépuscule, il rejoignit sa hutte, réussit à s'y faufiler sans la faire s'effondrer et s'étendit sur son lit de fougères. Cette couche sur le sable était dure, mais surtout plate et immobile, pour lui habitué au balancement du hamac. Pendant la traversée, il avait souvent repensé à la putain du Cap, et regretté de ne pas lui avoir demandé son nom. Il ne se rappelait plus vraiment son petit visage entr'aperçu, mais plutôt l'odeur et le grain particulier de sa peau. Ses camarades l'avaient moqué d'un teint aussi foncé ; jamais dans ses amours d'escales il n'avait été avec une femme aussi éloignée de la blancheur. Peu importe. Cette peau sombre avait occupé ses nuits dans le hamac, et maintenant, allongé seul sur une terre inconnue, il était tout entier dans la nostalgie de ces rêves.

C'est après Le Cap que tout avait commencé de mal aller. Le capitaine avait choisi une route très au sud, afin de bénéficier des vents d'est. Ils avaient rencontré la tempête, des grains de neige, une mer dure et croisée. Pendant six jours, quasiment sans repos, ils avaient tenté de forcer le passage, avant d'abandonner et de remonter à des latitudes plus sereines. Le bateau et l'équipage avaient beaucoup souffert : espars rompus, voiles déchirées, contusions nombreuses — et un gabier, un gars des Sables, victime d'une fracture de l'épaule après être tombé d'un hunier. Le second l'avait rabouté de son mieux. La tempête avait aussi causé des dégâts dans les cales et endommagé quelques tonneaux d'eau.

Au Cap, ils avaient embarqué un Breton du Guilvinec, qui prétendait avoir déserté d'un navire anglais. Il n'avait pas l'air bien vaillant, mais le capitaine, toujours à court d'hommes, l'avait accepté. Pendant la tempête, il était surtout resté à l'abri malgré les injures de tous, puis s'était déclaré malade. Il se murmurait qu'il n'avait pas déserté, mais été débarqué à raison de son état de faiblesse. Le second avait essayé quelques-uns de ses remèdes, mais le Breton déclinait à vue d'œil. Il mourut dix jours après l'appareillage. Même si personne n'avait eu le temps ni l'envie de lier connaissance, la mort d'un marin impressionne toujours.

Les cartes mentionnaient, au milieu de l'océan Indien, l'île Saint-Paul. Le capitaine espérait y faire de l'eau et soulager un peu le blessé. La mer était belle désormais, parfois frissonnant d'une très longue houle. Des bancs de brume dérivaient sans force sous un ciel laiteux. Ils trouvèrent l'île Saint-Paul et en firent le tour : un volcan éteint, aucune trace de rivière ou de ruisseau, aucun point de débarquement, aucun mouillage.

Ils n'avaient d'autre choix que de continuer vers l'Australie. Comme l'expliqua le second, l'immense côte ouest était traîtresse, sablonneuse, sans eau ni abri. La côte sud était à peu près inconnue. Les Anglais avaient fondé deux bagnes, à Sydney sur la côte est et à Hobart Town en Tasmanie. Ils allaient tenter la côte nord, assurés de pouvoir poursuivre au besoin jusqu'à Java ou l'une des colonies hollandaises des îles de la Sonde.

Après Saint-Paul, le vent manqua presque entièrement. La maigre brise ne leur permit pas de descendre plus au sud, dans le crissement soyeux et flasque des voiles faséyant. La chaleur humide devenait accablante. Le blessé installé sur le pont souffrait, bientôt un mousse et le charpentier tombèrent malades, réclamant sans cesse à boire. Le capitaine se résolut à rationner l'eau. Ils avaient quitté Bordeaux depuis deux mois.

Le vent revint, mais de face. Ils tirèrent des bords pendant cinq jours, pour constater qu'un courant contraire annulait leur maigre progression. L'eau de mer tiède et l'air chaud imprégnaient le navire d'une moiteur insupportable. Blessé et malades, installés au pied du grand mât, gémissaient. Le capitaine avait l'air sombre. Dans le gaillard d'avant, on faisait à voix basse le récit de ses précédents voyages à la Chine, et des incidents qu'il avait affrontés. Les hommes ne chantaient plus le soir.

Le mousse mourut. C'était un bon gamin, natif de Quimper, et sa pénible agonie impressionna l'équipage. Des grains rayaient l'horizon, mais semblaient vouloir éviter d'arroser le navire. Un matelot sétois tomba malade à son tour, et le capitaine semblait de plus en plus désemparé. Ils entendirent des éclats de voix entre le second et lui.

Après deux semaines de vents nuls puis contraires, une bonne brise de suroît s'installa enfin, l'air redevint respirable. Pourtant, sans que personne comprenne pourquoi, deux autres matelots tombèrent malades. Deux morts, un blessé, trois malades : il n'y avait plus assez de bras pour envoyer toute la toile, et malgré les vents favorables le capitaine ne put faire établir qu'une voilure réduite. Les rations d'eau furent diminuées.

Ils passèrent très au large des côtes ouest de l'Australie et de sa pointe nord-ouest. Ils entrèrent dans le golfe de Carpentarie et longèrent la terre d'assez loin, ne distinguant à la longue-vue que des mangroves inhospitalières ou des étendues sablonneuses. Le capitaine n'osa jamais donner l'ordre d'aller voir de plus près, s'éloignait des côtes au soir et n'y revenait qu'au matin. La mer d'Arafura ne semblait pas vouloir finir. Les îles du détroit de Torres furent en vue au bout d'une semaine de cette navigation précautionneuse, mais le capitaine ne voulut pas y aborder, craignant des attaques de sauvages. La chaleur était redevenue accablante. L'état des malades ne s'améliorait pas.

La goélette fit alors route plein sud, et tenta de trouver un passage dans un dédale d'îles sablonneuses et de bancs de coraux affleurant qui menaçaient en permanence d'éventrer sa coque. Le troisième jour, ayant réussi à venir assez près de terre, ils découvrirent une baie accueillante, bordée d'une ceinture d'arbres, derrière une péninsule rocheuse. Le capitaine décida de l'explorer, annonçant à tous que si cette terre se révélait aussi aride que les autres, il abandonnerait l'Australie et mettrait le cap sur Java. La chaloupe avait été mise à l'eau, les bâbordais appelés, et souquant ferme ils avaient débarqué sur la plage, avec quatre tonneaux à remplir d'eau fraîche.

Oui, après Le Cap, tout était allé de mal en pis. Et que n'aurait-il pas donné, allongé dans son lit de fougères, pour un grand verre d'eau...

Il s'endormit en oubliant la faim. Plusieurs fois dans la nuit, il se réveilla en sursaut, s'attendant à être houspillé pour une manœuvre de voiles, dans le bruit rassurant des pieds nus sur les planches et des ronflements de ses camarades. Mais non, le silence de cette terre inconnue l'environnait, sa litière de feuilles avait pris la place de son hamac, et il devait refermer les yeux en s'étonnant d'être toujours vivant.

Au matin, il lui fallut un instant pour se remémorer les événements de la veille. Il se leva d'un bond, provoquant l'effondrement de la hutte rudimentaire. Le soleil venait d'apparaître, aucun chant d'oiseau ne l'accompagnait. Il remonta le vallon arboré vers l'amont et son point d'observation. En un coup d'œil, il comprit que le sauvetage ne serait pas pour aujourd'hui : de lourds nuages couraient sur un ciel gris et bas, la mer au large moutonnait, de hautes lames se fracassaient sur les récifs fermant la baie, et le plan d'eau était parcouru de vagues croisées. Aucun marin n'y hasarderait son navire.

Le sentiment physique de sa solitude l'accabla. Il se laissa glisser au sol, posa la tête sur ses genoux et lutta contre des larmes de rage qui l'envahissaient. La soif collait sa langue au palais. Sur la crête, les rafales de vent balayaient le sable en tornades éphémères.

Il descendit à la plage et parcourut la baie vers le sud. Les arbres indistincts qu'il avait devinés la veille devinrent forêt, puis, lorsqu'il les atteignit, mangrove. Leurs troncs baignaient dans une eau boueuse et saumâtre, abritant Dieu sait quelles créatures. Il entreprit de longer le bord de l'arroyo, tournant le dos à la mer. Le plateau s'était abaissé en une plaine indistincte, le marécage s'étendait à perte de vue vers l'intérieur. Découragé, il rebroussa chemin. Et qu'aurait-il fait, s'il avait trouvé un passage? Traversé la mangrove, pour arriver sur la plage suivante? Pour y faire quoi? Le seul peuplement européen dont il ait connaissance, Sydney, se situait à des centaines de lieues. Sans eau, sans vivres, sans carte, il n'avait aucune chance d'y parvenir. Et les secours ne le chercheraient pas ailleurs que là où ils l'avaient perdu.

Le vent forcit encore, faisant craquer les branches. Les nuages noirs défilaient, ne se résolvaient en grains qu'à l'horizon. La mer bouillonnait et jetait de longues algues sur la plage. La marée descendait, découvrant des rochers. Il entra dans l'eau et explora ces quelques blocs de corail, pour y ramasser cinq coquillages qui ressemblaient à des moules. Étaient-ils comestibles?

Il n'hésita pas — mais ces quelques grammes de chair molle et salée réveillèrent sa soif et sa faim.

Une sorte de vertige le prit. Il alla s'asseoir à l'ombre d'un eucalyptus, et s'endormit pour ne plus penser à ses malheurs — sans se soucier de sa sécurité : aucune bête sauvage, aucun homme ne paraissait habiter ces lieux.

À son réveil, le gros du mauvais temps semblait passé, ne laissant qu'un ciel de plomb et une chaleur lourde. Pour s'occuper, sans espoir ni projet, il marcha jusqu'à la pointe rocheuse qui fermait la baie au nord. Cet amoncellement chaotique de blocs de corail stérile ne pouvait lui offrir aucune ressource. Il se hissa jusqu'au sommet, pour découvrir une côte accore, faite de petites falaises entrecoupées de criques inaccessibles depuis le large. Au-delà commençaient le plateau et sa végétation monotone d'un vert poussiéreux.

La marée lui parut basse, et il eut l'idée de construire un piège à poissons — il en avait entendu parler, et n'avait rien à perdre à essayer. Pendant une heure, il remua blocs et pierres, édifiant une sorte de muret en arc de cercle tourné vers la plage, où des poissons maladroits pourraient se reposer à marée haute et avoir la gentillesse de se laisser prendre à mains nues à la prochaine marée basse.

Quand il eut fini, l'obsession de la faim et surtout de la soif s'empara de lui complètement. L'eau sur le bateau était rationnée depuis deux semaines. Il n'avait pas uriné depuis plus d'une journée, et savait que ce signe était inquiétant. Les arbres ne portaient aucun fruit, les tiges ligneuses des buissons ne recelaient aucune réserve cachée. Il retourna s'asseoir à son poste d'observation, à l'ombre, au sommet de la petite falaise. Le crépuscule approchait. La mer au large semblait s'aplatir peu à peu, marquée seulement par une longue houle née du passage de la tempête. Sur le *Saint-Paul*, c'était l'heure de la soupe du soir, des récits et des chansons d'après le travail, d'avant la nuit. Parlaient-ils de lui? Le capitaine avait-il fait connaître ses intentions à son égard? À bord gémissaient un blessé et trois malades, l'eau manquait. Le capitaine ne pouvait qu'être impatient de le récupérer, pour reprendre sa route vers Java et la Chine. Il estimerait sans doute que les deux journées passées à terre, sans eau, sans vivres, sans nouvelles, seraient une punition suffisante ou à peu près — pour sa sotte idée d'aller tout seul et contre les ordres voir ce qu'il y avait de l'autre côté de la falaise. La marée serait haute à l'aube, le navire resterait à croiser hors de la baie et enverrait la chaloupe. Les rameurs, inquiets au départ, l'accableraient de sarcasmes en le retrouvant — mais lui tendraient une gourde et du biscuit.

Non. Il se leurrait. L'eau rationnée? Un blessé, trois malades? Le capitaine allait choisir de sauver les quatre, sans perdre un temps précieux à chercher à récupérer l'imprudent. Attendre au large en tirant des bords que la tempête s'apaise pour pouvoir retourner à terre — et pour rien, que le matelot perdu ait été dévoré par des bêtes ou mangé par les sauvages? Qui prendrait le risque de sacrifier quatre hommes pour tenter d'en sauver un — probablement déjà mort? La raison commandait de faire route vers Java au plus vite, dès le retour de la chaloupe, fuyant sous la tempête. Deux jours déjà que le *Saint-Paul* filait plein nord — alors qu'il le guettait du haut de son perchoir... Personne ne viendrait à son secours.

Mais non. Si le capitaine avait pris cette décision inhumaine, l'équipage tout entier se serait mutiné pour le contraindre à le secourir! Tout entier? Qui aurait élevé la voix pour son compte? Pierre? Joseph? Yvon? Il compta sur ses doigts ses éventuels partisans, hésita, recommença — abandonna.

Ces spéculations étaient plus qu'inutiles, malsaines. Il devait se soucier seulement de rester en vie, et d'abord de boire. Cela seul importait.

Il se leva rapidement. Un étourdissement le prit, il dut s'appuyer au tronc pour se ressaisir et ne pas retomber à genoux. La faim continuait son travail de sape. Il alla au bord de la falaise, face à la mer dont le bleu dur s'assombrissait, mit ses mains en porte-voix, et hurla :

« Je suis Narcisse Pelletier, matelot de la goélette *Saint-Paul*. »

Devant cet horizon illimité, ses paroles se perdirent sans écho. Mais il lui sembla, par cette proclamation, avoir recouvré un peu de dignité.

Les blocs épars sur le sable lui donnèrent une idée. Il redescendit à la plage et entreprit de disposer les morceaux de roche et les cailloux de façon à dessiner une flèche dirigée vers la falaise et le vallon où il dormait. Si ses camarades arrivaient alors qu'il n'était pas là, ils sauraient qu'il était vivant, et dans quelle direction le retrouver. Se prenant au jeu, il charia les blocs les plus gros qu'il puisse soulever, les jetant les uns à côté des autres, bouchant les interstices avec des rochers, allant même jusqu'à écarter tous les autres cailloux afin que son œuvre se détache sur un sable immaculé. Pendant deux heures, il se fit terrassier, voulant aussi se prouver que malgré la soif il pouvait soulever de telles masses.

Du haut de la falaise, il observa son œuvre. La flèche mesurait cinq mètres, avec des ailettes bien dessinées. On ne pouvait manquer de la remarquer, de comprendre que c'était un appel, de la suivre. Quel navire résisterait à ce message, qui pouvait indiquer un trésor?...

Sur le chemin de sa hutte, il cassa des branches pour marquer le chemin. Peu lui importait désormais de se désigner ainsi tout autant à d'éventuels attaquants qu'à des secours de plus en plus incertains.

Il écarta de sa couche les branches effondrées, sans se préoccuper de les remettre en place en une illusoire fortification, et s'allongea sur son lit de fougères. Sa langue collée au palais était sèche comme une pierre, un goût de bile envahissait sa gorge. Il commençait à éprouver des douleurs dans les muscles des bras et des jambes. À demi enfoui dans les feuilles, il se mit à pleurer, doucement, sans larmes, sans bruit, secoué de sanglots silencieux. Le sommeil finit par venir.

La troisième journée fut pire. Il s'éveilla sans force, la tête vide, les jambes flageolantes. Le ciel était bleu, une légère brise ne diminuait pas le poids de la chaleur et de l'humidité. Il reprit la sente jusqu'à la crête : aucun navire, aucune voile à l'horizon. Il se rendormit dans la poussière — ou peut-être s'évanouit-il. Quand il revint à lui, le soleil s'approchait du zénith et la marée était basse. Il descendit sur le sable brûlant pour lever le produit de sa pêche, mais le piège à poissons était vide. Aucune autre idée pour se procurer à manger ou à boire. Cette terre inconnue semblait aussi aride et désolée que tous les déserts d'Arabie. Il commençait à avoir des hallucinations, et crut voir une sorte d'énorme lapin roux faire des bonds sur ses pattes arrière, là-haut sur la falaise. Le temps de cligner des yeux, plus rien.

Il remonta s'étendre sous son arbre, face à la baie vide. Il était incapable de faire le moindre projet. Il n'arrivait plus à se rappeler les visages de ses camarades du *Saint-Paul*.

Il eut devant les yeux une vision précise de sa sépulture, dans l'église du village. Il faudrait bien quelques mois pour que la nouvelle de sa disparition atteigne ses parents. Ils feront dire une messe, avec son frère Lucien, apprenti bottier, et sa petite sœur Émilie, qui le fêtait à chacun de ses rares

passages, pour les babioles qu'il lui rapportait...
Comme enfant de chœur, il avait servi une messe
pour un jeune pêcheur du village perdu en mer, et
vu la détresse des parents, rendue plus poignante
par l'absence de cercueil. L'aîné reprendrait l'atelier du père, le cadet devait tenter sa chance ailleurs : à quinze ans, il avait embarqué comme
mousse et depuis s'était habitué à cette vie. Nul
n'aurait pensé qu'elle se terminerait ainsi, sur un
coup de malchance, sans âme qui vive autour de
lui, dans l'abandon le plus absolu. Il ne laisserait
d'héritage à quiconque. Ses sombres pensées ne
diminuaient pas la soif atroce qui lui brûlait la
gorge. Il tremblait par moments, comme pris par
les fièvres.

L'idée d'en finir, de sauter la tête la première du
haut de la falaise vint rôder autour de lui. Était-ce
le seul choix qu'il pouvait exercer — aller vers la
mort ou l'attendre? Les souvenirs du catéchisme
ne lui furent d'aucun secours. Il n'avait plus que
cette liberté, et ne voulait pas y renoncer. Se lever,
regarder en bas l'amoncellement des blocs de
corail...

Il s'endormit derechef, oublieux de ses misères
dans le sommeil.

Une sensation de froid le réveilla. Le vent
s'était levé à nouveau, et balayait la crête où il
gisait. Le soleil déclinait derrière des indiennes
roses et orangées, tendues sur tout l'horizon au-
dessus de la forêt sans couleur. La faim qui le
tenaillait n'était rien à côté des morsures de la
soif. Prudemment, il se leva et gagna son abri

des nuits précédentes. La tête lui tournait, chaque pas chancelant lui demandait un effort de volonté — tant il paraissait plus simple de se laisser tomber là où il était et d'y attendre la fin. Mais il lui importait de retrouver sa hutte et son lit de fougères. Titubant comme un homme ivre, sans penser à rien, il atteignit le vallon, le descendit — cette sente sablonneuse entre les troncs n'avait-elle donc pas de fin ? — et s'écroula devant son abri. Il ne sentait plus le vent, se recroquevilla sur lui-même, et perdit connaissance.

Les souffrances de la quatrième journée furent comme une longue agonie. Il n'eut pas la force de retourner à la plage ou à la falaise et resta couché, immobile. Lorsque arriva enfin la fraîcheur du soir, il s'abandonna à l'idée de mourir là, dans le sable, loin de tous.

LETTRE I

Sydney, le 5 mars 1861

Monsieur le Président,

Lorsque vous m'avez fait l'honneur de me recevoir pour la première fois, il y a plus de quatre années maintenant, vous avez accepté d'ouvrir votre porte à un jeune homme inconnu qui vous avait écrit pour vous dire son souhait de servir la Science, et notamment la Géographie.

Dans ce bureau où tant de grandes expéditions se sont décidées, je vous ai fait part de mon projet : mettre les moyens dont deux générations de prudence familiale m'ont doté, non pas au soutien d'une honnête oisiveté provinciale, mais au profit d'une exploration du globe, au bénéfice du Progrès et de la gloire de notre pays.

Avec une paternelle sollicitude, vous m'avez écouté décrire cette ambition qui ne se fixait aucun objet précis. Et vous m'avez répondu deux choses.

La première maxime est que voyager est un

métier, non un loisir. Je n'ai pas compris tout de suite, ni même dans la première année, la force et la justesse de cette remarque. Mais combien ensuite j'ai éprouvé la valeur de cet aphorisme! Il m'a fallu apprendre, humblement, à voyager les yeux ouverts, à me tromper beaucoup, à être trompé souvent, à perdre du temps pour en gagner, à rester immobile pour observer le mouvement de la vie. Vous-même, qui avez voyagé plus et mieux que moi, savez tout cela, et savez également que chaque voyageur doit commencer comme apprenti : nul ne saurait faire l'économie de cette initiation.

Le second conseil portait sur le choix d'une destination : vers l'Afrique, vers les Pôles, ou vers le Pacifique. Tels étaient — tels sont toujours — les enjeux essentiels des voyages à venir.

Vous avez sans doute tout oublié de cette conversation, que vous avez dû avoir avec bien des jeunes blancs-becs. Pour ma part, j'en garde un souvenir très précis, comme d'un commandement venu du sommet du Sinaï. Je me souviens même avoir cru percevoir un éclair d'ironie dans votre œil bienveillant. Encore un qui ira jusqu'à l'ultime gare de chemin de fer, le dernier toucher des navires de ligne, et pas plus loin, avez-vous pensé un instant. Vous m'avez pourtant exposé les dangers de ces trois destinations : aux Pôles, le froid, les difficultés de navigation dans les glaces, l'isolement; en Afrique, les conflits entre rois nègres, marchands arabes, aventuriers anglais et missionnaires de toutes confessions; dans le Pacifique, les distances, et l'inconnu.

Muni de ce viatique, je me suis retiré, et j'ai balancé entre ces trois horizons. Pour des raisons qui n'ont pas leur place ici — et qui d'ailleurs se révélèrent erronées —, je choisis les Pôles et me préparai à une expédition vers l'Islande.

Les dix mois que j'ai passés sur la côte est, dans un village d'une cinquantaine d'âmes, m'ont permis de parcourir cette contrée peu connue. Les difficultés des transports, l'arrivée précoce de la neige, la fréquence des tempêtes m'ont empêché de cartographier autant que je l'aurais voulu. Du coup, elles m'ont amené à découvrir un autre terrain d'enquêtes, et à décrire scrupuleusement les coutumes et le métier de ces paysans-pêcheurs. Le mémoire que j'en ai tiré, et que j'ai transmis à votre Société, a été jugé digne d'une lecture publique en séance plénière. Les cartes, les croquis, les harpons, les costumes, les jouets, la vaisselle rapportés d'Islande ont été déposés entre vos murs. Vous m'avez accordé le titre de membre correspondant, encore que je ne le méritasse point à cette époque.

Vous m'avez reçu à nouveau quelque temps après, et avez eu la bonté de vous enquérir de mes projets. Je voulais voyager encore, mais n'osais vous dire toute la vérité, que je vous dois aujourd'hui : en Islande, j'avais découvert que le froid m'affecte au-delà du concevable. J'y perds mes moyens, ma volonté, ma lucidité, ma joie de vivre. Je laisse le privilège d'aller vers les Pôles à ceux qui supportent le blizzard, les grains de neige tourbillonnant au pied des falaises, le vent des glaciers coupant comme une lame. Cette route n'est pas pour moi.

Entre l'Afrique et le Pacifique, j'hésitai quelques mois. Les bibliothèques, les journaux, les généraux, les ministères ne parlent que de l'Afrique. Ce serait donc le Pacifique. Un an après le retour d'Islande, je repartis.

Le voyage de Bordeaux à Sydney fut long mais sans incident. Débarqué dans cette ville anglaise construite par les forçats, je me renseignai sur les moyens de poursuivre ma route vers des îles inconnues. Quelles ne furent pas ma surprise et ma déception de découvrir non seulement qu'il n'y a plus de *terrae incognitae*, mais que les agences de messageries vous proposent un embarquement pour à peu près n'importe quel point du Pacifique. Je me rendis à Lifou, aux Fidji, à Santo, à Auckland. Partout des consuls, des agents des compagnies maritimes, des missionnaires, déjà des colons.

Je n'ai pas manqué de vous adresser de brefs rapports sur chacune de ces escales. Remaniés, mis en forme, ils devinrent ces *Scènes du Pacifique* que je publiai l'an dernier. Ces travaux d'écriture m'occupaient le soir sur la terrasse, pendant que l'immuable averse tropicale tambourinait sur le toit.

Dans tous ces ports, je percevais la même

histoire. L'Europe avait imprimé sa marque sur la rade et les maisons qui l'entouraient, mais à deux ou trois lieues de là, derrière une rangée de collines, la vie des sauvages n'a pas changé. Les rencontrer fut moins simple que je ne l'imaginais. Les missionnaires protestants se méfiaient de moi parce que je suis français, et les rares missions catholiques ne voulaient pas s'encombrer d'un inconnu. La compétition religieuse laissait peu de place à l'observation scientifique. Je voulais décrire des sauvages allant nus, et les bons pères tentaient de les habiller et de leur apprendre le *Veni Creator*.

Mes tentatives échouèrent toutes au bout de quelques semaines ou quelques mois, et le matériel cartographique et humain recueilli se révéla bien mince en regard des sacrifices consentis. Il m'arrivait, certains matins, marchant sur la plage d'où partaient les pirogues, de regretter l'Islande, la petite maison du pasteur qui m'avait hébergé, et nos conversations en allemand. Ces deux années dans le Pacifique n'avaient produit aucun résultat tangible. J'étais assez lucide pour le constater, sans amertume ni vaine nostalgie.

Dans ce bilan, aucun reproche à votre endroit, Monsieur le Président. Vous m'aviez suggéré le Pacifique, et je confirme à quel point ces îles et ces peuples sont étranges et méconnus, combien la Géographie y trouvera un vaste champ d'expériences. Il reste bien des découvertes à faire, mais celles-ci ne sont plus pour les navigateurs. Il faudra longuement séjourner sur place pour s'habituer à la vie des sauvages, vaincre leur méfiance, apprendre leurs langues, et avec leur concours percer tous les mystères de chacun des archipels. Je ne suis pas en mesure de consentir à une telle ascèse. Vous ne vous étiez pas trompé sur la destination, mais sur moi.

Fatigué par tant d'exotismes, je choisis de passer quelque temps à Sydney, pour réfléchir à ce que j'allais faire de ma vie. Il n'y a rien à découvrir en Australie, mais cette ville toute nouvelle ne manque pas d'attraits. La qualité de membre correspondant de votre Société m'avait ouvert à chacun de mes passages les portes des personnes convenables — bien peu nombreuses au demeurant —, qui m'avaient encouragé avant mes tentatives et ne m'accablèrent point après leur échec. À leur contact, je me tenais informé des mouvements du monde. Je crus même avoir trouvé dans ces salons ma future compagne, qui semblait partager ces vues informulées. Lorsque je me déclarai, sous l'œil narquois de son père, elle me signifia sèchement que jamais elle n'épouserait un Français ni un catholique. Si cet aimable badinage m'avait jusqu'alors retenu à Sydney, ma brutale déconvenue me poussait à reprendre la mer. La cruelle aurait ri de m'avoir chassé, aussi je décidai de séjourner encore quelques semaines avant de partir dignement.

Un soir, sur la terrasse de M. Wilton-Smith, honorable négociant, je fus abordé par le capitaine qui m'avait ramené des Fidji quinze mois plus tôt. Il me demanda si, en tant qu'explorateur, j'avais quelque idée sur le sauvage blanc. Je crus avoir mal compris, ou déceler une moquerie, et le priai de répéter en m'excusant de mes lacunes en anglais.

En peu de mots, il m'indiqua qu'un ketch armé au trépang avait ramené un sauvage blanc. Sauvage, ne parlant que son charabia, tatoué, courant nu sur la plage ; mais blanc, par ses cheveux, sa taille et, malgré les morsures du soleil, sa couleur de peau. L'équipage l'avait embarqué de force, puis s'était lassé de cet être singulier. À Sydney, le gouverneur avait décidé de s'en saisir et l'abritait depuis une semaine dans la prison de la ville.

Souvent dans les ports, vous l'avez constaté comme moi, Monsieur le Président, on vous vante la femme-poisson ou l'homme à trois têtes, aussi n'accordai-je qu'une attention polie à ce qui me parut être une rumeur de taverne. Je rétorquai que les explorateurs ont assez à faire avec les sauvages nègres pour ne pas s'encombrer d'un sauvage blanc. La musique qui commençait mit un terme à l'échange.

Rien de plus faux, rien de plus sot que mon trait d'esprit ce soir-là.

Trois jours plus tard, je fus convié à une réunion dans le bureau du gouverneur. Je connaissais de vue une partie des autres invités : un négociant allemand, un prêtre italien, un baron russe, un capitaine hollandais, un hidalgo sombre dont le regard avait l'arrogance de toutes les Espagnes. Les principales nations ou, plutôt, les principales langues de l'Europe étaient assises autour de la table.

Le gouverneur nous expliqua son embarras. Il avait mis en sa prison ce sauvage blanc, dont il ne savait que faire. Il l'avait examiné, et lui aussi était convaincu qu'il était né en Europe, de père et mère blancs, et non sauvages ou même mulâtres. Mais où? Il ne parlait que son galimatias et ne portait aucun objet, aucun signe qui indique son origine.

Un bagnard habillé en domestique servit du porto, pour nous mettre de bonne humeur sans doute. Le gouverneur exposa son plan : que chacun de nous vienne lui parler dans sa langue, et l'on verra bien si le sauvage en reconnaîtra une comme maternelle. Nous discutâmes un moment de cet ingénieux procédé. Le prêtre n'accepta de lui parler en napolitain qu'à la condition de pouvoir essayer le latin — ce qui fut accepté. L'Espagnol bougonna qu'il pouvait aussi dire quelques vers en portugais.

Mais pourquoi ne pas contacter les consuls de nos pays respectifs? objecta le commerçant de Königsberg. Il n'appartient qu'à un représentant officiel de S. M. le roi de Prusse de reconnaître pour sien l'un de ses enfants.

Précisément, soupira le gouverneur. Envers les consuls, il ne pouvait avoir qu'une démarche officielle. Qu'adviendrait-il si deux consuls se disputaient le sauvage blanc? Ou si l'un d'eux s'offusquait de ce que cet individu nu et tatoué soit supposé son compatriote? Embarras, protestations, dépêches, comptes rendus dans chacune des capitales... La confusion pouvait durer des années, devenir un sujet de conflit entre les puissances, ne jamais finir... C'est pourquoi il organisait cette consultation officieuse auprès de l'élite étrangère de la colonie, afin de n'entreprendre ensuite que des démarches suffisamment fondées.

Je l'avoue, assis à la table du gouverneur, je n'éprouvais alors — outre un peu d'admiration pour le sens politique révélé par notre hôte — qu'une banale curiosité. Le sauvage blanc n'était donc pas une légende, ni une farce. J'étais curieux de le voir, et d'en connaître un peu plus sur son histoire. Peut-être y avait-il là matière à quelque anecdote plaisante, plus tard, dans les salons parisiens. Le paradoxal sauvage blanc amuserait les messieurs et ferait frissonner les dames, que les récits de voyage charment toujours.

Le gouverneur donna la parole à un grand jeune homme effacé, qui semblait effrayé de s'adresser à notre assemblée. Il le présenta comme le médecin-adjoint de la garnison et lui demanda de répéter son rapport.

« Selon vos instructions, j'ai examiné l'inconnu surnommé le sauvage blanc. Cet homme d'une cinquantaine d'années mesure cinq pieds six pouces. Quoique assez maigre, il semble en bonne santé. Son torse, ses épaules, ses bras, ses cuisses sont couverts de tatouages et de scarifications.

J'ai noté deux cicatrices manifestement mal soignées : l'une à l'oreille gauche, dont le lobe inférieur est déchiré et à moitié arraché ; l'autre au milieu de la cuisse droite, qui pourrait avoir été faite avec un poignard ou une pointe de flèche. »

Progressant dans son exposé, le jeune médecin semblait gagner en assurance et ne regardait plus ses notes.

« Il n'appartient pas à la race nègre, ni à la race jaune. La couleur de sa peau, sa corpulence, la texture de ses cheveux l'excluent absolument. Il n'appartient pas à la race sémite. Son front haut, son nez droit, ses cheveux châtains et lisses, sa barbe bien fournie le démontrent. Je dois souligner qu'il est circoncis, mais à la manière des indigènes de ce pays, non comme les juifs ou les mahométans. »

Quelques toussotements accueillirent cette précision inconvenante.

« Son apparence suggère donc fortement, voire établit qu'il appartient à la race blanche. Il semble doté d'intelligence : il écoute qui lui parle, exprime par gestes quelques sentiments élémentaires, obéit aux ordres qu'il reçoit : se lever, venir, ne pas dépasser telle limite. Il est très sensible aux expressions de la voix : l'amitié, la colère, la peur, la douleur suscitent chez lui intérêt et compassion.

Il ne dit pas un mot. Il ne comprend pas l'anglais. Les marins du *John Bell*, le bateau qui l'a ramené, l'ont entendu se lamenter dans un langage inarticulé. Vêtu du seul pagne qu'ils lui ont donné, il passe ses journées accroupi sur les talons, les coudes calés à l'intérieur des cuisses largement ouvertes.

Notre nourriture ne lui convient pas, il ne l'accepte qu'avec une visible répugnance et pour ne pas mourir de faim. Il mange avec ses doigts, boit dans ses paumes et ne sait pas se servir d'un verre ou d'une cuillère. L'eau croupie ne le rebute pas, il a recraché avec dégoût le vin qu'un soldat s'était amusé à lui proposer. »

Voilà le premier rapport que j'entendis sur le sauvage blanc, et j'ai cru utile, Monsieur le Président, de vous le restituer en entier. Pendant que le capitaine hollandais grommelait qu'une telle description ne pouvait s'appliquer à un natif des Provinces-Unies, je me demandai pour la première fois ce qu'avait pu être la vie de ce malheureux. Là où les autres voyaient un phénomène de foire ou une source de différend, je commençais à la considérer comme un sujet de pitié.

Le gouverneur nous invita à passer dans un jardin attenant, qu'il pensait moins imposant que son salon d'apparat. Le sauvage blanc était accroupi dans la position annoncée, à l'ombre d'un grand arbre frémissant sous la brise. Deux robustes soldats, armés de gourdins, l'encadraient. Ils lui firent signe de se lever et ne pas avancer.

L'homme que je découvris en cet instant appartient à la race blanche, et correspond en tout point au rapport du médecin. Le visage est ovale, le nez aquilin, la bouche moyenne, le menton fort. Les rides qui le marquent disent les épreuves traversées. Le corps est musclé, sans une once de graisse.

Quoique prévenus, nous fûmes tous surpris à ce spectacle : un Blanc, vêtu d'un pagne, entièrement couvert de tatouages, muet, immobile, et qui nous regardait.

Lequel de ces messieurs voulait commencer ? Le baron russe fut le plus rapide. Il s'avança et prononça quelques phrases. Je notai avec quel intérêt le sauvage blanc l'écoutait, tout autant désireux d'établir le contact. Mais aucun mot, aucune expression n'éveillait en lui le moindre écho, et il en parut presque aussi déçu que le baron. Celui-ci, avec une moue dédaigneuse, revint vers nous pour allumer un cigare et nous annoncer que certes ce n'était pas un sujet de S. M. le Tsar.

Le prêtre italien s'approcha à son tour. Il dit un *Pater Noster* à haute voix — pour son interlocuteur, ou pour nous tous —, sans autre réaction que la même attention, soutenue et désabusée à la fois. Il passa ensuite au napolitain. Le sauvage blanc réagit au changement de sonorité et d'inflexions, confirmant ainsi l'intelligence dont il était crédité. Mais il ne dit mot. Après quelques phrases inutiles, le prêtre changea à nouveau de registre et entonna ce qui devait être une berceuse ou une comptine, d'une voix de fausset ridicule et touchante. Le sauvage blanc comprit le passage de la parole au chant, mais ne se mit pas pour autant à parler napolitain.

La langue espagnole, la portugaise, la hollandaise, l'allemande n'eurent pas davantage d'effets. L'intérêt du sauvage blanc restait cependant entier à chaque tentative.

J'avais laissé ces messieurs tenter leur chance avant moi, pour réfléchir à ce que je ferais. Mais comme eux, sans doute, je me retrouvai bien décontenancé devant ce malheureux, si manifestement blanc par son corps, si étonnamment sauvage par son allure. Que lui dire?

« Eh bien, mon garçon, viens-tu de France comme moi? Tu as peut-être embarqué à Marseille, à Nantes ou à Dieppe. Tes parents, tes amis t'attendent au pays. Ne veux-tu donc pas rentrer chez toi? Il faut m'aider à t'aider. »

Il était évident qu'il ne comprenait pas. Je lui tendis la main, geste que nul autre n'avait eu : il la regarda avec attention, sans avoir l'idée de s'en saisir.

« Je ne sais pas depuis combien de temps tu erres sur cette côte. Plusieurs années assurément. Peut-être as-tu fait naufrage au temps du roi Louis-Philippe? Sais-tu seulement que la France est à nouveau un Empire glorieux, aux destinées duquel veille depuis dix années l'Empereur Napoléon III? »

Je ne sais pourquoi je lui parlai de notre gouvernement. À la surprise de tous, il me répondit lentement, avec effort :

« Po- lon. »

Jamais encore il n'avait répété aucun mot d'aucune des langues proposées, ni même prononcé un son. Derrière moi, le groupe d'observateurs s'était tu.

« Oui, Napoléon. Tu te souviens de ce nom? Napoléon. L'Empereur Napoléon. »

Ses yeux étaient plantés dans les miens, comme pour y retrouver la mémoire perdue.

« Po- lion. »

Émus l'un comme l'autre de ce premier échange, nous le répétâmes, absurdement complices, devant un code que nous ne savions pas déchiffrer.

« Napoléon, l'Empereur des Français.

— Po- lion. Po- lion. »

Il me regardait avec une intensité impossible à décrire. Pendant cette amorce de dialogue, tous les autres s'étaient rapprochés de nous et avaient formé dans mon dos un demi-cercle attentif et étonné.

Soudain, surprenant même les soldats qui le surveillaient, le sauvage blanc fit un bond en arrière et courut jusqu'au mur. Jamais auparavant il n'avait fait preuve d'une telle vélocité, il avait plutôt paru indolent ou résigné. Dans ce jardin clos, il n'avait aucune possibilité de s'enfuir. Il n'essaya ni d'escalader le mur ou de grimper à un arbre, ni de s'en prendre à l'un d'entre nous. Ses gardiens firent mouvement mais le gouverneur les arrêta d'un geste. Il les ignora, regarda vers la mer par-dessus les écuries de la garnison, et s'écria d'une voix forte quelque chose comme :

« ʹ Sis- Tié- Let-Pol. »

Ces syllabes — qui pouvaient provenir du français — étaient entremêlées de sons qui ne ressemblaient à aucun idiome connu.

Je m'approchai calmement de lui, il ne s'enfuit pas. Je redis comme je le pus sa formule. Il m'encourageait du regard, et la répéta plusieurs fois, plus doucement, plus lentement. Ayant cru entendre une consonne roulée avant les deux premières syllabes, je tentais un R, un L, un H. Ensemble, nous sommes tombés d'accord sur l'énigme suivante :

« R'sis- L'tié- Let-Pol. »

Pourquoi cette formule et que voulait-il me faire comprendre ? Pourquoi avait-il eu cette réaction — fuite, proclamation — pour moi seulement ? Que voulait-il me dire, qu'il n'avait pas voulu ou su dire aux autres ?

Lorsque deux hommes n'ayant pas de langue commune se rencontrent, que se disent-ils avant tout ? Leur nom. Je l'avais constaté en Islande comme dans le Pacifique. Je mis la main sur mon cœur — geste cérémonieux que j'espérai universel — et dis :

« Octave de Vallombrun. »

Il fit le même geste — là encore, une attitude en miroir de la mienne qu'il n'avait pas eue auparavant — et répéta :

« R'sis- L'tié- Let-Pol. »

S'il se présentait ainsi en insistant sur les deux

premiers termes, cela pouvait-il être son nom et son prénom? J'essayai :

« Narcisse?

— R'sis! »

Sa joie était visible, mais les mots se refusaient à sa mémoire et il en avait les larmes aux yeux. J'insistai donc :

« Narcisse? C'est bien cela, mon garçon? Tu t'appelles Narcisse?

— R'sis », confirma-t-il en posant la main sur son cœur.

Nous restâmes alors muets, émus tous deux de ce premier contact. Je le fixai sans cesse, comme si son visage allait me révéler le secret de son existence.

« R'sis- L'tié- Let-Pol », répétai-je doucement, devant cette énigme vivante.

De son supposé prénom, seule la dernière syllabe avait survécu dans son étrange parler. Pouvait-on conjecturer que les trois autres étaient aussi chacune la fin d'un mot? Il m'eût fallu un dictionnaire de rimes pour tester cette hypothèse — en me limitant au vocabulaire le plus fréquent chez un marin. L'ultime fragment me suggéra une piste :

« Pol... Tu viens de Paimpol? Tu as embarqué à Paimpol? »

Il me regarda sans réagir, et je compris qu'il ne retrouverait pas l'usage du français en un éclair, comme par un coup de baguette magique, du simple fait que nous aurions échangé trois mots. Non, ce n'était pas un robinet à rouvrir, mais une source qu'il fallait aller creuser, ou recreuser, dans le tréfonds de sa mémoire. Elle pourrait pendant de longs mois ne couler que goutte à goutte, voire être entièrement tarie. Peut-être ne reparlerait-il jamais ?

D'un mot aimable, le gouverneur mit fin à la séance et nous invita à repasser dans son bureau. Je n'écoutai pas les bavardages des autres partici-pants, qui se félicitaient de ce qu'aucun de leurs compatriotes n'ait atteint ce degré d'abaissement, et qu'il fallait décidemment être français pour tomber aussi bas.

Comme eux, je conclus que le sauvage blanc était français. À quels drames terribles avait-il survécu ? Qui était ce Narcisse, comment était-il arrivé en Australie, quels tourments y avait-il tra-versés ? Qu'était-il advenu des autres membres de l'équipage de son navire après le naufrage ? Tou-tes ces questions se pressaient dans ma tête.

Quand nous fûmes à nouveau installés autour de la vaste table de réunion — je voyais par la porte-fenêtre le supposé Narcisse accroupi au fond du jardin, immobile —, le gouverneur remer-cia courtoisement tous ses hôtes pour l'avoir assisté dans cette expérience. Il lui semblait qu'elle avait démontré que le sauvage blanc était fran-çais. Personne n'objectait à cette conclusion ?

Il précisa que chacun de nous restait bien sûr libre de faire rapport à son gouvernement. Tant qu'il n'avait pas d'éléments de preuve contraire ou de protestations diplomatiques, il allait pour sa part traiter ce cas sans précédent en conséquence. Cette manière de considérer la difficulté fut approuvée, et les représentants des différents pays prirent congé, charmés par cette aventure singulière.

J'allais moi-même me retirer, mais le gouverneur me pria pour un entretien particulier. Il m'indiqua qu'il n'y avait pas encore de consul de France à Sydney, et qu'il ne savait pas quoi faire de Narcisse. Après quelques détours et précautions rhétoriques, il me demanda de m'occuper de lui. Le budget de la colonie pourvoirait à toutes les dépenses, jusqu'au retour en Europe. Bref, le gouverneur souhaitait s'en débarrasser, avec mon aide.

La première objection qui me vint à l'esprit fut que je n'avais aucun titre à m'occuper d'un compatriote. Le gouverneur entendit ma remarque et me fit la promesse qu'un juge de Sydney me confierait au plus vite une forme de tutelle sur le sauvage blanc.

Ma seconde objection tenait à ma simple qualité de voyageur. Je n'ai aucune fonction officielle, aucun droit d'accepter la responsabilité de ce malheureux. Le gouverneur en convint, mais à qui d'autre pouvait-il s'adresser ? Aucun autre Français de qualité ne séjournait dans la colonie en ce moment.

Je n'osai pas lui confier que j'avais choisi de parcourir seul le vaste monde — c'était là encore un de vos précieux conseils, Monsieur le Président. J'avais rencontré ici ou là d'aimables compagnons, pour une soirée ou une excursion. Certains m'avaient proposé que nous unissions nos routes, pour le plaisir de la conversation et la sécurité du voyage. Toujours, j'avais refusé. Et je devrais maintenant m'encombrer de cet inconnu qui ne savait ni parler ni manger comme nous ? pour lui consacrer sans doute autant de soins qu'à un nourrisson ?

Habilement, le gouverneur ne répondit pas au détail de mes inquiétudes, il semblait même les partager. Mais quoi ? Si je refusais, qu'adviendrait-il du sauvage blanc ? S'il le laissait sortir, il mourrait de faim sur le port de Sydney, à moins qu'il n'y soit battu par les bagnards ou arrêté par la police. Devait-il le garder en prison, sans condamnation, sans base légale, sans perspective d'en sortir — alors qu'aucune charge ne pesait contre lui ? Fallait-il qu'il ordonne à un navire de la colonie d'embarquer ce Français pour le ramener dans le désert où on l'avait trouvé ? La cruauté d'un tel procédé susciterait, quand il viendrait à être connu, les protestations de tous les honnêtes gens — et du gouvernement impérial.

La seule solution est le retour en France. Et j'étais le seul moyen pour cela.

Sous l'arbre, le sauvage blanc restait immobile. La tête me tournait un peu. Je priai le gouverneur de m'accorder quelques jours de réflexion, ce à quoi il consentit bien volontiers.

Le surlendemain, j'acceptai.

Vous l'avouerai-je ? Vous avez eu une part à

cette décision. Les raisons du gouverneur n'étaient pas mauvaises, la charité commandait que je prenne soin de mon compatriote. Le patriotisme l'exigeait également. J'aurais pourtant pu les faire taire et refuser, sans donner de motif, ou en invoquant les nécessités du voyage que j'effectue sous l'égide de votre Société.

Mais je ne voulais plus me leurrer. Méditant solitaire sur la terrasse de l'hôtel face à la baie de Sydney, bercé par la brise du soir, je compris que je ne serais jamais l'explorateur que je rêvais d'être. Mon séjour en Islande et mes tentatives dans le Pacifique n'avaient produit qu'un maigre butin, que n'importe quel marin sachant écrire aurait pu amasser plus vite que moi et vous adresser tout autant. Pour faire une découverte exceptionnelle, pour devenir un héros de la Géographie, il fallait s'exposer davantage, prendre beaucoup plus de risques, consentir maints sacrifices. Je m'étais éprouvé, et je savais ne pas pouvoir placer la barre aussi haut. Ce rêve que je poursuivais depuis cinq ans s'évanouit aux antipodes, et je suis trop lucide pour ne pas en prendre acte. Membre correspondant de la Société est le titre le plus prestigieux auquel je puis prétendre. Je ne serai pas un découvreur du Monde.

Le cas du sauvage blanc sera mon cadeau d'adieu à la Géographie. Je vais tenter d'en savoir plus sur son étrange aventure, de lui faire retrouver notre langue pour raconter son exil chez les sauvages. Cette anecdote curieuse ne doit pas être perdue.

Cette première lettre sera suivie de deux ou trois autres, en fonction des progrès de Narcisse — si tel est bien son nom —, et des détails pittoresques qu'il me révélera sur les mœurs et les coutumes de ses hôtes. Je n'entends pas composer un livre, et ne sais ce qu'il adviendra de lui par la suite. Aussi je m'autorise à vous écrire, pour que vous trouviez dans ces correspondances les questions que je me pose autant que les étapes qu'il franchira.

Lorsque je l'ai vu dans le jardin, son attitude, son regard exprimaient un sentiment plus intense encore que la curiosité ou l'étonnement. Je ne le compris qu'après coup, alors que je méditais sur la décision à prendre. Au fond de ses yeux, j'avais lu une peur absolue, la terreur d'un animal traqué. Sans doute ai-je accepté la proposition pour vaincre cette peur.

Avec la bienveillance dont vous avez toujours fait preuve à mon égard, vous considérerez peut-être cette histoire comme digne d'intérêt. Les conseils que vous souhaiteriez me donner seront pour moi des oracles auxquels j'obéirai religieusement. En attendant, je veux consigner tout ce que je constate, laissant à de plus savants que moi le soin de trier le bon grain de l'ivraie.

Croyez, Monsieur le Président...

2

De l'eau. De l'eau entre ses lèvres gercées entrouvertes, sur son palais, dans sa gorge. Une eau au goût de terre — une eau qui coulait généreusement. Sa bouche d'instinct avait senti le bec de la gourde et s'y accolait. Il ne voulait pas ouvrir les yeux, savoir qui s'occupait de lui — juste boire, boire tout son saoul, boire sans limites comme il n'avait pas bu depuis Le Cap. De même qu'un canal d'irrigation se remplit et dirige le flux vers chacune des rigoles, l'eau redonnait vie progressivement à son torse brûlant, à sa tête bourdonnante, à ses cuisses lasses, à ses bras sans force. Elle ruisselait aussi sur ses joues, son menton, son cou, comme pour aller plus vite partout où son corps avide l'attendait.

Il aurait bu sans discontinuer, à l'infini. Mais, alors qu'il ne se sentait pas rassasié, la gourde s'éloigna soudainement. Avec effort, il cligna des paupières pour découvrir son bienfaiteur.

Un visage noir, ridé, penché sur lui. Des cheveux crépus grisonnants, des traces de terre rouge sur les pommettes et l'arête du nez. Un regard insistant, pas l'ombre d'un sourire. Pas un mot. Une femme, une femme âgée. Il se recula dans sa litière pour mieux voir. Oui, une femme, entièrement nue, noire comme du charbon, la peau striée comme du cuir de buffle, les seins flasques et tombants. Accroupie à côté de lui, elle tenait à la main une outre faite avec la peau d'un animal, et ne prêtait aucune attention aux mouches innombrables qui bourdonnaient autour d'elle et se posaient au coin de ses yeux. Ils se regardèrent un long moment, elle énigmatique, lui ne sachant que dire ou que faire. Puis elle lui présenta l'outre à nouveau, il s'en saisit et but de longues gorgées, jusqu'à la vider entièrement. La saveur âcre de poussière et de suint ne le rebutait pas.

Il se leva et fut pris d'un vertige. La soif apaisée faisait ressortir l'empire de la faim. Elle resta accroupie et le regarda se mettre debout, tituber, se ressaisir. Il fit quelques pas pour se donner une contenance et jeter un coup d'œil aux alentours. Personne d'autre en vue. Cette vieille femme devait bien vivre avec sa famille, son clan? Son sentiment de solitude aurait dû disparaître, avec cette aïeule qui prenait soin de lui. Pourtant, à cause de son allure et peut-être surtout de son silence, il ne se sentait pas moins seul que la veille. À la regarder, il mesurait combien son monde familier était éloigné d'elle. La goélette, les camarades, les escales à venir sur la route de la Chine... Voilà l'antidote à la solitude et l'abandon, non cette négresse secourable.

Revenu vers elle, il posa la main sur sa bouche, son ventre, fit mine de mastiquer une viande imaginaire. Elle n'eut aucune réaction, d'ailleurs elle ne le regardait pas, ne paraissait plus se soucier de lui.

« J'ai faim... S'il vous plaît... j'ai faim. »

Il ne s'imaginait pas être compris. Sa voix résonna étrangement à ses propres oreilles, déshabituées de l'entendre, dans le silence de ce bois désert. Elle n'avait pas bougé. Elle lui avait sauvé la vie en l'abreuvant, et le laisserait mourir d'inanition ?

« J'ai faim !... Vieille sorcière, donne-moi à manger ! »

Le changement de ton était net et sans équivoque, elle ne réagit toujours pas. Il ne pouvait tout de même pas lever la main sur sa bienfaitrice. Et une brutalité n'eût pas fait apparaître par miracle de la nourriture. Il remonta sur le bord du plateau, s'attendant à y trouver d'autres sauvages, mais ne vit personne. Désemparé, il revint à la vieille immobile, s'assit à côté d'elle et dit plus calmement :

« Je m'appelle Narcisse Pelletier, de Saint-Gilles, en Vendée. Là-bas en France. Je suis matelot sur la goélette *Saint-Paul*. Mon bateau est parti sans moi il y a quatre jours. Il va revenir, bien sûr, et tu seras richement récompensée de m'avoir aidé. Mais il faut que tu me donnes à manger. »

Le discours n'eut pas davantage d'effet. Elle ne

parut pas avoir entendu qu'il lui parlait. Faute de projet, faute d'endroit où aller, il resta près d'elle. Dans la journée ou la soirée, conjecturait-il, il y aura bien un moment où elle ira se nourrir. Il en profiterait pour s'inviter au repas, de gré ou de force.

Le soleil était au zénith et la chaleur redevenait accablante, dans un air immobile et moite. Il somnola un moment, pour la retrouver exactement dans la même posture.

Jamais il n'avait vu quelqu'un d'aussi noir — et pourtant, que de visages différents il avait croisés, sur les quais de Saint-Louis du Sénégal ou du Cap! Les nègres d'Australie n'étaient donc pas comme ceux de l'Afrique?

Soudain elle fit un geste brusque dans sa direction, la paume dressée verticalement, en le fixant avec intensité. Il obéit et resta immobile. Son autre main tenait un caillou qu'il ne l'avait pas vu prendre. Elle l'amena à hauteur d'épaule et le lança vivement dans un buisson à vingt pas. Dans le même élan, elle bondit en ramassant une branche morte et frappa à nouveau sa cible de plusieurs coups secs. Enfin elle se baissa et, écartant les feuilles, saisit un lézard plus gros que son avant-bras et lui brisa la nuque. Elle revint avec son trophée dont les écailles grises luisaient, le laissa tomber dans la poussière et s'accroupit comme avant. Elle n'entreprit ni de le dépouiller ni de se mettre en cuisine.

Il avait tellement faim qu'il était prêt à manger

56

cet horrible gibier, même cru. Voyant qu'elle ne bougeait plus, il se résolut à intervenir. Il prit son couteau, pensant couper la tête et les pattes du lézard, lui enlever la peau. Mais, comme il faisait mine de s'en saisir, elle bondit pour le prendre et le mettre derrière son dos, signifiant clairement qu'il n'avait pas droit d'y toucher.

Fallait-il se battre avec elle? Il était plus grand, plus fort, plus jeune, il jouait avec son couteau. Sa victoire était certaine. Mais après? Si elle s'enfuyait, s'il la tuait ou la blessait, qui lui apporterait de l'eau? Comment saurait-il quoi manger dans cet étrange pays? Elle s'était mise en chasse et avait tué ce lézard. Tôt ou tard viendrait l'heure du repas. Mieux valait attendre. Sa force ne lui servait à rien. Résigné, il rangea son couteau et s'allongea à nouveau sur le sable.

Lorsque le soleil commença de décliner, elle se leva pour aller tout au bout de la combe. Là où il avait vainement cherché de l'eau dans une terre légèrement humide poussait en abondance une sorte de cresson aux feuilles vert pâle. Elle s'agenouilla, creusa avec les mains et dégagea un bulbe. Elle le sépara de la tige, le mit de côté et recommença, se déplaçant vers la gauche. Un deuxième bulbe vint rejoindre le premier, puis un troisième.

Il l'avait suivie, et voulut participer à la cueillette, pour l'aider, pour être utile, pour avoir quelque chose à faire, pour avoir plus à manger. Mais quand il s'installa près d'elle et voulut creuser à son tour le sol, elle l'arrêta d'un geste sans équivoque et lui fit signe de reculer. Il hésita. Elle réitéra son geste en criant un ordre d'une voix aigrelette. Elle n'était donc pas muette, après tout... Ce mot ne ressemblait à rien qu'il ait entendu auparavant, avec une sorte de chuintement ou de cliquetis entre les syllabes. Il n'insista pas, recula de quelques pas et la regarda s'affairer à sa récolte. Il avait obéi toute sa vie, à son père, au curé, au maître d'école, au maître d'équipage, au capitaine... Il ne pouvait qu'obéir à cette vieille. Ses camarades auraient bien ri en le voyant reculer sous ses ordres.

Pourquoi n'avait-elle pas parlé plus tôt? Bien sûr ils n'avaient aucun moyen de se comprendre, mais que n'aurait-il donné pour qu'elle réponde à ses questions... Elle n'avait pas ouvert la bouche, sauf pour cette rebuffade. Dans la situation inverse, n'aurait-il pas cherché le dialogue, tenté des mots simples, mimé des situations, ou seulement esquissé un sourire?

N'avait-elle donc que faire de lui? Mais alors pourquoi lui avoir sauvé la vie?

Lorsque le tas de bulbes lui parut suffisant, elle prit une branchette, fit un trou dans chacun et enfila sa récolte sur une liane qu'elle enroula par-dessus son épaule. Toujours sans un mot, elle revint à leur point de départ, jeta le tout à côté du lézard et ne s'en occupa plus. Il l'avait suivie, pensant que l'heure du repas approchait, maintenant que les légumes avaient rejoint la viande.

Il dut attendre une heure encore, étourdi par la

faim. Lorsque le soir commença à tomber, elle prépara un feu de brindilles, qu'elle alluma en frottant deux pierres, et disposa les bulbes à même le sable autour de son foyer. Elle déposa ensuite le lézard entier au milieu des braises, rajouta du bois mort, et laissa le feu brûler puis s'éteindre.

Il faisait sombre lorsqu'elle se saisit du gibier qui avait cuit dans sa propre peau. Avec une pierre coupante, elle détacha les pattes et ouvrit le ventre, puis en quelques gestes précis détacha la chair blanche. Elle lui tendit un morceau — il essaya de ne pas voir que c'était une cuisse —, il s'en empara en tremblant et porta la viande à sa bouche. La chair fibreuse n'avait aucune saveur particulière, sinon un léger arrière-goût de cendres. Il dévora sa part en suçant les os et les cartilages. Elle lui fit signe qu'il pouvait se servir dans les braises. Les bulbes étaient un peu carbonisés, il en prit un au risque de se brûler les doigts et les lèvres, et croqua. Cela ressemblait à un petit navet à peine cuit, avec une amertume un peu sucrée. Le sel manquait aux deux plats. Au moins, cet étrange légume allait lui caler le ventre. Il se resservit et tendit la main pour avoir encore de la viande. Elle lui donna un autre morceau, et le laissa reprendre de ces navets inconnus autant qu'il voulut. Elle mangeait aussi de son côté, toujours silencieuse. Trois fois il mendia son obole, et trois fois elle le servit. Mais lorsqu'il voulut tendre la main vers les restes du lézard épars dans le sable, elle aboya à nouveau quelques syllabes qui le lui interdisaient. Résigné, il attendit qu'elle lui propose les derniers rogatons attachés à la colonne vertébrale.

Puis sans un mot elle s'étendit sur le sable et s'endormit.

Dans le ciel d'un noir de poix, sans nuages, une myriade d'étoiles clignotaient — celles qui tiennent compagnie pendant un quart de nuit, quand la goélette avance sous une petite brise, bien appuyée sur sa hanche, et qu'il n'y a pas grand-chose à faire : bavarder à voix basse, rêvasser aux étoiles, à la dernière escale ou à la prochaine. Au même moment, quelques-uns de ses camarades du *Saint-Paul* veillaient et profitaient de la douceur de la nuit tropicale. Pensaient-ils à lui ? Viendraient-ils le chercher ?

Ces questions étaient trop cruelles, il les bannit. Couché sur le dos, il fit le point. Sa situation était moins mauvaise que la veille. Il avait bu. Il avait mangé — pas assez pour être rassasié, suffisamment pour que son estomac diffuse une agréable chaleur et que la faim morde un peu moins fort. Il ne comprenait pas le comportement de la vieille, ce qu'elle acceptait et ce qu'elle n'acceptait pas. Peu importait. Il survivrait.

La goélette reviendrait, le capitaine avait fait voile sur Java pour sauver les malades et compléter ses approvisionnements, puis il remettra cap au sud. Deux semaines de mer. Deux semaines à attendre. Il mangera ce que la vieille lui donnera, du lézard, du poisson, des coquillages, des herbes. Elle savait trouver l'eau.

Deux semaines décomptées de sa paye. Le second, avec son sourire désagréable, griffonnerait des papiers, lui signifierait combien cette escapade allait lui coûter, sous les ricanements d'une partie de l'équipage. Penaud, il se fera remarquer ensuite par un comportement exemplaire : le plus dévoué, le plus obéissant, le plus zélé des matelots de la goélette...

À son réveil, il constata que la vieille n'était plus là. Sans doute rôdait-elle dans la forêt à la recherche de quelque nourriture. Sans attendre son retour, après avoir croqué quelques navets froids, il alla se promener vers la plage.

Point de navire à l'horizon. Comme il s'était préparé à ce risque, il n'en fut pas trop affecté. Mais sa surprise fut totale, en constatant que la flèche géante, faite de roches et de blocs de corail, qu'il avait eu tant de mal à dessiner sur le sable, avait disparu. Tout était éparpillé et ne composait plus aucun message. D'une barque, d'une patrouille à pied, on n'aurait vu que des pierres éparses.

Les marées n'avaient pas dispersé son ouvrage : il avait pris soin de le disposer bien plus haut que l'estran, hors d'atteinte même de vagues géantes. Ce n'était pas la vieille : elle n'en aurait pas eu le temps ni, surtout, la force. Les plus gros blocs pesaient autant qu'une barrique pleine, il lui avait fallu toute l'énergie du désespoir pour les déplacer de quelques pas — le souffle court, le dos contracté, les jambes tremblant de fatigue, les bras tétanisés par la charge.

D'autres que la vieille habitaient ce rivage. Il en avait la preuve. Il essaya de se convaincre qu'il l'avait toujours su. Aucun être humain, aucun animal ne vit dans la solitude absolue. Cette femme avait des parents, dont elle partageait la langue et les coutumes — et parmi eux, des hommes solides capables de défaire ce qu'il avait fait.

Où étaient-ils? Ils savaient qu'il était là, et avaient envoyé la vieille pour sonder ses intentions. La vieille ne comptait plus, ils pouvaient se permettre de prendre le risque de la sacrifier... Ils l'observaient, de loin. Si leurs intentions étaient amicales, pourquoi se cacher? pourquoi ne pas l'accueillir, tous ensemble, hommes et femmes, jeunes et vieux, pour le conduire à leur village et le secourir?

Pourquoi défaire la flèche? La réponse était, hélas, évidente : pour éviter que d'autres Blancs comprennent le signal, suivent la direction, le trouvent et le rembarquent avec eux.

Tous ces mystères renforçaient son inquiétude. Face aux sauvages, il n'avait que son couteau de marin à la ceinture. Par le nombre, ils pourraient le submerger sans la moindre difficulté — couteau ou pas. Sa seule arme était la ruse, même s'il ne voyait pas bien comment l'employer. Il se raccrochait à cette intuition : des sauvages nus, son intelligence le protégerait.

Ils lui avaient pour l'instant laissé la vie sauve.

Désormais, il était sur ses gardes. Fallait-il qu'il remette la flèche en état ? Deux heures de travail épuisant sous le soleil ; et ils s'amuseraient à tout défaire dès qu'il aurait le dos tourné. À ce jeu-là, seul contre toute une tribu, il ne pouvait gagner. Et surtout, reconstruire, c'était leur dire qu'il savait qu'ils étaient cachés non loin, qu'ils le surveillaient et qu'ils voulaient l'empêcher d'écrire son message sur la plage. Mieux valait qu'ils ne devinent pas qu'il se méfiait.

Que savait-il des sauvages du Pacifique ? Les récits que l'on partageait dans l'entrepont étaient imprécis, contradictoires, parfois incroyables. S'il avait su être plus attentif, poser des questions aux matelots plus anciens, qui avaient bourlingué sur cet immense océan...

Tous s'accordaient à opposer l'Est et l'Ouest. Le Pacifique oriental, depuis la Nouvelle-Cythère de Bougainville, faisait rêver tous les marins : aimables sauvages, femmes accueillantes, nourriture abondante, aiguades nombreuses, bons mouillages. Ces îles de délices avaient tant de charme qu'on n'y comptait plus les désertions, voire les mutineries. Comment résister aux danses et aux chants de ces filles aux seins nus et à la peau couleur de miel ?

L'ouest du Pacifique n'inspirait pas les mêmes nostalgies. Des tribus barbares, à la peau noire comme l'enfer, toujours en guerre, défendant pied à pied avec des casse-têtes et des sagaies leurs laiderons, leurs poulets, leurs légumes. Les attaques

63

contre les marins européens étonnaient par leur soudaineté et leur sauvagerie. Elles se terminaient par un grand *kaï-kaï*. Il y avait toujours un mousse pour demander :

« C'est quoi, un grand *kaï-kaï*?

— C'est comme un immense pot-au-feu où ils font cuire les adversaires tués au combat. »

Il ne savait rien du nord-est de l'Australie, mais la proximité géographique comme la couleur de peau de la vieille faisaient penser au Pacifique occidental. L'énigme de la disparition de La Pérouse, après un ultime toucher à Sydney, le port le plus proche, confirmait cette menace latente.

Plus violente que la peur de mourir, plus cruelle que la perspective d'être tué, plus lancinante que la vision de son propre corps abandonné à la poussière et aux bêtes, la terreur de servir de repas dans une grande fête des sauvages l'envahit.

Que pouvait-il faire, sinon retourner voir la vieille? Le cœur lourd, il reprit le chemin de la combe. Elle n'était pas au bosquet où ils avaient dormi. Il poussa jusqu'au fond de la gorge, où elle avait ramassé ses bulbes. Personne. Il ne l'avait plus vue, en fait, depuis la soirée.

L'avait-elle abandonné? Mais pourquoi cette cruauté? Pourquoi l'abreuver, alors qu'il était au plus mal? Pourquoi le nourrir, pour ensuite le laisser seul, voué à une mort certaine dans cette forêt dont il ne connaissait aucun secret? Si elle et les siens voulaient le tuer, pourquoi n'attaquaient-ils pas, pourquoi ne le laissaient-ils pas agoniser de soif et de faim?

Ces questions ne l'aidaient en rien. Il fallait qu'il la retrouve, et ce n'est pas en se lamentant sur son infortune au fond de ce trou qu'il allait s'en sortir. Les phases de désespoir et les périodes d'activité frénétique se succédaient comme une très longue houle. Il gravit les flancs de la gorge et se retrouva sur le plateau, parmi ces arbres tortueux aux troncs gris, aux feuilles d'un vert métallique, qui ne faisaient qu'une ombre d'ombre. Aucun bruit. Le sol corallien et sableux, à peu près plat, ne portait aucune empreinte. Il tenta de se hisser sur un arbre un peu plus gros, mais ne parvint qu'à déchirer son pantalon, sans atteindre un point de vue.

Marcher au hasard au milieu de ces troncs était le plus sûr moyen de se perdre. Il prit un repère par rapport au soleil, et avança parallèlement à ce qu'il pensait être l'orientation de la côte. Au bout d'environ une heure, il tourna franchement à droite, gardant le soleil dans le dos, et finit par arriver à l'extrémité nord de la baie, à la petite colline rocheuse qu'il avait escaladée le deuxième jour. Mais de traces de la vieille, point.

Ils l'observaient toujours, sans doute. Ils avaient remarqué sa capacité à s'orienter. Ils le surveillaient depuis qu'il avait construit la flèche géante. Les efforts qu'il avait déployés ce jour-là l'avaient perdu. Aurait-il été plus avisé de rester à couvert, dissimulé dans les buissons, et d'attendre?

Mais s'ils n'avaient pas soupçonné sa présence sur la plage, jamais ils ne lui auraient envoyé la sorcière et sa gourde pleine d'eau. Son labeur harassant avec les pierres n'avait pas été une erreur. Soudain, une évidence le frappa. Bien plus remarquables que lui ou son signal, l'entrée de la goélette sous voiles dans la baie, le mouillage, la mise à l'eau de la chaloupe, les vaines recherches des bâbordais sur la plage.

Depuis le premier instant, les sauvages guettaient leurs faits et gestes. Alertés par les voiles blanches qui arrivaient de l'horizon, par cette structure en bois d'une dimension inconnue qui avait envahi la baie, par ces hommes d'une couleur étrange, par leurs vêtements et leurs éclats de voix, ils s'étaient terrés et avaient suivi tous leurs mouvements : les neuf marins à terre qui se séparent, cherchent quelque chose, se regroupent, remontent à bord à huit ; les envolées de trinquette et de foc, l'énorme chose en bois qui bouge, repart, diminue, disparaît à l'horizon ; et un Blanc qui s'enfonce seul dans la forêt, en ressort après leur départ. Un Blanc seul qui va et vient sur la plage, retourne dans le vallon, s'y construit une hutte, passe ses journées à veiller la baie ; la chose en bois qui ne reparaît pas ; le Blanc qui s'affaiblit au fil des jours.

Ils l'avaient observé, et l'avaient laissé souffrir. Ils n'avaient envoyé la vieille que lorsqu'il avait perdu ses forces et paru inoffensif. Et dire qu'il l'avait prise pour une bienfaitrice !

Il se réjouit brièvement de sa lucidité. Mais que

lui apportait-elle ? Devait-il les chercher ? Inutile de monter dans un arbre ou de parcourir les bois. Ils se montreraient s'ils le voulaient bien. Ils resteraient invisibles si tel était leur bon plaisir. Ils enverraient la vieille ou ne l'enverraient pas. Elle lui porterait l'eau salvatrice ou un fruit empoisonné. Aucun moyen de connaître les règles du jeu cruel auquel ils se livraient. Il s'assit sous un arbre.

Dans la cour du presbytère, avant les leçons de catéchisme, lui et les galopins de son âge s'amusaient parfois avec un souriceau apporté par un chat. Ils formaient un cercle, la petite bête venait buter contre un sabot, la barrière du potager, une planche qu'ils disposaient en travers. Les obstacles se déplaçaient, le souriceau faisait toutes sortes de tentatives et se heurtait toujours à un mur. Jamais il n'abandonnait, et ses tourmenteurs devaient rester vigilants — gare au maladroit qui l'aurait laissé filer ! Lorsque le curé sonnait la cloche, ils le laissaient en tête à tête avec le chat.

Il était ce souriceau.

La vieille était là. Il ne l'avait pas vue arriver, elle marchait d'un bon pas vers la forêt. Il la rejoignit. Elle ne lui prêta aucune attention et ne ralentit pas :

« Où vas-tu, vieille sorcière ? »

Elle était comme sourde quand il lui parlait. La colère le prit, il s'adressa aux arbres, à la colline, à la baie.

« Je sais que vous êtes là ! Je sais que vous me

regardez! Montrez-vous! Pourquoi vous cacher?
J'ai tout compris!»

Pendant cette proclamation, elle avait continué, disparaissait déjà entre les premiers arbres.
Il courut pour la rattraper, voulut lui prendre le
poignet pour l'arrêter. Elle esquiva son geste sans
qu'il parvienne même à l'effleurer. Fallait-il qu'il
la jette à terre pour l'immobiliser? Et dans quel
but?

Il se mit à marcher à ses côtés. Allaient-ils vers
une source? Une abondance de gibier? La faim
était toujours présente et, qu'il le veuille ou non,
cette femme était son unique chance de manger.

Au bout de deux heures, il commença à s'in-
quiéter. Ils avaient quitté la plage et progressé en
s'écartant de la côte. Cette forêt plate ne lui offrait
aucun repère. Elle ne ressemblait en rien à celles
où, enfant, il allait ramasser du bois mort, des
champignons ou dénicher des nids : une seule
sorte d'arbre qu'il ne savait nommer, et non un
mélange toujours différent de hêtres, de frênes,
d'aulnes, de châtaigniers; point de sous-bois;
point d'humus fertile, mais une terre sablonneuse
et stérile; aucun animal, excepté diverses sortes de
mouches et de lézards. L'infime respiration de la
forêt — brise dans la ramure, branche qui craque,
bruissement d'une bête invisible, murmure d'un
ruisseau, bruit de ses propres pas — était absente,
et l'espace empli d'un silence accablant.

S'il s'éloignait de la baie, jamais ses camarades
du *Saint-Paul* ne le retrouveraient. S'il quittait la
vieille et revenait sur ses pas, il mourrait de faim

et de soif avant leur retour. Il fallait faire demi-tour avec elle. Il voulut se mettre en travers de son chemin, les bras écartés, pour signifier qu'il ne pénétrerait pas plus avant. Dans un mouvement de danse, elle esquiva à nouveau, sans ralentir ni s'écarter de sa route, passa sous son bras et continua.

Continuer? Mais que faire d'autre? Elle ne se retourna pas pour voir s'il la suivait. Il hésita, et se remit à marcher à vingt pas derrière elle.

La plaine avait laissé la place à une pente douce, puis un peu plus marquée, comme pour gravir un mont. D'un point haut il pourrait voir la mer, situer sa position, deviner un chemin vers la baie.

Mais le sommet plat qu'ils atteignirent était sous le couvert des mêmes arbres, empêchant toute vue panoramique. La vieille avançait toujours, ils redescendirent. Perdu, sans repères, il avait le sentiment de s'éloigner du monde des vivants et de s'enfoncer dans un purgatoire sans espoir. Plus de sable, mais une terre rouge et poussiéreuse.

Le soir tombait. La fatigue de cette marche s'ajoutait à la soif et à la faim pour le faire tituber comme un homme ivre, fouetté parfois par les branches et les feuilles qu'il n'avait pas su éviter.

Soudainement, les arbres s'écartèrent, laissant apercevoir une médiocre clairière, centrée sur une mare vert sombre.

De l'autre côté de la mare brûlait un feu.

LETTRE II

Sydney, le 17 mars 1861

Monsieur le Président,

Ce que je prenais pour une anecdote se transforme peu à peu en aventure, et je ne crois pas inutile de vous en narrer les circonstances les plus singulières.

Le gouverneur a tenu parole. Dès que je lui eus fait part de mon accord pour la singulière mission dont il voulait me charger, il me donna toutes facilités et s'enquit de mes besoins.

Je ne pouvais prendre pour Narcisse une chambre à mon hôtel. Aucun établissement n'aurait accepté cet homme presque nu, tatoué, muet, hirsute, un peu effrayant. Il était encore plus inconcevable de s'embarquer aussitôt pour la France. Quel capitaine eût consenti à un tel passager? Narcisse devait d'abord apprendre à parler notre langue, à s'habiller, à se tenir en société, à suivre nos us et coutumes. Il me fallait l'éduquer pendant quelques semaines, pour pouvoir le ramener.

La colonie mit à ma disposition une petite maison, au fond de l'un des bras les plus longs de la baie de Sydney. Cet élégant pavillon, construit paraît-il pour abriter la maîtresse d'un ancien gouverneur, ouvert sur la mer, bordé d'une petite rivière, est accessible en chaloupe, ou par une très mauvaise piste. Une modeste garnison fut installée au portail, avec pour instruction de rester invisibles. Étaient-ils là pour nous protéger, nous espionner, nous empêcher de fuir ? Peu importe.

La chaloupe qui nous amena transportait aussi le domestique que j'avais demandé. Bill est pensionnaire du bagne depuis trois ans, pour je ne sais quelle série de larcins. À Londres, il avait travaillé dans quelques maisons bourgeoises. Actif, intelligent, ambitieux, il est obéissant par calcul, et sait que son avenir en Australie dépendra de ce que je dirai de lui.

La maison comporte un appartement meublé avec goût, prolongé par une véranda. Une cuisine et deux chambres donnant sur l'arrière sont équipées plus simplement. Une prairie boisée descend jusqu'à la rivière et à l'appontement. Plus haut, au-delà de quelques buissons fleuris commence la forêt clairsemée qui se rencontre partout autour de Sydney.

Notre installation fut rapide. Les matelots de la chaloupe déposèrent les colis devant la maison, et maître Bill ne laissa à personne le soin du rangement. Avant de repartir, le patron précisa que si je hissais au sommet du mât un drapeau blanc, ou la nuit une lanterne, la chaloupe viendrait en moins de deux heures.

Lorsqu'ils se furent éloignés, j'éprouvai un sentiment mitigé. Ne m'étais-je pas lancé trop vite dans une expérience ridicule ? Que faisais-je, dans ce recoin perdu de l'Australie, avec un domestique bagnard et un sauvage blanc ?

Narcisse, lui, ne se posait pas tant de questions, et savourait manifestement la liberté retrouvée. Plus de soldats armés de gourdins, plus de murs ni de prison. Il se promena sans but, descendit à la rivière où il but longuement, et vint s'asseoir sur l'herbe, regardant la mer. Il n'avait pas dit un mot depuis notre rencontre dans le jardin du gouverneur. Son immobilité me permit de faire des croquis des tatouages et des scarifications sur son dos, ses épaules, son torse.

Bill vint m'interrompre pour savoir ce qu'il fallait qu'il prépare pour le dîner. Cette banale question me plongea dans l'embarras. En prison, Narcisse ne mangeait presque rien, et avec un visible dégoût. J'ordonnai à Bill de confectionner chaque jour les plats les plus variés, afin de tenter son appétit et de deviner ce qu'il aimait. Nos repas furent dès lors des moments imprévisibles et toujours étonnants, où Bill essayait de reproduire les cuisines du monde entier, de mélanger les saveurs. Assez vite, il fut clair que Narcisse n'aime pas les mets sucrés, ni les produits laitiers. La viande, uniquement grillée. Il raffole du pois-

son et tient les noix pour une friandise inesti-
mable.

Le matin, après avoir nagé dans la rivière, Narcisse fait un repas conséquent des restes de la
veille, qu'il ne faut pas lui réchauffer. Rien à midi.
Un souper chaud au coucher du soleil. Point de
couteau ni de fourchette. Je refusai de m'adapter
à ses usages, et Bill me sert comme si j'avais donné
une réception. Parfois Narcisse me regarde dîner
sur la terrasse, dans une vaisselle de porcelaine et
de cristal éclairée par des chandeliers en maille-
chort.

Dès le deuxième jour, je me préoccupai de lui
redonner une figure plus avenante. Ses cheveux en
désordre n'avaient plus le souvenir du peigne, et
lui couvraient la nuque et les épaules. Une barbe
hirsute et sale lui mangeait le visage. Bill, sur mon
ordre, fut son Figaro.

Il faut savoir qu'en Australie les bagnards sont
tondus toutes les semaines et n'ont pas le droit de
porter barbe ou moustache. Cet ingénieux règle-
ment permet de les reconnaître, et de les rattraper
s'ils s'évadent. Mon Bill était soumis à cette règle,
et je craignis que par malice il ne l'appliquât à
mon compatriote. Je restai donc près d'eux pendant qu'il maniait rasoir et ciseaux. Il laissa ses
cheveux châtains, peignés en arrière. Il lui rasa la
barbe, coupa les favoris à l'anglaise et une fine
moustache bien taillée. Lorsqu'il eut fini le rin-
çage, je n'en crus pas mes yeux. Narcisse avait
rajeuni de dix ans et présentait une physionomie

avenante. Les cheveux mi-longs masquent à peu près sa vilaine blessure à l'oreille. Bill avait bien travaillé.

La question du vêtement fut plus délicate à régler. Narcisse n'était vêtu que du pagne que les matelots du *John Bell* lui avaient mis. Pour le ramener en France, il fallait lui apprendre à se vêtir comme un Occidental, et commencer par le commencement.

À ma demande, Bill lui ôta ce linge crasseux et l'aida à enfiler un caleçon. Narcisse accepta cette nouvelle fantaisie avec l'indifférence résignée qu'il mettait en toutes choses. Pendant ce temps, mon domestique se pavanait dans une tenue où rien ne rappelait le bagne et sa sévère discipline. Il n'était pas convenable qu'il se place ainsi au-dessus de mon malheureux compatriote. Rien ne devait suggérer à Narcisse qu'il était inférieur au bagnard anglais. Aussi, j'ordonnai à Bill, quoi qu'il en eût, de ne garder que son caleçon.

Bill porte sur l'épaule gauche un tatouage en forme de fleur, que sa chemise avait jusqu'alors dissimulé. En voyant les deux hommes qui partageaient ma retraite vêtus de la même façon, et tatoués tous les deux, je réfléchissais aux hasards de la vie et aux lois de la fortune. Bill aurait pu faire naufrage, et Narcisse être dans l'équipage qui l'eût retrouvé quelques années plus tard.

Dans l'après-midi de cette deuxième journée, Bill vint me faire remarquer, d'un ton trop obséquieux pour ne pas être lourd d'arrière-pensées, que mon protégé avait uriné dans son vêtement.

Il voulait suggérer que Narcisse ne méritait pas d'être traité comme un adulte, et était retombé au niveau d'un tout jeune enfant point encore propre et qui s'oublie dans son lit. Je fus un instant ébranlé. Se pouvait-il qu'il soit fou ou idiot ? Non pas l'idiot du village — lequel reste au village et dont jamais aucun capitaine ne s'encombrerait pour une navigation au long cours —, mais retombé en enfance, ou en deçà de l'enfance. Était-ce à la suite d'un coup sur la tête ? mais le médecin de la garnison n'avait relevé aucune cicatrice. À cause de l'excès de chagrin dans les malheurs de son exil ? Son intelligence avait-elle chaviré avec son navire ou quelques mois après lui ?

Pourtant, bien loin des sous-entendus de Bill, Narcisse à sa façon me donne chaque jour des preuves d'intelligence. Malgré l'obstacle de la langue, nous nous comprenons par gestes. Il met autant d'ardeur que moi à améliorer nos échanges. Son attitude réservée, son intérêt pour tout ce que nous faisons, sa capacité à apprendre, tout montre un adulte sain d'esprit — absolument étranger, absolument normal. Je ne désespère toujours pas de le ramener à notre monde. S'il s'était souillé, c'était d'abord parce qu'il ne savait plus nos usages. Il fallait faire preuve de la même patience et de la même douceur sur ce chapitre-là que sur tous les autres. J'ordonnai à Bill de lui fournir du linge propre, puis de lui apprendre comment procéder pour uriner sans se salir. Dans ce moment où je devais régler mille détails, rien de plus comique que l'expression déconfite et incrédule de Bill — qui obéit néanmoins en grommelant des jurons indistincts. La leçon fut efficace, et Narcisse se plia de bonne grâce à notre manière de procéder.

L'essentiel, bien sûr, est le langage. Pendant la petite semaine qui avait précédé notre installation dans cette thébaïde, j'étais allé matin et soir en prison pour lui parler français. Je n'avais aucune idée de la manière de faire pour l'aider à retrouver sa langue maternelle, et il ne m'aidait guère en demeurant tout à fait muet. J'imaginais qu'il fallait à nouveau l'acclimater aux sonorités autrefois familières, et que le souvenir lui en reviendrait plus aisément. Je m'asseyais à côté de lui, éloignais les gardiens et lui racontais tout ce qui me passait par la tête. Mon tempérament n'est guère bavard, et l'inspiration se tarit assez vite. Le gouverneur mit à ma disposition tous les ouvrages en français de sa bibliothèque, soit trois. Pouvais-je lire à Narcisse *Éléments de mathématiques pour les officiers d'infanterie*, ou ces *Souvenirs d'Italie par une femme du monde*?

Restait Racine, en morceaux choisis. Tous les après-midi, je déclamais à Narcisse le récit de Théramène, le songe d'Athalie, les souffrances de Bérénice, les prémonitions d'Agrippine. Il paraissait sensible, sinon à la douleur de ces héros, du moins au rythme des alexandrins et à la noblesse de la langue.

À tout propos, je citais nos prénoms, Narcisse et Octave, pour qu'il s'en imprègne. Le premier matin dans notre villégiature, je m'adressai à lui comme toujours, d'un :

« Bonjour, Narcisse. »

Il déglutit, me regarda longuement et, avec peine, murmura :

« 'Tave. »

Entendre — entendre enfin — ce « 'Tave », comme un témoignage des efforts que je lui consacrais fut pour moi une précieuse récompense. Dans cette galerie de prénoms, j'aurais pu convier Bill. Mais une prudence me retint : Bill ne parlait pas un mot de français, et je craignais une confusion entre les deux langues. Narcisse n'était pas mûr pour Babel. J'intimai dès lors au bagnard de ne jamais adresser la parole à Narcisse, et de se faire comprendre par gestes.

Narcisse avait su répéter mon prénom — non pas répéter comme un perroquet, mais en comprenant. Je tentai alors de lui montrer des objets concrets, de les nommer, de l'inciter à m'imiter : le ciel, la mer, l'eau, l'herbe, le rocher. En vain. Attentif, il regardait mon doigt et ce que je désignais, écoutait le mot répété, et gardait le silence.

Après déjeuner, la leçon recommença. Que lui proposer ? Je dis nos prénoms, il les redit. Nous n'avancions guère. Une autre tentative avec d'autres éléments du décor n'eut pas davantage de succès. Découragé, certain de parler pour moi-même, je soupirai, en portant théâtralement la main à mes lèvres :

« Mon pauvre Narcisse, je désespère d'entendre jamais une phrase sortir de ta bouche.

— Bouche », dit-il en contrefaisant mon geste.

Il répéta de même « Tête » et « Bras », échoua pour « Dos » et « Ventre ». Tous les détails de ses progrès quotidiens figurent dans les carnets que je tiens scrupuleusement. En une semaine, il prononça une vingtaine de mots.

Ces détails, Monsieur le Président, pour vous convaincre des mérites de ce garçon. Il n'est certes pas imbécile, j'en suis désormais tout à fait certain. Il n'apprend pas notre langue comme le ferait un nourrisson ou un étranger : il la retrouve en lui. Il redécouvre ce qu'il a toujours su, puis oublié sur des plages australiennes. Je ne sais pas trop quelles conclusions en tirer. Le cas est si singulier que j'ai voulu le consigner de mon mieux. Des savants pourront construire des théories, je leur livre, par votre intermédiaire, le fait brut.

Dans quelques semaines, je veux le croire, sa langue et sa mémoire lui seront à peu près revenues, il pourra nous raconter son histoire et celle de son naufrage. Ainsi, par son truchement, nous pourrons tout connaître de la vie des tribus qui l'ont recueilli. Dans la tranquillité d'un cabinet de travail, en l'interrogeant sans relâche, je parcourrai sans efforts ni inquiétudes les lieux de son exil et j'en rapporterai foule d'observations curieuses et inédites.

Un autre mystère se présente à moi. Narcisse n'a encore dit aucun mot dans la langue des sauvages dans laquelle il se lamentait sur le *John Bell*. Pourtant, pendant toutes ces années, il n'a pu communiquer que dans cet idiome, il en a nécessairement appris au moins les rudiments. Or il ne l'utilise plus, même par inadvertance. Il reste muet, ou retrouve avec moi quelques mots de français. Comment pourrai-je sans son concours établir un lexique du parler des sauvages du nord-est de l'Australie? Pour l'instant, ce projet utile aux missionnaires et aux marins, que je croyais simple à mener à bien, ne peut débuter.

Vous me pardonnerez le désordre de ces réflexions. La chaloupe part dans une heure et un courrier pour l'Europe ce soir même. Au risque de vous importuner, je vous adresse ce nouveau compte rendu, et j'attends avec l'impatience que vous devinez un billet de votre part, voire des conseils ou des consignes sur la marche à suivre. Vous l'avez compris, cette aventure m'occupe plus que je ne l'avais d'abord imaginé.

Permettez-moi de vous adresser une ultime requête. Le cas de Narcisse est pour moi singulier. Je ne connais aucune histoire, aucune aventure, sur aucun océan, qui s'en rapproche.

Serait-il à ce point unique? Peut-être vous-même, le Conseil ou les Archives de la Société avez noté quelque cas qui pourrait servir de précédent ou de point de comparaison. La plus petite information, voire la rumeur la plus infime à ce sujet me serait très précieuse : comment ces naufragés ont-ils survécu? Par quels chemins et avec quelle aide sont-ils revenus à la vie? Ont-ils pu ensuite reprendre le cours normal de leur existence, ou ont-ils gardé des séquelles de leur séjour chez les sauvages? Que sont-ils devenus après? Leurs histoires me permettraient de mieux aider Narcisse.

Sans attendre le résultat des recherches que vous aurez peut-être la bonté de faire effectuer, je vais continuer mes leçons de français et de savoir-vivre, et j'espère venir vous présenter mon protégé avant la fin de l'été.

Croyez, Monsieur le Président...

3

Le feu qui brûlait à l'autre bout de la clairière le bouleversa. Le sentiment de solitude était plus lourd encore que son épuisement, et ce feu était une promesse.

Sans voir les silhouettes rassemblées autour du foyer, il s'agenouilla au bord de la mare et se laissa tomber la tête la première dans l'eau verte. De longues herbes molles caressaient son visage brûlé par le soleil, il but à en perdre le souffle.

Les recommandations du second — ne remplir les barriques qu'à une eau courante ; s'il n'y a pas d'autre ressource qu'une eau stagnante, attendre le retour à bord et faire bouillir longtemps avant de boire — lui revinrent à l'esprit. Quelles bestioles, quelles maladies se cachaient dans cette eau fade, où passaient des particules végétales et un goût de vase ? Il s'en moquait.

Quand il eut fini, il se releva et regarda autour de lui. Aucun village, aucune cabane. Une trentaine de sauvages nus étaient rassemblés. Les femmes nues, sous les arbres, jouaient avec les bébés. Les hommes nus se tenaient près du feu, où un gibier cuisait sous les braises, dégageant une plaisante odeur de graisse et de poils grillés. Le soleil avait décliné, et avec lui la chaleur. Trois enfants nus jouaient dans les buissons. La vieille trottinait sans but apparent.

Lentement, il contourna la mare et s'approcha jusqu'à une distance qu'il jugea respectueuse. Voyant un homme âgé, il conjectura que c'était le chef et s'adressa à lui, d'une voix qu'il voulait remplie d'assurance :

« Je suis matelot sur le *Saint-Paul*. Mon bateau va revenir me chercher. Si vous me donnez à manger et que vous me ramenez au bord de la mer, vous recevrez des cadeaux : des colliers, des miroirs, des clous, des haches. Et je dirai que tu es un chef intelligent et raisonnable. »

Il savait bien que personne ne comprendrait son petit compliment, mais espérait que le ton de sa voix et sa prestance en imposeraient. Le vieil homme le dévisagea un moment, puis s'assit et se mit à écorcer une branche. Les conversations et les jeux reprirent, ils semblaient se désintéresser de lui. Il circula parmi eux, essayant de s'habituer à ces visages aux arcades sourcilières marquées, à ces peaux noires tirant sur le gris, à ces corps nus et tatoués, à cette odeur de crasse et de poussière.

Les sauvages étaient tous plus petits que lui, d'au moins une tête pour les hommes. Solides et râblés, ils donnaient une image de force. Les femmes ignoraient la pudeur et ne cachaient aucune partie de leur corps — il repensa brièvement à la putain du Cap, qui par comparaison lui semblait désormais d'une beauté stupéfiante. Elles ne portaient aucune parure, sauf un éclat d'os ou de coquillage dans le nez. Leurs tatouages se limitaient aux bras et aux cuisses, alors que ceux des hommes leur couvraient presque tout le corps.

À pas lents, voulant paraître plus confiant qu'il ne l'était, il fit le tour du campement. Çà et là, sans ordre apparent, des litières étaient disposées à l'abri des arbres les plus robustes. Quelques branches appuyées au tronc formaient le squelette d'un toit pour chacun de ces abris. N'avait-il sous les yeux qu'une halte sommaire, un campement de chasse ? Ou était-ce là ce qui leur tenait lieu de maisons ? Quelques objets gisaient dans le sable, gourdes, pierres vertes, branchettes taillées en forme de sagaie, peau tannée d'un petit animal, liane enroulée... Il prit soin de ne pas y toucher et de rester à distance des femmes et des enfants, pour éviter tout malentendu.

Mais on ne s'occupait pas de lui : personne ne le regardait, ne venait lui parler, le toucher. Même les enfants avaient repris leurs jeux, indifférents à sa présence. Quel tumulte si, à l'inverse, un de ces sauvages était apparu dans la rue, devant la maison familiale, entre le lavoir et l'église ! Était-il donc transparent à leurs yeux ? Ou, à force de le surveiller depuis le premier jour, s'étaient-ils accoutumés à sa présence ?

Une conversation générale anima le groupe des hommes, maintenant tous assis à côté du feu. Ils devaient parler de lui — quel autre événement commenter ? Il s'approcha pour écouter leur langue, tenter d'y repérer quelque élément connu, quelque mot élémentaire. Mais ce qu'il entendait ne ressemblait à rien : des syllabes qui montaient et descendaient, hachées par des claquements de langue ou des bruits de gorge.

Il s'accroupit près d'eux et, posant la main à plat sur son torse, dit lentement :

« Bonsoir. Mon nom est Narcisse. Je m'appelle Narcisse. »

Peut-être leur avait-il coupé la parole ? Tous le regardèrent, sans exprimer de sentiment particulier — ni étonnement, ni déplaisir, ni curiosité —, puis reprirent leur dialogue.

Le soir qui tombait annonçait l'heure du repas, si les usages de la vieille étaient ceux de la tribu. Il attendrait donc sa pitance, puisqu'il n'avait rien d'autre à faire. Nul ne paraissait pourtant s'affairer à la cuisine.

Où était la goélette ? Dans une dizaine de jours le *Saint-Paul* serait de retour. La marche en forêt avait duré au moins quatre heures, ils étaient trop loin de la côte pour que la fumée claire de leur feu de branches soit visible, même pour la vigie en tête de mât. Pour retrouver la mer, il lui suffirait de faire route inverse, il pensait en être à peu près capable. Il lui fallait bien réfléchir pour s'organiser et tenir jusque-là, ne s'échapper pour revenir à la plage qu'au bon moment. Il reprendrait des forces en vivant avec les sauvages, il volerait une gourde d'eau et des morceaux de viande, et il serait au rendez-vous. Leur indifférence était plutôt de bon augure. Ils ne s'opposeraient pas à son départ. Une ébauche de plan s'esquissait.

Morceaux de viande ? Il n'avait rien mangé depuis les bouchées de lézard et les bulbes de la vieille, et la faim le tenaillait à nouveau, maintenant que la soif était apaisée.

Ils ne le traitaient pas comme un invité, puisqu'ils ne lui offraient pas le gîte et le couvert. Au pire, il aurait compris d'être un prisonnier, sous surveillance constante, les mains attachées — au prisonnier le geôlier fournit au moins une gamelle le matin et le soir. Qu'était-il donc, pour eux ?

À la nuit, un léger brouhaha s'éleva du groupe des hommes. Les deux plus jeunes repoussèrent avec un bâton les braises et les cailloux, dégagèrent le sable et découvrirent le sommet d'une fosse, obstruée par des feuilles noircies. Ils agrandirent l'ouverture, au risque de se brûler les doigts, puis écartèrent les feuilles. Un animal de belle taille avait cuit à l'intérieur de ce four, et exhalait maintenant toutes les saveurs d'une viande à l'étouffée. Ils l'attrapèrent avec deux fourches improvisées et la déposèrent à même la terre.

Le vieil homme à qui Narcisse s'était adressé prit une pierre aiguisée et en quelques gestes précis coupa des morceaux. Chacun des hommes vint en chercher un et retourna se rasseoir près du feu pour manger. Quand tous furent servis, Narcisse approcha à son tour. Le vieillard parut choqué et lui fit signe de s'éloigner. Le voyant hésiter, il aboya un ordre bref, sans équivoque, comme la vieille lorsqu'il avait voulu se servir directement. Les plus jeunes s'étaient relevés, prêts à intervenir. Il n'avait aucune chance contre eux : il n'insista pas.

Les hommes dînèrent tranquillement, revenant se servir à satiété. Après un appel à la cantonade, un groupe de garçons, entre quinze et vingt ans, vinrent prendre leur part, se mêlant aux adultes. Narcisse tenta sa chance avec les garçons, et essuya la même rebuffade.

Ensuite — la bête avait déjà bien diminué — ce fut le tour des femmes. Il n'essaya même pas d'aller avec elles. Son tour viendrait-il en dernier ? Devait-il attendre, et accepter, que toutes et tous soient repus, pour pouvoir accéder aux restes ? Les femmes s'emparèrent de morceaux et retournèrent s'asseoir dans le sable avec les enfants, auxquels elles donnèrent à manger. Les hommes avaient terminé et écoutaient un long récit fait à voix basse. Il déambulait au milieu des dîneurs, et le hasard l'amena auprès de la vieille — la doyenne de la tribu, à l'évidence. Quand il passa près d'elle — il n'avait rien à lui dire et aucun plaisir à la retrouver —, elle lui tendit une part, une bonne livre de viande autour d'un os, avec sur un côté la peau carbonisée. Il s'en saisit et dévora ce qui ressemblait à un bas-morceau de bélier trop cuit. À sentir ses dents s'enfoncer dans la chair, la graisse couler sur son menton, il éprouva un plaisir violent — et sa faim en parut augmentée. Il engloutit le tout en quelques bouchées qu'il mastiqua longuement, suça l'os, croqua les cartilages, gratta avec son couteau les lambeaux de chair attachés à la peau.

Un peu apaisé, mais non repu, il se tourna vers la vieille et exprima d'un geste impérieux qu'il en voulait encore. S'il n'avait pas le droit de se servir et devait être servi par elle, qu'elle se dépêche! Elle se releva et alla lui chercher une autre part, ce qui restait autour d'une épaule. À la lumière des étoiles, dans la lueur du feu que les hommes alimentaient en branches sèches, il mangea plus posément ce second morceau. La vieille ne s'occupait plus de lui. Allongés près des braises, les hommes chantaient une mélopée monotone.

Tout, dans cette veillée barbare, lui inspirait de l'horreur et du dégoût.

Depuis cinq jours que son malheur avait commencé, c'était la première fois qu'il se sentait rassasié. Il choisit un arbre un peu à l'écart, se recroquevilla et, la fatigue et la jeunesse aidant, s'endormit presque aussitôt.

À l'aube, une secousse brutale le réveilla. Il se leva d'un bond et se trouva face à une dizaine d'hommes. Ils l'entouraient, muets, attentifs. Quelque chose dans leur attitude suggérait un moment grave et délicat. Narcisse fut aussitôt sur ses gardes. Leur indifférence de la veille, qu'il n'avait pas aimée, lui semblait bien préférable à cette disposition qui paraissait annoncer un assaut. Pourquoi? Pourquoi ce matin? Que pouvait-il faire avec un couteau, face à ces gaillards qui le cernaient?

L'un d'eux avança à pas lents jusqu'à le toucher. D'une main hésitante, il effleura le poignet de la chemise de toile, plus grise que blanche, comme pour en éprouver la texture et le contact. Se pouvait-il que seule la curiosité du sauvage nu pour le vêtement du Blanc inspire cette sorte de caresse? Narcisse se raccrocha à cet espoir.

« Tu vois, mon garçon, c'est une chemise. Il y a deux boutons ici, et je peux retrousser la manche sur le bras. »

Il joignit le geste à la parole. L'indigène lui posa alors prudemment la main sur la poitrine.

« Très bien, tu as compris. Il y a aussi des boutons devant. Cela permet de la mettre ou de l'enlever. Regarde. »

Il se mit torse nu, dévoilant des muscles bien dessinés, et une légère toison là où eux n'avaient aucun poil, puis déposa la chemise à côté de lui.

L'un des sauvages prononça en hochant régulièrement la tête un petit discours, que les autres écoutèrent avec une attention manifeste. Il termina sur une sorte de cri et retomba dans le silence. Personne n'avait bougé.

C'est alors qu'ils lui sautèrent dessus. Il n'avait pas vu venir l'attaque et, en se sentant saisi de tous côtés, crut sa dernière heure arrivée. Il se débattit par réflexe, rua, voulut se dégager, mais ils étaient trop nombreux et l'avaient cloué au sol. Assez vite, il se rendit compte qu'il n'avait reçu aucun coup, qu'ils voulaient seulement l'immobiliser. S'il avait mal, c'est parce que des bras puissants bloquaient ses gestes. Il continua à se débattre et à se tordre, mais la peur panique qui l'avait envahi diminua un peu.

Avec stupeur, il sentit que les mains qui l'emprisonnaient étaient en train de lui enlever son pantalon. Il tenta de s'y opposer, mais en vain. Son caleçon maintenant prenait le même chemin, on le lui amenait aux chevilles malgré ses contorsions et ses coups de genou, il était nu. En continuant de se débattre, il vit la vieille recueillir ses vêtements et se diriger vers la forêt.

Tout allait trop vite. Pourquoi l'avaient-ils réveillé pour le dénuder de force ? Il n'avait reçu aucun coup. Était-ce une sorte de jeu, de plaisanterie de mauvais goût ? Jamais au village ni plus tard à bord il ne s'était montré nu à quiconque — à l'exception des filles des bordels des ports, dans la pénombre et pour un instant. Même si aucune femme n'assistait à la scène, et si tous ses agresseurs étaient nus, il se sentit gêné, humilié, meurtri.

Ils le maintenaient toujours fermement, et il tentait toujours de leur échapper. S'il y parvenait, il pourrait rattraper la vieille et récupérer son pantalon — et le couteau accroché à sa ceinture. Au moins le pantalon.

Deux mains lui saisirent la tête à hauteur des tempes et la tournèrent sur le côté droit. Il essaya de résister à cette poigne qui le maintenait le nez dans la poussière. Comme la houle qui brise, l'angoisse déferla à nouveau : ils l'avaient déshabillé pour le tuer, pour l'égorger, pour le saigner avant de le manger?

La douleur fut si soudaine et si violente qu'il faillit s'évanouir. Plus personne ne le tenait, il hurla de détresse et se recroquevilla sur lui-même, la main crispée sur l'oreille gauche. Le sang ruisselait dans son cou. Il ne pouvait que tâter du bout des doigts le point d'où irradiaient des lames de feu. Ils lui avaient arraché l'oreille — en tout cas le lobe de l'oreille —, là où il portait avec coquetterie un anneau de laiton doré.

« Mais je vous l'aurais donné, gémissait-il dans ses larmes, éperdu de désespoir. Fallait me le demander... je l'aurais enlevé... »

Les sauvages s'étaient éloignés. Quelque chose au plus profond de lui venait de se rompre, et pour supporter la souffrance il continuait de leur parler en sanglotant, pressant son oreille déchirée entre ses doigts pour tarir le flux de sang :

« Pourquoi êtes-vous aussi cruels?... Laissez-moi partir... Ou alors tuez-moi tout de suite, mais arrêtez de me torturer... Je veux rentrer sur mon bateau... Soyez maudits... Vous n'avez donc aucune pitié... C'est pas de l'or, mon anneau... Je ne vous ai rien fait de mal... »

Pendant un long moment, il pleura comme un enfant, hoquetant à travers ses reniflements et ses larmes, désormais résigné, indifférent à tout, pendant que la douleur de la blessure vrillait dans toutes les directions. Rien de ce qu'il avait vécu auparavant ne l'avait préparé à supporter une telle épreuve. Rien de ce qu'il subissait n'avait de sens.

Cet anneau de laiton doré le ramena un an en arrière, dans une petite rue de Bordeaux. Il venait d'être promu matelot et avait embarqué sur une brigantine qui livrait des barriques de vin à Londres. Lors de leur troisième voyage, leur navire avait été pris dans une tempête dans le golfe de Gascogne. Pendant trois jours et trois nuits, glacés par les vents d'automne et les paquets de mer, tout l'équipage s'était battu, manœuvrant le peu de toile que le capitaine avait conservé, priant la Vierge et tous les saints de survivre à ces vagues énormes qui déferlaient en tous sens.

Le quatrième jour, le soleil perça, le vent faiblit, la mer s'apaisa peu à peu. Le capitaine mit enfin le cap sur le phare de Cordouan. Il n'avait que trois blessés. Arrivés à quai, ils apprirent que cinq navires avaient disparu dans la tempête.

Lorsque le bateau fut déchargé et réparé, le capitaine donna à chaque homme d'équipage une pièce. Narcisse n'hésita pas. Avec un camarade lui aussi désireux d'arborer un anneau à l'oreille comme les marins les plus endurcis, ils arpentèrent le quartier du port, hésitant de boutique en boutique. Le sourire d'une vendeuse décida de leur choix : l'un puis l'autre se firent percer l'oreille gauche et ressortirent avec un anneau doré. Avec ce bijou, la fine moustache qu'il por-

tait depuis peu pour se vieillir, la démarche décidée et la langue bien pendue, il trouvait qu'il avait
décidément bonne figure. Après cette dépense, il
leur restait encore assez d'argent pour la taverne,
puis un bordel pour matelots.

Il sentit une présence. La vieille assise à côté
de lui attendait.

« Toi aussi, tu es revenue pour me tour-
menter... »

Elle lui montra une pâte verdâtre dans la
paume de sa main et fit à plusieurs reprises le
geste de l'appliquer sur l'oreille. Il finit par comprendre, et accepta qu'elle étale son onguent sur
la plaie. La fraîcheur du mélange lui fit du bien,
et la douleur sembla diminuer un peu.

« Vous me laissez mourir de faim et de soif, tu
m'apportes à boire et à manger. Je construis ma
flèche sur la plage, vous la détruisez. Vous m'arra-
chez une oreille, tu me soignes. Mais vous êtes
donc tous fous dans ce pays ? »

Elle lui présenta une sorte de petit concombre
poilu et lui fit signe de le manger. Le goût fade et
aqueux n'était pas déplaisant. En portant la main
à sa bouche, il vit le sang à moitié séché sur son
poignet, son cou devait être poisseux de la même
manière.

Puisqu'ils ne l'achèveraient pas aujourd'hui
— sinon ils n'auraient pas envoyé la vieille le soigner —, il pouvait aller se nettoyer à la mare. Il se
leva, la main gauche toujours crispée autour de

l'oreille, et prit conscience de sa nudité. La blessure la lui avait fait oublier.

Spontanément, il mit l'autre main devant son sexe. Il n'arrivait pas à supporter le fait d'être ainsi exposé. Lorsque deux ans plus tôt il avait passé la Ligne pour la première fois, il avait subi vaillamment les diverses épreuves du Père Neptune — sauf lorsque les anciens déguisés en diables avaient intimé aux novices d'ôter leurs vêtements et de courir nus de la proue à la poupe sous les moqueries et les seaux d'eau jetés par leurs camarades. Cette bouffonnerie qui n'avait pas duré plus de dix secondes avait été le seul moment pénible de la journée de carnaval. Là, il devait marcher nu au milieu de sauvages nus. Aucun des hommes ne marchait comme lui, le bras crispé en avant, la main sur le bas-ventre. Leur impudeur était la marque de leur barbarie, il ne voulait pas être comme eux.

Il traversa le campement. Personne pour le regarder, se moquer, ou s'intéresser à lui. Nu comme eux, nu à cause d'eux, qui pourrait le lui reprocher ? Arrivé à la berge, il s'agenouilla. Le contact avec l'eau fraîche l'apaisait, et il se passa longuement de l'eau sur la nuque, le cou, les bras. La sensation du soleil sur son corps nu, près de la mare, était plus étonnante et inédite que réellement désagréable. L'oreille mutilée le faisait toujours souffrir.

L'un des hommes, celui qui avait prononcé le petit discours avant l'attaque, vint vers lui. Nar-

93

cisse se releva, se demandant quelle nouvelle épreuve l'attendait. L'homme s'arrêta à deux pas, tendit la main ouverte vers Narcisse, et dit :

« Amglo. »

Il avait parlé très lentement, en détachant les syllabes. Il répéta : « Amglo » et pointa un doigt vers le ciel. Que lui voulait-il ? Que voulait-il dire ? L'homme ne souriait pas, il s'était exprimé posément. Devant ce calme, Narcisse fut pris d'une explosion de colère :

« Amglo ? Tu m'as arraché la moitié de l'oreille, espèce de bandit ! Rends-moi mon pantalon et mon couteau ! Et donne-moi à manger ! »

Ces imprécations n'avaient rien d'impressionnant, venant d'un jeune homme nu, la main gauche en conque autour de son oreille blessée, la main droite devant son bas-ventre. Mais la fureur dans la voix n'avait pas besoin de traducteur. Narcisse, à bout de nerfs, au bord des larmes, ne s'était pas demandé si cette attitude était bien prudente. Il défiait du regard cet homme et voulait lui faire payer au prix fort toutes les souffrances qu'il avait endurées sur ce sol. Le sauvage recula d'un pas et attendit que Narcisse ait terminé. Puis, comme s'il n'avait rien entendu, tendant à nouveau la main paume vers le ciel, il répéta :

« Amglo. »

LETTRE III

Sydney, le 8 avril 1861

Monsieur le Président,

Vous avez dû penser, en lisant ma lettre du 17 mars, que j'étais brouillé avec la chronologie ou la logique, ou les deux. Il est vrai que j'écris au fil de la plume et au fil des jours, sans plan préconçu. C'est aussi que l'évolution de Narcisse est une source quotidienne de surprises. Les sentiments d'un père devant les progrès de son enfant — que je n'ai pas encore eu le bonheur de ressentir personnellement — sont assez proches sans doute de ceux que j'éprouve, alors même que Narcisse est un adulte et que je l'ai recueilli sans que nous soyons parents.

Malgré moi, cette lettre commence aussi confusément que se terminait la précédente, et je promets de me gendarmer désormais sur ce point.

Tout d'abord, l'essentiel. Depuis un mois que Narcisse retrouve sa langue, sa capacité à apprendre ne cesse de m'impressionner.

La syntaxe n'est pas encore là, ni les articles, mais nous sommes en bon chemin. Je ne peux m'empêcher de remarquer qu'il parle avec les mêmes fautes qu'un enfant de quatre ans et réalise en une semaine ce qu'un bambin met six mois à apprendre. Sa prononciation est singulière, il module les mots et les fait chanter, parfois les orne d'un son étrange de la gorge.

Comment ne pas noter son ardeur à apprendre? Les leçons ont lieu deux fois par jour pendant deux heures, et ce n'est jamais lui qui choisit d'y mettre un terme. Le reste du temps, il se baigne, il dort, il se promène, nous échangeons quelques mots, il regarde silencieusement Bill travailler.

Est-il heureux? me suis-je interrogé en le regardant tresser un panier. Cette question est insoluble, car il n'exprime aucun sentiment personnel et paraît vivre entièrement au jour le jour. Le hasard l'a poussé sur le *John Bell*, dans la prison du gouverneur, dans cette maison isolée, et il s'y abandonne totalement. Sagesse? Indifférence? Manque de curiosité et d'initiative? Qui peut le dire?

Comme je l'avais demandé, le gouverneur m'envoya la chaloupe dès que le *John Bell* reparut dans la baie de Sydney, afin que je puisse m'entretenir avec son capitaine des circonstances de la découverte du sauvage blanc. J'arrivai en ville au crépuscule et une chambre m'était réservée dans le meilleur établissement. Quoi de plus banal qu'une soirée à l'hôtel, les messieurs en habit, les dames en robe parisienne, épaules nues, devisant aimablement sur la terrasse pendant qu'un bagnard au piano droit joue avec talent des airs de danse?

Comment expliquer le sentiment de malaise que je ressentis dès mon arrivée et qui ne me quitta pas pendant le dîner? Je n'avais pourtant pas la nostalgie de mes soirées solitaires, servi par Bill sous le regard attentif de Narcisse. Par-dessus tout, en entendant ces conversations mondaines auxquelles j'avais du mal à participer, j'éprouvai douloureusement le sentiment d'être devenu étranger à ce monde. Après souper je m'arrachai à cette compagnie et à son bavardage, et déambulai au hasard dans les rues de la ville et du port. À l'entrée des tavernes, marins et soldats menaient grand train, et des filles, que je supposais bagnardes, s'accrochaient à leurs bras. Au bout de chaque rue ou presque, deux ou trois maisons arborent une lanterne rouge. Je m'enfuis encore, et mon âme inquiète ne trouva de consolation que provisoire et passagère.

L'entretien eut lieu de bon matin dans le bureau du gouverneur. Le capitaine Rowlands, un petit homme étonnamment bougon et chafouin, me salua à peine et ne cachait pas qu'il avait le sentiment de perdre son temps. Comme il était un peu en délicatesse avec les douanes de Sa Majesté, il n'était pas en situation de m'envoyer promener, ce qu'il eût fait avec plaisir, s'il l'avait pu.

Il était taciturne, comme tous les marins. La

présence du gouverneur et les questions d'un Français inconnu ne l'incitaient guère aux confidences. Il me fallut le relancer sans cesse pour obtenir les précisions que je souhaitais, et établir le récit suivant :

« Le 19 février, j'avais quelques dégâts dans la mâture. Il me fallait un plan d'eau calme pour envoyer les charpentiers réparer dans les hauts. On m'avait parlé de cette baie dans le Nord, sous le cap York. Le *John Bell* s'est présenté tôt le matin, et le travail a commencé.

J'ai autorisé la descente à terre de quelques gars qui n'étaient pas utiles aux réparations. Ils se sont promenés un moment sur la plage. Un matelot, du sommet d'un mât, a vu des sauvages qui cherchaient des coquillages dans les rochers. Il a sifflé pour attirer l'attention du groupe à terre, et leur a fait signe d'aller à leur rencontre.

C'est toujours une distraction, de voir ces affreux sauvages. Ça impressionne les novices. Et ma foi, si un gars, malgré la couleur et l'odeur, veut entraîner une de leurs femmes dans un buisson pour prendre un peu de bon temps, je n'ai rien à y redire. Tout dépend de ce qu'on trouve, pas vrai ?

Donc ils y vont. En arrivant, ils voient un Blanc nu et tatoué au milieu des sauvages ! Ils lui demandent ce qu'il fait là, il ne comprend rien et leur répond dans le jargon des sauvages. Impossible de lui faire dire même son nom.

Les gars ont bien réagi. Ils ont tout de suite deviné que c'était un naufragé et, sans avoir à se concerter, ont décidé de le ramener à bord. Mais comment s'y prendre?

Le Blanc était très agité, il ne cessait d'aller vers eux, de les toucher, de revenir vers la tribu qui s'était arrêtée de pêcher. Ils leur ont proposé du tabac, des clous, des colliers. Personne ne parut intéressé. Tranquillement, ils revinrent à la chaloupe. Le Blanc les suivait, les sauvages suivaient le Blanc.

Trois coups de sifflet donnèrent l'alerte, et lorsque je vis ce cortège, je fis sortir les carabines et armer la seconde chaloupe. On n'est jamais trop prudent.

Sur la plage, tout restait calme. Aucun danger apparent. On vint m'avertir que les réparations étaient presque achevées. Je donnai l'ordre d'être paré à appareiller au plus vite, mais sans rien laisser paraître de mes intentions. Le Blanc continuait d'aller et venir entre mes gars et les sauvages, qui n'osaient pas s'approcher à moins de vingt pas. À la lunette, je vérifiai que le groupe comptait surtout des femmes et des adolescents, et qu'ils n'avaient aucun bâton ou casse-tête.

Un gars, puis un deuxième montèrent nonchalamment dans la chaloupe. Ils lui adressèrent un signe amical, le Blanc embarqua et s'assit sur un banc de nage. Aussitôt, les autres déhalèrent et firent toutes rames vers le *John Bell*. Le sauvage blanc se releva, ils le forcèrent à se rasseoir.

Arrivés le long du bord, tous se hissèrent par une échelle de corde, et le sauvage blanc n'y fut pas trop malhabile. Je le dévisageai avec la plus grande surprise. Il regardait autour de lui et arpentait le pont avec une émotion visible.

Le second dirigeait la manœuvre, les voiles se gonflèrent sous une bonne brise, et mon vieux *John Bell* commença à prendre de la vitesse pour sortir de la baie. Lorsqu'il comprit que nous étions partis, le sauvage blanc fut extrêmement agité, il sauta sur le plat-bord — je craignis qu'il ne se précipite dans la mer —, courut en tous sens. J'étais à deux doigts de le faire attacher, de peur qu'il provoque un incident de manœuvre ou qu'il agresse un matelot.

Une fois au large, il se résigna, s'assit dans un coin et ne bougea plus. Il marmonnait je ne sais quoi dans son jargon. Je demandai qu'on aille lui chercher un pagne et quelque nourriture. Il se laissa vêtir sans opposer de résistance, flaira attentivement la soupe et n'y toucha pas, au grand dam de notre coq. Le pain, la bière, même une de nos dernières bananes n'eurent pas plus de succès. Quand le soir vint, je lui fis apporter une couverture : il ne l'utilisa ni comme manteau ni comme paillasse, et dormit assis.

Il ne bougea presque plus et ne prononça pas un mot jusqu'à Sydney. À notre arrivée, j'allai raconter tout ça à ces messieurs de l'Amirauté. Il a fallu que je le garde à bord encore une nuit — mes hommes ne sont pas des gardes-chiourmes. Et le lendemain matin, un détachement de soldats est venu m'en débarrasser. »

Voilà tout ce que je pus tirer de ce méchant

homme, qui s'enfuit sans me saluer quand le gouverneur lui donna congé.

Ce séjour de moins d'une journée fut aussi l'occasion de comparaître devant le juge du Colonial Court, qui devait me donner un titre à m'occuper de Narcisse.

Le gros homme à perruque semblait dormir sur son estrade en bois noir. Le droit anglais est incompréhensible, plus encore sa version coloniale. Là où il aurait fallu avocats, témoins, huissiers, procureur, l'affaire fut réglée entre nous deux en un quart d'heure. Après lecture d'un rapport officiel, le juge me demanda de décliner mon identité et de confirmer que j'acceptais d'être le garant de Narcisse. Il n'écouta pas mes réponses, signa un document établi à l'avance, m'en remit une copie et s'en fut.

Dans la chaloupe de retour, je lus les dix pages calligraphiées sans doute par un bagnard employé aux écritures, et compris à peu près que j'étais devenu le tuteur de « l'inconnu surnommé le sauvage blanc, débarqué à Sydney du *John Bell* le 25 février 1861 ». Le gouverneur tenait sa promesse.

Bill m'attendait à l'appontement pour m'apprendre que Narcisse avait disparu. Il était encore là pourtant l'après-midi de mon départ, ils avaient dîné ensemble, ou plutôt côte à côte. Depuis ce matin, Bill ne l'avait pas revu. Les heures passaient, et Bill s'inquiétait de plus en plus — je ne le crus qu'à moitié. Craignant une réprimande, il souligna que jamais je ne lui avais demandé de le surveiller. Je le rassurai sur ce point. Il n'avait pas prévenu le poste de garde à l'entrée de la propriété, et je l'en félicitai.

Narcisse est parti depuis plusieurs heures, depuis l'aube sans doute, voire peut-être depuis la veille au soir. Pourquoi est-il parti? Dans quelle direction? Ces questions ne trouvaient pas de réponse.

Que devais-je faire? Donner l'alerte, envoyer les soldats qui campaient au bout du chemin patrouiller en tous sens? Je ne savais s'ils m'obéiraient, et doutais qu'ils puissent rattraper un homme ayant l'habitude de la brousse et une solide avance. Seule une battue de grande ampleur, conduite méthodiquement, sur plusieurs jours, permettrait peut-être de le retrouver — et encore, si Narcisse choisissait de se cacher, les soldats pourraient passer à côté de lui sans le voir. Pour rattraper les bagnards évadés, la troupe utilise des chiens d'attaque, dressés à débusquer les fuyards et à leur sauter à la gorge. Était-ce à ce prix que je voulais revoir Narcisse?

Il est reparti dans la forêt. Je me sens étrangement blessé de ce départ, je comprends que je commençais à m'attacher à ce garçon, mais au nom de quoi pourrais-je m'opposer à son choix? Bill, qui furète partout, me fait observer qu'il a laissé son vêtement avant de disparaître. Fuyant nu droit devant lui et dans une terre inconnue, pouvait-il signifier plus clairement son souhait d'un retour en arrière, son refus de notre mode de vie?

Sa famille le croit mort depuis longtemps, je n'ai aucun moyen de la retrouver sur la seule base d'un prénom, elle ne saura jamais qu'il est vivant et qu'il n'a pas voulu revenir vers eux. À quoi bon, dès lors, engager d'importants moyens à sa recherche?

Narcisse est libre et il exerce sa liberté. Il a disparu alors que j'étais moi-même en ville. Mon absence a-t-elle provoqué son départ? A-t-il cru que je ne reviendrais pas? Éprouve-t-il pour moi une forme d'affection ou d'amitié?

Ma seule obligation est envers le gouverneur qui me l'a confié. Je sais bien que si je devais lui annoncer sa mort, il ne prendrait même pas un air de circonstance. Narcisse est pour lui une source d'ennuis et d'incertitudes, rien d'autre. Je me dois de l'informer, mais sans me hâter, pour laisser à Narcisse le temps de disparaître si telle est sa décision.

Il me semble raisonnable d'attendre demain matin. Le temps que la chaloupe arrive et m'amène au bureau du gouverneur, près de deux journées se seront écoulées avant que la battue — à la supposer décidée — commence. Ce délai garantit son inefficacité. Ce sera mon cadeau d'adieu à Narcisse.

Ces pensées moroses m'occupèrent toute la journée. Je déjeunai tard et sans appétit, servi par un Bill qui comprenait que, Narcisse parti, son retour immédiat au bagne est assuré. Mais seul l'avenir de Narcisse m'importe. Dans la forêt, rencontrera-t-il d'autres sauvages, et parviendra-t-il à se faire adopter par eux? Parle-t-il leur langue? Aura-t-il la force de recommencer, trois ou quatre cents lieues plus au sud, son acclimatation parmi eux?

Je ne le saurai jamais. Cette aventure, débutée il y a deux mois, se termine ainsi, dépourvue de conclusion et vide de sens. Ce que j'avais entrepris et ce que j'imaginais pour la suite restera dans les limbes.

Alors que je notais ces réflexions, je fus interrompu par un cavalier qui m'apportait un message du gouverneur. Celui-ci a appris l'évasion de Narcisse au retour de la chaloupe — il ne dit pas comment, mais je devine que Bill, soucieux de ménager son avenir, m'a désobéi et lui a fait parvenir quelque billet par le patron de la chaloupe ou par la lingère. Il m'annonce qu'il ne cherchera pas à le faire rattraper dans les profondes forêts qui entourent Sydney de tous côtés. Avec froideur — ou est-ce de l'humour? — il relève que ce ressortissant français n'a pas ses papiers ni les autorisations requises pour séjourner dans la colonie, mais que ces infractions ne justifient pas une chasse à l'homme. Narcisse, sorti de nulle part, y est retourné. Le dossier se referme.

À cet instant, je suis ému, et choqué de mon émotion. Le cavalier me demande ce qu'il doit faire, je l'envoie dormir au campement des soldats à l'entrée du domaine, pour ne faire partir de réponse que demain. De Narcisse, je ne garde que le croquis de ses tatouages. Il me faut réfléchir.

Je termine cette trop longue lettre, Monsieur le Président, en vous laissant le soin d'en tirer la leçon. La tâche que j'avais rapidement acceptée était-elle trop lourde pour moi? L'aurait-elle été pour quiconque? Me suis-je trompé dans ma façon d'aborder Narcisse et de le rééduquer? Et en quoi? Qu'aurais-je dû faire et que je n'ai pas fait? Que signifiait son indifférence résignée face à notre monde?

L'expérience a échoué, et peu importent les raisons. Narcisse a choisi. Je vais rentrer en France, et sur le bateau de retour rédigerai un article sur cette aventure, pour le proposer à la Revue de notre Société. Je vous implore par avance de ne pas juger trop sévèrement ce travail, ni surtout mes efforts. Ils ont le goût amer de l'inachèvement.

Croyez, Monsieur le Président...

Post Scriptum. Alors que je termine cette lettre, au crépuscule, Narcisse est de retour. Il ne se doute pas de l'émoi que son absence a causé, et porte fièrement par la queue une sorte de gros renard.

Mon premier mouvement fut de lui adresser de vifs reproches. Mais je ne suis ni sergent ni principal de collège pour lui faire des remarques — et il n'a pas les mots pour comprendre ce que j'aurais voulu lui dire. Il eût remarqué ma colère, sans pouvoir en deviner les motifs.

Accroupi sur ses talons, Narcisse, rhabillé, regarde son gibier qui cuit dans le feu qu'il a creusé près de la rivière et recouvert de pierres plates. Ce soir, il ne mangera pas la cuisine de Bill. Celui-ci, vexé, m'importune de ses bavardages où il refuse de goûter la viande de cet animal selon lui mi-chat mi-putois.

La singulière famille que nous formons est à nouveau réunie.

4

La journée s'écoula lentement. Après l'assaut et la mutilation de l'oreille, les sauvages ne s'occupèrent plus de lui.

Le matin, il resta dolent de l'autre côté de la mare — non que ce trou d'eau puisse constituer une défense efficace, mais au moins il pouvait espérer les voir venir. De loin, il avait moins honte de sa nudité. Assis sur la terre rouge et boueuse, il passait machinalement la main gauche de la tempe à la nuque, en un massage irréfléchi qui apaisait un peu les picotements de sa blessure. L'onguent posé par la vieille avait en tout cas arrêté le sang.

Lorsque revint la faim, il retourna — marchant toujours la main droite sur son bas-ventre, la main gauche sur l'oreille blessée — près du foyer éteint et disputa aux fourmis les os auxquels tenaient encore quelques minuscules lambeaux de viande. Allongée sous un arbre voisin, une jeune femme enceinte tressait une liane pour en faire une cordelette plate, sans lui prêter attention, chantonnant doucement pour elle seule.

Quand il eut fini son maigre repas, il regarda autour de lui. Un groupe d'une dizaine de femmes et d'enfants s'était formé et commença à s'enfoncer à travers les arbres, à peu près dans la direction où la vieille avait disparu avec ses vêtements et son couteau. Espérant avoir une chance de retrouver ses biens — et n'ayant rien de mieux à faire —, il choisit de les suivre à distance. Personne ne parlait. Le groupe avançait en réglant son pas sur celui des plus jeunes bambins. Cette promenade muette laissait du temps pour réfléchir, et se laisser aller à l'espoir — dont il savait pourtant qu'il ne l'aidait pas : peut-être se dirigeaient-ils vers un village digne de ce nom, avec des maisons en torchis ou en tout cas des cabanes, une population plus nombreuse et plus avenante, un chef identifié qui prendrait soin de lui ? ou même un sauvage parlant quelques mots d'anglais, ou capable de le guider jusqu'à la frontière du monde des Blancs : une ferme isolée, un ponton, une mission religieuse...

De village il n'y eut point. Ni de traces de ses vêtements.

Au bout d'une heure, le groupe de femmes s'arrêta devant un arbre mort, couché depuis des années et à demi pourrissant. Avec de petites pierres trouvées sur place, elles écorcèrent le bois et percèrent l'aubier, découvrant de sinueuses galeries. Au fond de chacune d'elles se tortillait un ver jaunâtre. Elles mettaient le plus grand soin à y enfoncer une brindille afin de recueillir l'insecte. Les enfants attendaient patiemment, et à tour de rôle gobaient avec une gourmandise manifeste le produit de la cueillette.

Personne n'en proposa à Narcisse, qui par pudeur se tenait à l'écart du groupe et n'eut donc pas à décliner l'offre. Sans projet, sans courage, l'oreille toujours douloureuse, il s'allongea dans l'herbe clairsemée et les regarda goûter. Cette partie de la forêt, un peu humide, lui parut plus accueillante.

Pourquoi s'était-il inventé un village, et pourquoi souffrait-il autant de son inexistence ? Pourquoi l'espoir se réveillait-il au prétexte le plus improbable, et faisait-il aussi régulièrement naufrage — allées et venues, montées et descentes comme le ressac, comme une vague qui brise sur un rocher, repart, se reforme, grossit et se fracasse à nouveau...

Il devait faire le point, réfléchir, décider. À rester ainsi, ballotté par les événements et les caprices incompréhensibles des sauvages, il allait devenir fou. Il fallait qu'il arrête un plan pour sauver sa vie, retourner à la côte et être récupéré.

Jamais auparavant il n'avait eu à prendre de décisions. À la maison, à l'école, à l'atelier du père, à bord, on lui demandait d'obéir, et vite, et sans discuter. Comme matelot, il devait avoir des mains habiles et des bras forts, pour manœuvrer les voiles et tenir la barre, un corps souple pour se faufiler dans la mâture, une ouïe et une vue aiguisées pour assurer la veille. Il n'avait pas été recruté pour imaginer des solutions, mais pour faire avec ses camarades ce qu'on leur commandait, selon des gestes immuables, identiques d'un navire l'autre et fixés depuis des générations.

Rien, dans son passé, ne l'avait préparé à affronter une telle épreuve. Les récits du gaillard d'avant étaient drôles ou tragiques, mais ne l'aidaient pas. Que n'aurait-il pas donné pour remettre son sort entre les mains d'un officier ou d'un marin plus expérimenté... L'absolue solitude dans laquelle il était précipité le renvoyait aussi à son entière responsabilité. À chaque instant, par ses choix, même les plus infimes, et dans un jeu qui ne semblait pas avoir de règles, il augmentait ou diminuait ses chances de survie et d'heureux retour.

Tenir. Il lui fallait tenir, et non pas se raconter des histoires. Le retour du *Saint-Paul* depuis Java n'était pas certain. Si son navire se présentait dans la baie, il avait bien peu de chances d'y être au même moment. Il n'était pas assuré que des Blancs vivaient quelque part dans cette région dont il ignorait tout. Il n'avait aucun moyen de savoir si ces sauvages avaient déjà eu des contacts avec d'autres Blancs que lui. Son séjour parmi eux serait de quinze jours, si la goélette revenait et que par hasard il était sur la même plage. Il pourrait être plus long, beaucoup plus long.

Plus court aussi, s'ils le tuaient, s'il mourait de faim, de soif, de maladie, d'empoisonnement, de désespoir. Alors, il se fit une promesse solennelle et absurde : de cette aventure, dont il ignorait la durée, il sortirait vivant. La force de ce sentiment le bouleversa. Oui, vivant !

Un peu rasséréné, il se mit debout, prit à témoin les arbres qui l'entouraient, et proclama : « Je suis Narcisse Pelletier, matelot de la goélette *Saint-Paul*. »

Après une longue sieste, les femmes fouillèrent la terre et firent provision de bulbes. Puis, lorsque le soleil commença à décliner, elles prirent le chemin du retour. Il les suivit. L'oreille le lançait toujours, d'une douleur ténue accompagnée de picotements sur tout le côté de la tête. Il se massait continuellement la tempe, pour apprivoiser cette sensation.

À la clairière, les jeunes avaient creusé un trou, allumé un feu de brindilles et de petites branches. Ils couvrirent les braises de pierres plates. Les femmes y disposèrent sur un lit de feuilles leur récolte, ainsi que quelques petites créatures — oiseaux ? chauves-souris ? D'autres feuilles furent placées par-dessus, puis le tout fut recouvert de terre.

Combien étaient-ils ? Ils se ressemblaient tous : petits, trapus, noirs, cheveux frisés ; il ne parvenait pas à les reconnaître un par un.

La vieille, bien sûr. Le groupe de femmes, ou plutôt des mères. Elles étaient huit, non, neuf avec la femme enceinte. La plus jeune allaitait. Autour d'elles, il dénombra quatorze enfants, jusqu'à dix ans environ, qui ne s'éloignaient guère et jouaient entre eux.

Les hommes étaient sept. Le plus âgé — soixante ans peut-être —, celui à qui Narcisse avait parlé en arrivant, avait passé presque toute la journée autour du foyer. Il décida de le surnommer Chef. Les autres avaient tous entre trente et quarante ans — pour autant qu'on puisse leur donner un âge. Narcisse reconnut celui qui était venu vers lui lorsqu'il se nettoyait au bord de la mare, il semblait plus solide et plus décidé. À cause de sa stature, il l'appela Quartier-Maître.

Les hommes et les femmes parlaient peu. Plus bruyant était le groupe des jeunes. Entre douze et vingt-cinq ans, ils ne se mêlaient pas aux enfants et se tenaient à l'écart des adultes. Les dix garçons et six filles ne restaient pas ensemble tout le temps. Parfois les garçons se mettaient de côté et jouaient aux osselets ; parfois deux couples se formaient pour un jeu ou un travail, parfois l'un d'eux partait solitaire dans la forêt. Assis sous un arbre, un garçon et une fille se caressaient sans se cacher. Narcisse rougit lorsqu'il vit la main de la fille remonter le long de la cuisse du garçon.

Neuf femmes, sept hommes, quatorze enfants, seize jeunes : quarante-six sauvages autour de lui. Il devait les observer, savoir qui commandait, comprendre les liens entre maris et femmes, entre frères et sœurs, entre pères et enfants. Cela pouvait lui être utile. Avec des brindilles et des pierres sur le sable, il recommença son recensement — malgré les mouvements des uns et des autres, il obtint le même résultat.

Chef, Quartier-Maître... il fallait les reconnaître les uns des autres. Choisir des surnoms l'occupa un temps : celui-ci serait Cicatrice, ceux-là Fanfaron, Nez-Cassé, et même Kermarec, à raison d'une démarche qui lui rappela un de ses camarades du *Saint-Paul*. Il ne se préoccupa pas des femmes. Mais lorsqu'ils s'éloignaient, discutaient entre eux, revenaient, il n'était plus très sûr de qui était qui.

Le crépuscule était bien avancé lorsqu'un jeune sauvage sortit de la forêt d'un pas rapide. Il eut l'impression de ne l'avoir encore jamais vu, mais sans certitude. Le nouvel arrivant ne le regarda même pas et rejoignit le groupe des jeunes, même s'il était manifestement plus vieux et plus large d'épaules que ces adolescents. Les garçons se rassemblèrent autour de lui, et il entama un récit, ponctué de cris de surprise et d'approbations. Kermarec et Quartier-Maître vinrent également l'écouter. On eût dit un voyageur de retour au pays, heureux de raconter ses aventures. Serai-je accueilli de la sorte quand je rentrerai au village ? se dit avec nostalgie Narcisse, qui n'osait pas s'imaginer nu, racontant ses aventures à un auditoire nu... Il rajouta un caillou dans son décompte. Quarante-sept sauvages, avec l'arrivée de Chemineau.

La vieille trottina vers lui, lui fit signe de rester immobile. Avec de petits gestes précis, elle enleva la pommade de son oreille, cracha un peu d'eau tirée de sa gourde sur la plaie, et appliqua une nouvelle couche d'onguent.

Comme la veille, les jeunes allèrent ouvrir le

trou qui leur servait de four. Les hommes vinrent manger. Narcisse tenta de se joindre à eux mais, comme la veille, fut sèchement renvoyé. Dans l'obscurité naissante, le sentiment de sa nudité le gênait moins — ou s'habituait-il? Il fit une seconde tentative. Chemineau, qui pourtant ne mangeait pas encore, lui barra le chemin, l'œil mauvais. Il n'avait pas l'énergie de s'engager dans une bagarre, dont l'issue n'était que trop certaine. Qui prendrait son parti? Il fit demi-tour et attendit. Après que les hommes puis les femmes eurent mangé, la vieille lui apporta un morceau de viande presque noir, plus petit, plus sec et plus dur que le gibier du premier soir. Il put ensuite aller chercher de ces navets à moitié brûlés qu'il avait déjà goûtés dans la forêt. Ce maigre repas fut très loin de calmer sa faim, et son oreille était toujours douloureuse.

Les sauvages chantèrent un moment — si l'on peut appeler chants ces mélopées tremblotantes, entrecoupées de claquements de langue ou de mâchoires, où les voix aigrelettes des femmes dominaient les grognements des hommes —, puis ce fut l'heure du dormir, sous un ciel d'un noir d'encre. Ils se couchèrent sous de frêles abris de feuillage, chaque homme avec une ou deux femmes et quelques marmots, les jeunes un peu plus loin dans la forêt.

Il retrouva l'arbre sous lequel il avait passé la nuit précédente et s'allongea. La légère brise du soir sur tout son corps, sensation inédite, lui faisait ressentir la perte de ses vêtements. Il coupa des branchettes et des palmes, dont il se recouvrit. La blessure l'obligeait à dormir sur le côté droit, recroquevillé sur lui-même. Le sentiment de solitude l'accablait. Doucement, sans qu'il parvienne à se contrôler, sans bruit, il se mit à pleurer. Les larmes qui ruisselaient l'apaisaient, l'aidaient à supporter toutes les pertes et toutes les infortunes qu'il avait subies depuis son arrivée sur la plage. Il n'avait pas pleuré depuis sa tendre enfance — son père redoublait les coups s'il faisait montre de faiblesse. Mais pouvait-il recevoir plus de coups que cette longue torture qu'il endurait sans comprendre? Personne ne l'entendait geindre, gémir, renifler — tel un petit d'animal, blessé, abandonné. Le sommeil le prit au milieu des larmes.

Au réveil, il se sentit sans forces. De violents frissons le faisaient claquer des dents. Il essaya de se lever, mais fut pris de vertiges et dut s'allonger à nouveau. La douleur à l'oreille avait diminué, la faim s'était absentée, il était transi de froid et transpirait. Une forte fièvre s'était emparée de lui. Était-elle due à l'eau qu'il avait bue? à la blessure, ou à la pommade appliquée par la vieille? à un excès de désespoir?

En position fœtale, rajustant sur lui les branches coupées, en un simulacre de couvertures, il tremblait de tout son long et n'attendait aucun secours.

Le soleil monta dans le ciel, ses rayons à travers les branches ne le réchauffaient pas. Malade sur le *Saint-Paul*, il se serait traîné dans la coursive, présenté devant le second, sa mauvaise humeur, sa mauvaise haleine et ses remarques désobligeantes. Comme en cet instant il aurait aimé entendre sa voix rauque prononcer son aphorisme favori : « Si tu peux marcher jusqu'ici, tu peux travailler. » Rester couché dans le hamac et attendre la visite n'était pas une tactique plus efficace : il avait vu le second jeter un ancien à bas de sa couche et le forcer à reprendre son poste... Le second acceptait les blessés, mais pas les malades. Et si par chance il consentait à octroyer un jour ou deux de repos — sous la menace d'une retenue sur la paye —, il ne disposait que de quelques remèdes, de bocaux de poudres dans lesquels il puisait, au hasard disait-on, pour composer d'infectes potions. Il sombra dans un sommeil agité, espérant se réveiller dans l'entrepont...

En milieu de matinée, pour autant qu'il pouvait en juger, la vieille vint le voir. Quelqu'un donc se souciait de lui? Elle renouvela son onguent sur l'oreille, avec les mêmes gestes précis. Puis elle passa les mains, paumes tournées vers le bas et doigts écartés, au-dessus de son corps, de la tête aux pieds, en grommelant indistinctement entre ses dents. Enfin, elle ramassa une poignée de terre sablonneuse et la laissa couler entre ses doigts pour la répandre sur tout son corps. L'opération fut renouvelée plusieurs fois, jusqu'à ce que sa peau luisante de sueur soit uniformément recouverte d'une mince couche poussiéreuse.

Indifférent, il la laissa faire, les yeux mi-clos,

luttant contre les vagues de fièvre qui lui battaient les tempes.

Elle approcha la gourde de ses lèvres, il se força à boire, puis elle s'éloigna après avoir disposé d'autres branches sur son torse et ses jambes.

Il s'endormit à nouveau. L'enveloppe de terre dont il était recouvert le protégeait un peu de la sensation de froid.

La vieille était à nouveau assise à côté de lui, elle tressait tranquillement des feuilles pour former une sorte de cage ou de casque. Satisfaite de son ouvrage, elle le posa autour de sa tête, comme une petite tente qui ne l'effleurait pas. Il apprécia d'être ainsi protégé du soleil.

Ayant apporté des braises, elle enflamma une branche et la passa au-dessus du malade pendant que les feuilles brûlaient, tout en chantonnant à voix basse. Quand le feu s'éteignit, laissant place à une abondante fumée grise, elle posa la branche à hauteur de son épaule. La fumée poussée par la brise entrait dans sa construction tressée et s'y accumulait. Il dut respirer cette fumée chaude, âcre, amère, astringente. Les larmes lui vinrent aux yeux, il se mit à tousser, repoussa le piège à fumée et se recoucha.

Obstinée, la vieille remit l'objet en position et rapprocha la branche. Respirer cette odeur de forêt en flammes, sentir la chaleur sur les joues et le nez pouvait-il le guérir ? Il se força à accepter, à laisser le remède entrer en lui.

Quand elle revint, elle lui fit manger de petits morceaux de viande, boire à la gourde. Elle renouvela ses fumigations. Point d'autres visites. Il essaya de se lever, mais vertiges et frissons eurent raison de sa volonté. Cette forte fièvre l'empêchait de réfléchir. Il se souvenait vaguement avoir des décisions importantes à prendre, mais chaque moment de lucidité était submergé par l'envie de tout abandonner, de se terrer dans sa couche de feuilles et de poussière, de somnoler au rythme des vagues de fièvre.

La vieille le faisait boire. Elle soignait son oreille. La fumée s'emparait de ses narines. Les frissons diminuaient un peu. Le sommeil le reprit.

La nuit tomba brusquement, avec cette soudaineté tropicale qui le déconcertait toujours. Elle lui présentait maintenant un morceau de viande grillée, le reste de la tribu devait partager quelque gibier dans son repas du soir. Avec beaucoup d'efforts, il réussit à avaler deux ou trois bouchées qui puaient la graisse brûlée. Il but à nouveau et s'allongea, les yeux clos.

Narcisse fut malade pendant cinq jours, et pendant cinq jours la vieille le nourrit, lui donna à boire, pansa sa blessure, le recouvrit de terre et de feuilles, lui fit respirer ses fumées de feuilles. Confusément, il sentait qu'il s'affaiblissait. Allait-il finir ses jours là, couché comme un chien à même le sol, au milieu de ces sauvages qui laisseraient son corps déchiqueté par les bêtes...

Le quatrième jour, il se fit un coup de vent encore plus violent et plus brutal que la nuit de son abandon. Les nuages gris et bas défilaient à une vitesse étonnante, les feuilles arrachées par les rafales volaient en tous sens, les arbres gémissaient et ployaient sous les bourrasques. Quelques gouttes de pluie vinrent frapper le sol. Vers le soir, la température baissa sensiblement. Narcisse frissonnait sans pouvoir s'arrêter, en un tremblement convulsif de tout son être, en tentant de s'enfoncer dans le sol pour laisser au vent le moins de prise possible.

Soudain, il sentit un corps contre le sien. La vieille s'était allongée contre lui et l'enveloppait de ses petits bras. Sur sa poitrine, cette main noire et ridée. Cette femme nue, couchée tout contre lui, nu. Cette odeur de graisse et de sueur. Les morsures du vent, remplacées par cette sensation de tiédeur sur son dos, ses fesses, ses jambes. Sa respiration soufflant dans sa nuque. Cette étreinte de deux corps — où était la putain du Cap, la vigueur et les rires d'alors... — dans le brouillard des fièvres lui parut d'abord obscène — une vieillarde noire, un jeune homme blanc.

Puis il s'y abandonna et y trouva refuge.

LETTRE IV

Monsieur le Président,

J'avais d'abord cru que le retour de Narcisse à notre monde serait simple : lent, peut-être, mais progressif, dans un mouvement constant. Il ne s'agissait en somme que de lui faire remonter une colline, qu'enfant il avait déjà gravie, puis dont il était redescendu pendant son exil.

La réalité est plus complexe. Narcisse a sa propre volonté, et semble refuser certains progrès. Je le constate, mais ne le comprends pas.

Ainsi de l'écriture. J'ai voulu l'aider à retrouver ce savoir qu'il devait avoir acquis sur les bancs de l'école — l'idée que ce matelot ait été complètement illettré semble peu crédible.

Sur une feuille, j'ai écrit en majuscules nos prénoms, et je les ai lus en suivant avec le doigt. Il a reconnu ce que je disais, mais sans voir aucun lien avec les signes sur le papier. Qu'aurait fait un instituteur de village ? Je répétai mon prénom en

120

le montrant, puis lui tendis la feuille et le crayon. Il s'en saisit, me regarda comme pour s'assurer qu'il avait bien compris, et attendit, le crayon levé. Je dis doucement :

« Écris : Narcisse. »

Sans hésitation, il se mit à tracer des signes : non pas hélas des lettres maladroites ou des bâtons informes, mais une succession précise de lignes brisées, de cercles, de spirales, de points. Avec application, rapidement, il dessinait des séries de formes géométriques qui peu à peu remplissaient toute la page et révélaient des symétries inédites et abstraites. Étonnante est la complexité graphique de sa composition, dont le style s'apparente à celui des tatouages qu'il arbore, mais plus étonnante encore la manière dont il l'a réalisée : non pas du centre, non pas en dessinant les figures principales, mais en partant de l'angle inférieur droit, dans un fouillis de détails qui envahissent tout le papier pour s'achever à l'angle supérieur gauche. Même Raphaël ou Poussin eussent été incapables de travailler de la sorte. Pour éviter la confusion dans la réalisation, il faut avoir en tête toute cette composition barbare avant de commencer. De l'étrange résultat auquel il est parvenu se dégage une mystérieuse impression d'équilibre. Quelle sûreté de main, quelle science du décor !

Narcisse couvrit l'ensemble de la page de ses hiéroglyphes en moins de dix minutes, puis reposa le crayon, satisfait de son œuvre, dont il se désintéressa aussitôt.

Pour le langage, ses progrès sont plus rapides. Il retrouve chaque jour son vocabulaire oublié. Son accent aussi s'améliore. Il prononce à peu près correctement tous les sons, et s'est débarrassé des claquements de langue et chuintements qui l'entravaient il y a un mois à peine. Ses phrases sont toujours rythmées et chantantes, comme celles d'un Italien familier de notre langue.

Il n'est guère bavard. Ce laconisme fait-il partie de son caractère original? A-t-il du mal à trouver les mots justes pour exprimer ses émotions? Ou n'a-t-il rien à dire?

Le bon usage des temps lui échappe encore, et notamment celui du futur. « Demain le soleil se lèvera » lui paraît une coquetterie de langage, puisque l'événement est certain. « Demain, nous irons nous baigner dans la rivière » n'a pour lui pas de sens. Il comprend chacun des mots, mais s'attend à ce que nous descendions aussitôt sur la berge.

Lorsqu'il exprime une opinion personnelle, même sur le sujet le plus anodin, il commence par un solennel : « Je dis », qui est je suppose un reste de la rhétorique des sauvages ou de ce qui leur tient lieu de politesse : « Je dis : le repas de Bill est bon. »

Pourtant, maintenant que nous pouvons à peu près parler, il se refuse à me raconter sa vie chez les sauvages. Il me semble qu'il comprend mes questions, mais toutes mes tentatives, quelque chemin que je prenne, échouent sur son silence. Je n'en sais pas plus sur ce qu'il a traversé qu'au jour de notre rencontre.

Mon projet d'enquête sur les sauvages du nord-est de l'Australie, à partir de ses informations, ne peut débuter, alors que c'est dans cet espoir que j'avais accepté de m'encombrer de Narcisse.

Échec donc, ou prémisses d'un échec? Je ne sais pourquoi, tel n'est pas le sentiment que j'éprouve. Les progrès de Narcisse m'apprennent d'autres choses, que je ressens confusément et ne parviens point encore à mettre en ordre. Peut-être ne saurai-je jamais rien de ces nègres austra-liens — mais ce que j'entrevois à travers le par-cours de Narcisse est porteur d'enseignements d'une autre nature, et qui ne me semblent pas moins importants.

Une autre conclusion se présente à moi. Nar-cisse ne parvient pas à écrire, ni à penser le futur, ni à raconter son séjour. Je croyais au début que son esprit n'était qu'une page blanche sur laquelle mes leçons allaient se graver, ou une cire molle sur laquelle j'imprimerai ma marque. Je constate que sur certains points il s'y refuse et que je n'ar-rive à rien. L'image d'un Narcisse progressant vers notre monde, sortant de la caverne de Platon et marchant vers le soleil du XIXe siècle est erro-née. Il y a deux personnages en lui : un matelot enfermé au cachot depuis des années et qui lutte pour en sortir; et un diablotin sauvage qui bataille pied à pied pour l'en empêcher. Le matelot l'em-porte, mais pas toujours et pas sans concessions.

De même que les tatouages marqueront sa

peau jusqu'à son dernier jour, de même son esprit reste marqué par ce qu'il a vécu et ne s'en libérera peut-être jamais complètement. Étrange idée que celle de deux hommes se combattant à l'intérieur d'un seul. Mais je n'en vois pas d'autre pour tenter de le comprendre.

Il me semble que le temps est venu de reprendre la mer. Rien ne s'oppose plus à notre départ, et j'avoue que je commençais à m'ennuyer dans cette réclusion volontaire. Je ne suis pas retourné à Sydney, de peur de provoquer peut-être une nouvelle fugue de Narcisse. Les leçons que je lui donne m'occupent, ses progrès me réjouissent, mais sa société manque de distraction.

J'ai écrit au gouverneur pour lui annoncer la fin de notre séjour dans cette colonie, et il nous promet un passage la semaine prochaine sur le *Strathmore,* un clipper récemment sorti des chantiers de Bristol. Nous serons donc en France, si Dieu le veut, vers la mi-août. L'une de mes toutes premières démarches, Monsieur le Président, sera de venir vous présenter mon protégé.

J'ai bien reçu votre lettre du 16 avril, par laquelle vous répondez à mon tout premier message. Les compliments que vous m'adressez m'ont beaucoup touché, car je n'avais pas vu l'histoire de Narcisse sous le même angle. Mais vous êtes trop généreux. La recherche scientifique est mon seul mobile. Jamais je n'ai eu le sentiment ni le désir d'être ce Bon Samaritain à qui vont vos éloges. Certes, ce garçon est attachant et les drames qu'il a dû traverser sont terribles. Mais d'abord je veux décrire aussi complètement que possible les transformations d'un Blanc devenu sauvage et qui redevient blanc.

Malheureusement, à raison de l'obstiné silence de Narcisse sur son séjour chez les sauvages, le questionnaire détaillé que vous m'avez fait parvenir, et dont je reconnais tout l'intérêt, est inutile : lorsque je l'interroge, il sourit, ne répond pas et n'explique pas son silence. Il est également muet sur les circonstances de son arrivée en Australie, et sa vie avant le naufrage, ou même sur sa jeunesse. Je ne suis pas sûr de connaître son prénom : Narcisse n'est peut-être qu'un malentendu, qu'il a accepté par convention de langage entre nous.

Survint alors un incident que je me dois de vous relater, car il m'a amené à de profondes réflexions que je veux vous soumettre.

Je m'étais retiré dans ma chambre et relisais mes notes lorsque j'entendis un hurlement de femme — je reconnus la voix de la lingère —, le bruit sourd d'un choc puis des pas précipités. Alerté, je sortis aussitôt et fis le tour de la maison, pour découvrir un spectacle étonnant. Bill se battait avec Narcisse ou, plutôt, il tentait de le faire. Il envoyait une grêle de coups de poing et de coups de pied, mais aucun d'eux n'atteignait sa cible. Narcisse ne reculait pas, bougeait à peine. Il esquivait chaque attaque d'une feinte de tout le corps, laissait le poing ou le pied de son adversaire frapper l'air, et reprenait sa position sans céder un pouce de terrain. Seule une science très sûre de la lutte lui permettait de rester ainsi immobile et d'éviter les coups au tout dernier moment. Je remarquais aussi qu'il n'a jamais cherché à frapper Bill — alors que ce dernier, déséquilibré par ses assauts de lutteur de foire qui n'atteignaient que le vide, eût été une proie facile.

D'un cri, je leur ordonnai de cesser, je m'interposai et leur assignai des positions éloignées. Je voulus savoir le motif de leur querelle. Narcisse ne comprenait pas ce qui s'était passé. Bill et la lingère ne voulaient pas parler ou racontaient des sottises. Je dus leur rappeler leur condition bagnarde, les menacer de les renvoyer aux fers. Après les avoir interrogés séparément, voici ce que je pus démêler.

La chaloupe vient à l'embarcadère deux fois par semaine et y stationne quelques heures. Bill et la jeune femme prenaient le temps de se retrouver dans la chambre de mon domestique pour se livrer aux amours ancillaires. Peu importait que cette occasion fût la première ou non, ou que Bill se ménageât les faveurs de la lingère moyennant quelques pièces — pièces qui alors eussent été le fruit d'un larcin commis à mon détriment. Mais l'hypothèse de la rétribution et du vol aggravait son cas, et Bill se voyait déjà couper des arbres au terrible pénitencier de Port Arthur. Il se confessa franchement en implorant ma pitié.

Il était allongé sur sa paillasse avec la lingère et avait déjà commencé à sacrifier, sinon à Vénus, du moins à Éros. Dans le feu de l'action, elle avait tourné la tête, et découvrit Narcisse accoudé à la fenêtre et souriant au spectacle impudique qu'ils offraient dans la tiédeur de l'après-midi.

Hurlements de la fille, stupeur puis colère de Bill interrompu dans son affaire... Il se lève d'un bond, court à la fenêtre, assène un violent coup de poing que Narcisse n'a pas vu venir et donc pas esquivé. Bill se rajuste, saute dans le jardin et veut se battre — sans y parvenir, comme je l'ai dit.

L'anecdote, bien peu morale, ne mérite pas d'être contée? Permettez-moi de tenter de vous convaincre du contraire.

Le bagnard et la bagnarde, interrogés séparément, m'ont fait la même description de Narcisse en train de les regarder : il souriait. Non pas avec l'avidité du voyeur qui savoure une scène interdite au risque essentiel d'être surpris et déshonoré; mais d'un sourire franc, de qui assiste à un plaisant spectacle, et s'en réjouit avec les acteurs. Narcisse ne connaît pas la pudeur.

J'essayai de m'en expliquer avec lui. Il avait sous l'œil droit une belle ecchymose, il avait bien compris que Bill l'avait frappé parce qu'il l'avait vu avec la lingère, mais il ne comprenait pas pourquoi. Telle est la substance de l'échange malaisé que j'eus avec lui. Il n'en voulait pas à Bill, d'ailleurs — une fois encore, nos manières lui semblaient inexplicables et il les acceptait avec fatalisme.

Cette découverte me semble capitale. Dans sa tribu, hommes et femmes ne se cachent donc pas pour l'amour, et chacun peut en regarder les transports. Pour nous, le temple de Vénus est dans la maison, dans la chambre, sous les draps, bougie éteinte. Même les personnes de la plus basse extraction, tels Bill et la lingère, même en plein jour et sur une paillasse, s'isolent des regards et ferment la porte. Nul n'imagine être vu en ces circonstances — sauf extrême confusion —, ou regarder — sauf indicible perversité. Cette pudeur vaut à toutes les époques et sous tous les climats. Pourtant rien de tout cela n'avait de sens pour Narcisse. Il me donnait là, par sa naïveté et grâce à la corruption de Bill — ses manigances secrètes d'abord, sa rage ensuite —, une information précieuse, que je n'aurais assurément pas songé à lui demander.

Cette naïveté, hélas, se perd au moment où elle se révèle. J'aurais pu faire rejouer la scène : trouver un soldat et une fille du port qui eussent accepté, moyennant quelque argent, de se laisser surprendre en semblable posture. Mais, outre que j'ai peu de goût pour un aussi étrange rôle d'entremetteur, je ne pourrais rien conclure de la réaction de Narcisse. Instruit par le coup de poing de Bill, il hésitera à regarder à la fenêtre. Jamais plus il n'aura ce sourire tranquille, cette attitude innocente que seuls la lingère et son amant auront vus.

Narcisse change. Chaque jour qui passe le rapproche de nous et l'éloigne des profondeurs de l'Australie. Il se conforme à nos règles dès lors qu'il les perçoit. Le pantalon qu'il porte désormais, les mots qu'il arrive à dire, les relations qu'il a nouées avec moi le ramènent vers nous, mais occultent en lui ce que je cherche à apprendre.

En réfléchissant à cet incident, je comprends que Narcisse est comme un message écrit d'un doigt sur la buée d'une vitre. La buée s'efface, le message se perd, irrémédiablement. Il me faut donc recueillir tout ce que j'apprends et qui va disparaître. Plus les jours passent, moins Narcisse sera sincère — bien malgré lui. Le chimiste peut refaire cent fois la même expérience pour la valider. Le voyage de retour de Narcisse vers notre monde n'aura lieu qu'une fois et dans un seul sens. J'en serai le scribe.

Ces méditations me permirent de retrouver la sérénité face aux émois domestiques. Je signifiai à Bill et à la lingère de quitter les lieux par la chaloupe : il ne m'était pas possible de garder à mon service un bagnard qui avait levé la main sur mon compatriote.

L'incident était porteur d'une autre leçon. Narcisse avait esquivé les coups redoublés de Bill, mais n'avait cherché à en porter aucun. Spontanément, il avait réagi, sinon selon les Écritures — il n'avait pas tendu l'autre joue — mais en tout cas avec une douceur évangélique, dont bien peu d'entre nous, après un premier coup reçu, auraient été capables. Le chien battu montre les dents, le petit enfant cherche à griffer qui le houspille. Le coup appelle le coup, depuis la loi du talion. Assurer sa sécurité par l'esquive et ne pas renvoyer d'attaque requiert une grande maîtrise de soi.

Mais quoi? Il faudrait reconnaître comme civilisées les coutumes barbares que Narcisse révèle à chaque instant? Cela ne se peut. Et je ne sais, au soir où j'écris ces lignes, que penser de cette douceur. Un constat s'impose. Dans cette mauvaise querelle, Narcisse le sauvage blanc a fait montre de plus de civilisation que Bill le bagnard.

Où cette conclusion m'emmènera-t-elle? Il me semble que le temps est venu de reprendre la mer.

Croyez, Monsieur le Président...

5

Quand il se réveilla le lendemain matin, la vieille n'était plus couchée contre lui, la tempête était terminée et semblait avoir emporté sa fièvre. Il se sentait toujours faible, mais lucide et apaisé. La faim était revenue, impérieuse, presque rassurante dans sa banalité. Son oreille ne le faisait plus souffrir.

Il se leva, fit quelques pas sans frissonner ni trembler. Croisant deux femmes, le réflexe de pudeur revint et il cacha son bas-ventre. La poussière et la terre dont la vieille l'avait recouvert, mêlées aux suées de la maladie, formaient une croûte craquelée qui gênait ses mouvements. Son menton et ses joues hérissés de barbe le démangeaient, jamais il n'avait omis de se raser aussi longtemps. La moustache bien taillée dont il avait été si fier, qu'il entretenait avec soin les jours calmes et lui donnait un air bravache, ne devait plus se distinguer du reste...

Il gagna la mare, entra dans l'eau jusqu'au nombril et se nettoya de son mieux. La sensation de fraîcheur le rasséréna. Il se frotta longuement, minutieusement, à mains nues, comme pour effacer le passé. Dans ces gestes automatiques, il effleura son oreille gauche. L'impression était étonnante, il porta ses doigts à l'oreille droite. L'eau turbide ne renvoyait aucune image. En l'absence de miroir, il n'avait pas d'autre moyen que le toucher, pour lui confirmer que le lobe gauche avait été presque entièrement arraché.

Et pourtant, parmi la tribu qui lui avait infligé cette mutilation — pour lui enlever son anneau de laiton doré! — la vieille l'avait soigné. Elle s'était occupée de lui, l'avait veillé, nourri, abreuvé, réchauffé. Ses prières et fumigations n'avaient peut-être pas été très efficaces, mais elle avait manifestement fait de son mieux pour soigner la plaie et les fièvres. Rien dans son comportement n'évoquait la pitié ou la compassion. Elle semblait avoir accompli une tâche qui lui incombait, sans émotion particulière. À travers elle, la tribu prenait soin à sa façon de sa santé. Ils ne lui voulaient pas de mal — ou en tout cas pas tout de suite. S'ils le gardaient en vie pour le manger, ils devaient l'engraisser un peu pour faire un festin. Narcisse n'avait jamais été bien gras, et la faim et la maladie l'avaient desséché. Mais peut-être, espérait-il, ne consommaient-ils pas de viande humaine?

À pas lents, il vint s'asseoir près du foyer où la veille, pendant qu'il tremblait de froid sous les assauts de la tempête, avait cuit un animal de la taille d'un veau. Les côtes, éparpillées dans le sable, étaient encore partiellement garnies de viande. Le vieux sauvage qu'il avait surnommé Chef somnolait à moitié à côté. Il prit un os, l'épousseta sommairement et se mit à manger. La chair filandreuse et froide avait un fort goût de fumée. En mordant, en grattant, il réussit à ronger toutes les parties fibreuses. Un garçonnet s'accroupit près de lui et le regarda sans mot dire.

Narcisse mangea presque toute la matinée, but à une gourde oubliée, dormit à l'ombre toute l'après-midi, le soir écouta les chants près du feu, et mangea encore lorsque la vieille le servit. Cette nuit-là, pour la première fois depuis son abandon, il se sentait un peu moins malheureux.

Au matin, après que chacun se fut réveillé à son heure et à son rythme, Narcisse nota un changement dans les activités de la tribu. Plus de jeux, de promenades, de siestes. Les sauvages se montraient actifs, chacun savait quelle était sa tâche et l'accomplissait tranquillement. Mais dans quel but ? Pourquoi transporter cette branche, former de petits groupes pour de brèves conférences, confectionner des paniers de lianes tressées, déposer des pierres sur les braises froides ?

Avant que le soleil atteigne le zénith, les femmes et les enfants se rassemblèrent. La vieille vint vers Narcisse, lui tendit deux gourdes pleines et lui fit comprendre qu'il devait les porter. Il hésita et finit par s'en saisir. Le fardeau n'était pas lourd, seulement incommode en l'absence de poignée ou de cordelette pour les tenir. Mais pourquoi porterait-il ? Qui était-elle, pour lui donner des ordres ?

La vieille rejoignit le groupe qui s'enfonça lentement dans la forêt. Que devait-il faire ? Personne ne lui adressa de message. Les jeunes suivirent.

Le campement à moitié désert lui parut plus lugubre encore. Les abris de branchage sous lesquels ils avaient dormi se confondaient avec la végétation. Les hommes se rassemblaient aussi peu à peu, et chacun portait quelque chose : des pierres, des flèches, un panier, une peau de bête, une gourde. Une mélopée triste s'éleva de la clairière.

Puis, sans ordre, par intervalles irréguliers, ils s'enfoncèrent à leur tour dans la forêt, dans la même direction que les femmes et les jeunes. Ils abandonnaient le campement au bord de la mare.

Rester là ? Il savait qu'il n'y survivrait pas, mourrait assez vite de faim. Et il n'avait pas la force de supporter à nouveau l'absolue solitude des premiers jours. Mieux valait cette compagnie-là, malgré les souffrances absurdes et les vexations qu'ils lui avaient infligées, que d'affronter seul la forêt stérile, et l'imminence de la fin.

Il empoigna les deux gourdes que la vieille lui avait confiées, et suivit le mouvement. En atteignant la lisière, il se retourna. Kermarec et Chemineau attendaient encore, ou peut-être fermaient-ils la marche pour vérifier que nul ne traînait en arrière.

Toute la tribu s'en allait. Ils n'étaient pas partis

pendant les quatre jours où la fièvre l'avait terrassé, ni le jour suivant où il avait refait ses forces. Devait-il comprendre qu'ils avaient différé leur départ, attendu qu'il soit sur pied ?

Il se mit en route, portant deux gourdes faites avec l'organe d'un animal, sans doute la vessie. Aider la tribu lui semblait naturel : ils le nourrissaient, il fallait bien qu'il se rende utile. Était-ce là l'avenir qui l'attendait ? Portefaix, voire esclave d'une horde de sauvages... Le choix du métier de marin lui avait paru une évidence, pour un fils cadet qui n'avait pas sa place dans l'atelier familial. Céder à l'appel du large, ou rester toute sa vie dans le canton, comme valet de ferme célibataire ? Il n'avait guère hésité, choisi la mer, et il se retrouvait le domestique de cette vieille, chargé de son eau... Il murmura aux premiers arbres : « Je suis Narcisse Pelletier, matelot de la goélette *Saint-Paul*. »

La forêt, même en plein midi, paraissait fraîche. Il tenta de repérer la direction suivie. Comme la semaine dernière depuis la côte, avec la vieille, le cap était très approximativement au nord. À bord du *Saint-Paul*, il n'avait pas vraiment prêté attention à la carte, il croyait juste se rappeler que le trait de côte était à peu près nord-sud sur une assez grande distance. Donc à tout le moins cette route ne leur faisait pas tourner le dos à la mer.

Le groupe d'hommes et Narcisse derrière eux rejoignirent les femmes et cheminèrent à leur vitesse. Aucun chemin, aucune sente pour les guider. Dans une vallée à peine marquée, où des bosquets plus épais offraient une ombre attirante, ils s'arrêtèrent pour laisser passer les heures les plus chaudes. Les enfants, fatigués, burent aux gourdes et s'endormirent aussitôt.

Ils repartirent en milieu d'après-midi, les hommes et les jeunes distancèrent peu à peu les femmes. Ils marchaient toujours dans la même direction, jusqu'à une petite colline qu'ils atteignirent vers le soir. Les jeunes préparèrent des abris de branchage, et le feu, pendant que les chasseurs qui s'étaient égaillés dans la forêt revenaient en ordre dispersé, avec ou sans gibier.

Le dîner fut bref, et toujours servi selon le même protocole. La vieille apporta à Narcisse un oiseau rôti dans ses plumes, qu'il déchiqueta avec application avant d'en sucer les os. Cette marche lui avait fait du bien, mais la convalescence avait réveillé son appétit, que ce maigre repas était loin de combler. Il massa longuement son oreille gauche avant de s'endormir.

Le jour suivant, ils avancèrent toute la matinée, n'accordant aux enfants qu'une brève pause. La vieille lui reprit ses deux gourdes, pour leur en partager le contenu. Narcisse se sentait sans force et souffrit de la chaleur, dans l'air moite et immobile.

Et puis il vit la mer.

La forêt s'arrêtait net, en un arrondi parfait, encadrant une plage de sable aussi grande que celle où il avait débarqué. Mais ils n'étaient pas revenus sur leur pas, il le vérifia à maints détails, ce rocher isolé, ces récifs affleurant, l'absence de falaise, ces arbres penchés. Une barre infranchissable où brisait la haute mer, ponctuée de trois îlots avec de maigres buissons, fermait complètement le plan d'eau, rendant impossible le passage à toute chaloupe. Aucun marin ne viendrait jamais ici. Les noms de baie Nord et baie de l'Abandon se présentèrent spontanément à son esprit. À quelle distance était la baie de l'Abandon ? Pas plus de deux jours de marche.

Depuis combien de jours était-il à terre ? Il recompta sur ses doigts : quatre jours tout seul ; deux jours avec la vieille ; deux jours au bord de la mare avant les fièvres ; cinq jours malade et convalescent ; deux jours de marche jusqu'ici. S'il ne se trompait pas, quinze jours sur ces rivages. Le voyage du *Saint-Paul* pour Java devait prendre une semaine, deux jours pour débarquer les malades et se préparer, une semaine de retour. Le *Saint-Paul*, ou tout autre navire envoyé à son secours, mouillerait dans la baie de l'Abandon dans un jour ou deux.

Aucune certitude bien sûr. Les temps de route pouvaient être perturbés par des tempêtes. Le plein de vivres et l'embauche de matelots supplémentaires pouvaient prendre plus de deux jours. Mais si la chance était au rendez-vous, le navire sauveur apparaîtrait après demain. Et il faudrait y être. Trouver de quoi manger, une gourde, et s'enfuir. En longeant la côte, il arriverait nécessairement à la baie de l'Abandon. Épuisé, l'oreille arrachée, nu sous les sarcasmes de ses camarades, mais vivant. Il se souvint de sa promesse. Quoi qu'il advienne de lui, il sortirait vivant de cette aventure.

La tribu s'arrêta sous les derniers arbres. La femme enceinte et les mères avec des bébés restèrent à l'ombre pendant que les jeunes montaient des abris de branchage et que les hommes partaient à la chasse. Les femmes entrèrent dans l'eau pour ramasser des coquillages, des praires blanches et de grosses moules vert sombre. Les enfants les aidaient tout en jouant dans les vagues. Narcisse, qui ne savait pas nager, avait peur de la mer. Cette baie en pente douce lui inspira néanmoins confiance. Il entra dans l'eau et, par pudeur, les dépassa pour avoir de l'eau jusqu'à la poitrine. Comme il était nettement plus grand, il avait pied bien au-delà d'elles. Les rochers autour de lui étaient couverts de coquillages, hors d'atteinte pour tout autre, qu'il se mit à ramasser. Quand il en eut plein les mains, il retourna vers la plage où une femme lui tendit un panier. Il lui confia sa récolte et retourna vers les rochers. Le panier fut bientôt plein, il l'échangea contre un vide. Insensible à la morsure du soleil sur sa nuque et aux éclats de lumière dans ses yeux, il travailla de son mieux, heureux d'avoir quelque chose à faire, en une noria de paniers qu'il échangeait avec les femmes.

Pendant ce temps, un feu avait été allumé sur la plage, et une grande pierre plate avait été déposée par-dessus en équilibre sur un cercle de cailloux. Les coquillages étaient amoncelés en tas irréguliers à même le sable. Répondant à un appel, les femmes sortirent de l'eau et vinrent s'asseoir tout autour. Narcisse les rejoignit quand son dernier panier fut plein, tout comme les enfants.

Elles déposèrent moules et praires sur la pierre chaude, et au bout de quelques instants commencèrent à les retirer et les déguster à peine cuites. Sans cesse, elles remettaient d'autres coquillages, et la pierre devint le centre d'un festin de fruits de mer. Quand il eut observé et compris, Narcisse se hasarda à y déposer une poignée de moules. Personne ne lui fit de remarques, ni lorsqu'il les en retira lui-même pour s'en régaler. La chaleur de midi et celle du foyer étaient accablantes, aucune brise ne rafraîchissait l'air. Comme les femmes et les enfants, il mangea autant qu'il put. Le goût iodé et salé était plaisant, après ces repas de viandes cuites sans aucun apprêt à même les braises, et l'abondance sans limites de coquillages semblait rassurante.

Comme elles, il fit la sieste à l'ombre de ces arbres, toujours de la même espèce dont il ignorait le nom, puis retourna à la mer se baigner et se rafraîchir. Le garçon de huit ans qui l'avait longuement regardé l'avant-veille vint avec lui, jouant à ses côtés, s'amusant à lui tourner autour, à l'éclabousser — éclatant de rire, s'enfuyant, revenant. Depuis qu'il était arrivé dans cette tribu, c'était la première fois que l'un des sauvages semblait s'intéresser à lui. Ses cousins, ses camarades de classe, avec qui il avait tant joué au lavoir ou à la rivière étaient bien loin...

Après une dernière cabriole, le garçonnet s'arrêta, se tint gravement devant lui et, mettant la main sur sa poitrine, dit :

« Waiakh. »

Puis il tendit la paume droite vers Narcisse :

« Amglo. »

Narcisse se laissa prendre à ce nouveau jeu :

« Tu t'appelles Waiakh ? Waiakh. Amglo. Waiakh. Amglo. Moi, je m'appelle Narcisse. »

Entendre les deux mots qu'il avait prononcés dans la bouche de Narcisse stupéfia le jeune garçon. Il répéta « Waiakh » plusieurs fois, puis s'enfuit pour raconter cet échange à sa mère et à d'autres galopins.

La pêche aux coquillages reprit en fin d'après-midi. Les jeunes ressortirent peu à peu de la forêt, chacun rapportant un ou deux beaux poissons, qu'il déposèrent sur la pierre chaude, le feu n'ayant jamais cessé. Les chasseurs rentrèrent au crépuscule, avec des lézards, des oiseaux, des chauves-souris, et de petits animaux à fourrure ressemblant vaguement à des chats.

À la différence des repas précédents, chacun se servait selon sa fantaisie, sans ordre ni règles. Narcisse s'approcha et s'empara d'un poisson bleuté aux grosses écailles, doté d'un bec proéminent. Personne ne s'y opposa. Il alla s'asseoir un peu à l'écart, savoura la moitié du poisson et en cacha le reste parmi des feuilles sèches. Il revint près du feu, se régala de coquillages, goûta ensuite à une sorte de pigeon à la chair un peu grasse. Les derniers chasseurs étaient arrivés et déposèrent leur butin sur la pierre. La vieille avait apporté des gourdes remplies il ne savait où, et qui passaient de main en main. Lorsque arriva une gourde presque pleine, Narcisse y but à peine, se leva et alla la cacher avec le demi-poisson. Personne n'y prêta attention. Il reprit sa place près du feu, mangea des coquillages à satiété, et réussit à subtiliser un lézard qui rejoignit ses autres réserves.

L'abondance du repas réjouissait toute la tribu. Jamais il n'avait entendu autant de rires, de discussions animées, de chants. Un couple partit de promener sur la plage, puis un autre. Aux ultimes lueurs du crépuscule, Narcisse vit deux silhouettes noires basculer sur le sable et s'ébattre.

Il se réveilla avant l'aube. Le ciel était d'encre, mais avait perdu son opacité, révélant des profondeurs et de noires transparences. Après bien des nuits de quart à la barre ou à la veille, guettant le commencement du jour, Narcisse savait que ce changement annonçait les toutes premières irisations à l'orient. Il se leva, retrouva à tâtons les provisions cachées et s'enfonça dans la forêt en trébuchant sur des obstacles invisibles. Tous les sauvages dormaient.

Quand il estima avoir mis une distance suffisante avec eux, il s'arrêta et mangea le demi-poisson, qu'il avait du mal à tenir à la main. Pour atteindre la baie de l'Abandon, il lui fallait longer la mer. Plutôt que de passer par les plages et d'avoir à contourner les indentations de la côte, il supposa qu'il valait mieux monter sur ce plateau soulevé à une vingtaine de mètres, parallèle à la mer. Peu à peu la lumière se fit, les arbres se distinguaient les uns des autres.

Il se mit en route d'un bon pas, tenant d'une main la gourde, de l'autre le lézard. La baie Nord, en contre-bas, laissa la place après une arête rocheuse à une petite plaine inondée puis à une nouvelle baie tout encombrée de blocs de corail. Son choix d'itinéraire s'avérait judicieux, même en l'absence de sentier. Le jour maintenant à peine levé facilitait sa marche. La tribu se réveillait et avait dû constater son absence. Que feraient-ils ? Devineraient-ils qu'il voulait retourner là où il était entré dans leur monde ? Kermarec, Chemineau, Cicatrice devaient courir vite. Se donneraient-ils la peine de le rattraper ? Le puniraient-ils de son évasion ? Et de quelles peines barbares ?

Il fallait marcher plus vite encore, vers cette lointaine — combien lointaine ? — baie de l'Abandon, où les secours se porteraient. La petite crête qu'il suivait depuis le départ s'abaissa et finit par disparaître, laissant la place à cette forêt plate et monotone où il était facile de se perdre. Prudemment, il se rapprocha de la mer, vue à travers les arbres et qui lui tenait lieu de main courante. Le sol y était parsemé de blocs de corail où il s'accrochait les pieds. La chaleur et les mouches attaquèrent ensemble. Il s'accorda une brève pause, but avec parcimonie et repartit. Combien d'heures de marche encore ? Et que ferait-il, une fois arrivé à son but ?

Après l'interminable forêt, une colline de calcaire entièrement nue et blanche, comme le dos
d'une tortue géante. Du sommet, il découvrit
un paysage identique à celui dont il venait : des
criques, de petites arêtes rocheuses, des forêts
ennoyées et, à l'horizon, vers l'intérieur du pays,
une ligne de modestes crêtes bleutées qui serpen-
taient parallèlement à la mer, fermant le plateau
littoral où il se trouvait.

Le soleil n'était pas encore à son zénith, et Narcisse marchait toujours vaillamment — sans
savoir s'il poursuivait une chimère ou un réel
espoir —, lorsqu'il atteignit une nouvelle colline
un peu plus haute, bien boisée. Aves des sentiments mêlés, il reconnut au loin là-bas, fermée au
nord par une falaise éboulée, la baie de l'Abandon. Sur le plan d'eau comme au large, aucun
navire, aucune voile.

Le *Saint-Paul*, ou tout autre navire de secours,
aurait dû être là. Avait-il mal évalué le temps de
route depuis Java? la durée de l'escale pour préparer la traversée? Ou étaient-ils passés la veille
et déjà repartis?

Il courut jusqu'à la plage et l'arpenta en tous
sens. Aucun dépôt, aucun message, aucune trace
d'aucune sorte.

Réfléchir. Il lui fallait réfléchir. À l'ombre
— ses pas l'avaient mené sous le même arbre
qu'au premier jour —, il se força à manger le
lézard et à boire. Devait-il rester? Il pourrait tenir
trois ou quatre jours. Mais si aucun navire n'apparaissait, il lui faudrait retourner à la baie Nord

— en aurait-il la force ? —, pour peut-être découvrir que la tribu était repartie Dieu sait où.

Alors, rentrer aussitôt ? Les deux baies étaient moins éloignées qu'il ne l'avait supposé. Il pourrait être de retour à la nuit, et manger du poisson, des coquillages, des pigeons, et boire, boire, boire... Jamais il n'avait vu de points d'eau, la vieille ne lui montrait pas où elle remplissait les gourdes. Mais si ses camarades arrivaient demain ? Il fallait laisser un message. Les sauvages étaient loin, ils ne le verraient pas et ne seraient donc pas tentés de le détruire comme ils avaient démonté sa flèche de cailloux. Un gros rocher trônait au milieu de la plage. C'est là, près de cet amer évident, bien au-dessus de la ligne de marée, qu'il devait écrire avec de petits cailloux. Ses initiales, N. P. Et la date, pour qu'ils sachent qu'il avait survécu. Quel jour était-on ? Son abandon sur cette terre avait eu lieu le 5 novembre. Il calcula et traça une seconde ligne de cailloux : 21 NOV, puis une flèche indiquant le nord.

Demain peut-être, ils verraient cette inscription toute récente et partiraient à sa recherche. Coups de fusil, coups de canon... Le *Saint-Paul* patrouillerait le long de la côte... Il verrait les voiles, mettrait le feu à la forêt pour se signaler.

Quand il eut achevé son inscription, il prit le chemin du retour. Six heures de marche harassantes sous un soleil de plomb l'attendaient. Il arriva exténué, assoiffé, ne sachant pas s'il avait pris la bonne décision, ni comment il serait reçu.

Aucun membre de la tribu ne s'intéressa à lui.

Il reprit des forces en mangeant des moules et des petits poissons, puis alla se délasser dans la mer. Waiakh vint jouer à ses côtés. Le repas du soir fut moins pantagruélique que la veille, mais il put se saisir d'un gros pigeon gras et de deux chauves-souris. Le sommeil le saisit aussitôt après.

À bord du Strathmore, le 12 juillet 1861

Monsieur le Président,

Jamais je n'aurais pensé avoir à vous raconter
la traversée depuis Sydney. Le gouverneur avait
tenu sa promesse, trop heureux de se débarrasser
de nous, et pris à sa charge deux billets pour
Londres. Je dus insister pour que Narcisse voyage
comme moi en première classe, et non en troisième classe, comme l'avaient imaginé les bureaux, toujours avides d'économies.

C'était pour moi une question de principe, mais
aussi une nécessité. Il fallait mettre à profit ces
journées pour continuer à travailler, sur la lancée
de ses impressionnants progrès. Je voulais aussi
avoir en permanence un œil sur lui, tant ses réactions peuvent être surprenantes pour autrui.

Après de rapides adieux au gouverneur, qui
reconnut à peine, dans cet homme modeste et
bien rasé, vêtu d'un pantalon gris, d'une ample
chemise blanche, d'un foulard et d'une casquette

bleus, le sauvage nu qu'il m'avait confié il y a un peu plus de trois mois, nous embarquâmes sur le *Strathmore* qui mit à la voile le soir même.

Les premiers jours de la traversée furent bien pauvres en événements. La mer était belle, la brise bien établie. Les passagers de la première classe faisaient connaissance : quelques officiers et fonctionnaires en fin de séjour ; un marchand de cotonnades ; une Anglaise qui rejoignait son frère à San Francisco ; un couple de missionnaires écossais (quel que soit le navire sur lequel j'embarque, j'y rencontre toujours un couple de missionnaires britanniques. Sont-ils donc si nombreux ?). Narcisse et moi étions les seuls Français. Nous avions fort à faire, et nous mêlions assez peu aux autres.

Le premier matin, il se promena sur le pont, examinant avec une attention extrême les espars, les bouts, les manœuvres de voile, les matelots et leurs chefs, le mousse qui lavait le pont, le capitaine et sa veste à galons dorés, les vagues et le vent. J'avais dans la qualité de son attention à ces détails une preuve supplémentaire, à vrai dire superflue, de son passé de marin.

Pourtant, il ne dit rien. Je l'interrogeai sur ce qu'il éprouvait à se retrouver sur un navire, mais Narcisse ne parle jamais de ses émotions ou de ses sentiments — je ne sais toujours pas s'il comprend vraiment la question, s'il répugne à se confier, si les mots lui manquent ou s'il n'a rien à dire.

Une après-midi, alors que nous étions sur le roof arrière, Narcisse avait retroussé les manches de sa chemise jusqu'aux coudes. La dame anglaise vint à passer et, voyant les tatouages de ses avant-bras, poussa un cri de surprise. Comme elle avait remarqué que je parlais sa langue, elle me demanda ce qu'étaient ces étranges figures. Je lui répondis un peu froidement que mon ami avait vécu quelques années dans une île du Pacifique et avait eu la fantaisie de se faire décorer. Narcisse lui souriait, devinant qu'on parlait de lui, sans en deviner l'objet.

Le lendemain matin, il me rejoignit au salon pour le *breakfast* et me dit tout de go : « Cette nuit, j'ai baisé l'Anglaise. » Comme si cette déclaration n'était pas assez explicite, il s'empoigna l'entrejambe à travers le pantalon.

Surpris et choqué, je faillis néanmoins éclater de rire, et j'expliquai à Narcisse qu'il n'était pas convenable de se vanter aussi fort et avec de tels gestes de ses bonnes fortunes. Cette nouvelle règle le décontenança :

« Il ne faut pas en parler ?

— On ne s'en vante pas comme cela. La dame en général ne veut pas que cela soit connu. Il faut être discret.

— Je peux le dire, mais discrètement ?

— Tu n'es pas obligé. Entre amis proches, entre camarades, on peut se faire de telles confidences. Il est plus... amusant de laisser deviner, de ne pas trop insister.

— ?...

— Plutôt que le geste que tu as fait, un clin d'œil, un pouce levé sont suffisants. »

Je lui montrai le signe de connivence que je lui suggérais. Il s'y exerça, puis me dit :

« Et toi, sur le bateau, ou à Sydney, tu as baisé ? »

Vous me pardonnerez, Monsieur le Président, de reproduire ses propos dans toute leur vulgarité. Vous m'avez dit de tout noter : la bienséance ne saurait faire obstacle à la précision scientifique — et vous verrez, si vous avez la bonté de me lire jusqu'au bout, l'importance de ce mot.

J'expliquai à Narcisse qu'on ne posait pas de questions aussi directes, et que je choisissais de ne pas lui répondre.

« Mais nous sommes amis proches, et camarades ? »

Je souris, navré de son incompréhension, et je le rassurai sur ce point. Il sentit confusément ma réserve et — faisant preuve d'une délicatesse inattendue — choisit de ne pas insister.

« Moi, à Sydney, je n'ai pas baisé. Pas voulu. »

Que signifiait cette phrase ? La lingère lui avait-elle fait des propositions ? Je ne pus m'empêcher de lui demander ce qu'il voulait dire par là.

« Nous sommes dans la maison. Bill me fait signe de venir dans sa chambre. Là, il met la main sur mon ventre et plus bas. Je lui demande pourquoi. Il me fait comprendre par gestes qu'il veut baiser avec moi. Je dis non. Je sors de la chambre. »

Cette révélation me frappa comme la foudre. J'avais donné ma confiance à un bagnard en le sortant de la chiourme pour le prendre à mon

149

service, et il en avait profité pour introduire sous mon toit ses vices les plus infâmes. Et il s'en était pris à Narcisse, le moins à même de se défendre! Tant de scélératesse et d'ingratitude me stupéfiaient — même si j'imagine quelles mœurs règnent au bagne. Je me reprochais amèrement ma naïveté, et d'avoir exposé Narcisse à cette scène. J'avais accepté d'être responsable de lui, et je mesure chaque jour un peu plus l'étendue de cette obligation.

Le geste ignoble de Bill appelait de longues explications, et rien ne m'aurait plus gêné qu'un débat sur ce sujet. N'ayant pas le temps de régler la réponse la plus appropriée, je me contentai d'un simple :

« Tu as bien fait. »

Le choc de la révélation de l'ignominie de Bill le bagnard ne me permit pas de voir tout de suite l'aspect le plus important de cette conversation. Narcisse avait employé un mot nouveau : « J'ai baisé l'Anglaise. »

Il n'avait certes pas appris ce verbe de moi. À Sydney comme à bord on ne parlait qu'anglais. Se pouvait-il que sa nouvelle amie le lui ait enseigné?

Je résolus d'en avoir le cœur net, au risque de l'esclandre. La croisant un peu plus tard dans une coursive, sur le ton que j'aurais pris pour un « Alors, avez-vous bien dormi? », je lui dis : « Alors, vous avez baisé avec mon ami? » Je ne reçus ni gifle ni insulte, elle me pria de répéter en anglais. Je m'excusai de mon étourderie, lançai je ne sais quelle banalité et passai mon chemin. Elle était hors de cause.

Narcisse avait donc retrouvé spontanément cette expression vulgaire — que dans sa vie de matelot il devait employer dix fois par jour sans y penser, entre jurons et fanfaronnades. Fier de son aventure galante et désireux de m'en faire part, il avait ressorti le mot du tréfonds de sa mémoire. Peut-être y en avait-il eu d'autres avant celui-là, que je n'avais pas remarqués parce que moins sonores. Ainsi avec moi il n'apprenait pas le français — ses progrès eussent été fulgurants s'il avait tout oublié : il le redécouvrait, et le redécouvrait même sans mon aide.

Il faut donc se figurer sa connaissance de notre langue non pas effacée, comme des mots écrits dans un livre qui serait resté sous l'eau, mais bel et bien congelée. Ses conversations avec moi et même au tout début mes lectures de Racine étaient comme une brise tiède passant sur cette glace, la faisant fondre peu à peu, de plus en plus, en maints endroits, laissant resurgir ce que cette gangue avait enfoui. Des images du printemps en Islande, de linaigrettes perçant la neige aux abords de prés à demi libérés de leur hivernal tapis, me revinrent. En moi-même, je bénis la dame anglaise d'avoir permis cette découverte.

Souvent les après-midi, elle se retirait dans sa cabine, maudissant le mal de mer. Narcisse s'éclipsait quelques instants plus tard. Et le matin au salon il clignait de l'œil et levait le pouce.

Trois jours avant d'arriver à Valparaíso, nous discutions de tout et de rien au bon air de la dunette. Le verbe « discuter » est peut-être un peu impropre, puisque c'est surtout moi qui parle, de tout et de rien en effet, et que Narcisse écoute et parfois, trop rarement, prononce quelques mots. Je lui rappelai qu'après notre arrivée en France il pourrait reprendre le cours de sa vie. Il me pria de répéter la phrase, ce qu'il ne faisait jamais. Je m'exécutai en articulant avec soin, et il prononça distinctement :

« Vie... Vie... Gil... Vie. »

Cette association spontanée de mots ne lui était pas habituelle, et ce « Gil » aussi nouveau que le terme vulgaire dont je vous ai trop entretenu. Narcisse affectait un air de gravité et de concentration qui me surprit. Il répéta :

«... Gil... Vie. »

De quelle vie gardait-il le souvenir indistinct? Et qu'était ce gil, ou ce gilles? Gilles et vie? Je ne sais pourquoi, peut-être le spectacle de la mer et des vagues, je pensai au bourg vendéen. Ne voulant pas trop l'influencer, je proposai :

« Gilles sur Vie.

— Saint-Gilles-sur-Vie », me répondit d'emblée Narcisse, aussi surpris que moi de se voir compléter ce nom.

« Tu connais Saint-Gilles-sur-Vie?

— Je ne sais pas. »

Il répéta ce nom plusieurs fois, comme pour en savourer toutes les sonorités, ou tenter d'en faire réapparaître d'autres sons ou des souvenirs plus précis.

« Narcisse, tu viens de Saint-Gilles-sur-Vie? Tu y as habité? Tes parents sont là-bas? »

Sans répondre, il partit s'installer à la poupe et méditer sur le sillage qui lui montrait la direction de l'Australie. À quoi pensait-il? Je respectai son souhait de solitude.

Quelle autre ville que celle de la naissance, de l'enfance, des premiers jeux, de l'école, peut revenir avec cette force dans une mémoire sinistrée?

Le sauvage blanc n'est plus un inconnu. Il s'appelle Narcisse et vient de Saint-Gilles-sur-Vie.

J'ai écrit une lettre au maire de cette commune, pour savoir si un enfant du pays avait disparu, il y a dix ou vingt ans, dans un voyage au long cours.

Chaque jour nous rapproche de l'Europe, et je commence à mesurer ce à quoi je vais exposer Narcisse.

Valparaíso ne fut l'occasion que d'une très brève escale sur rade, le temps de débarquer en chaloupe cette dame anglaise sujette au mal de mer et le courrier, et d'embarquer des vivres frais. Le capitaine craignait qu'en touchant terre une partie de son équipage ne déserte pour filer en Californie, où la fièvre de l'or, qui décime les équipages plus vite qu'une épidémie de choléra, attire des prospecteurs d'occasion du monde entier.

Nous avons mis à la voile vers le sud l'après-midi même.

Le mauvais temps est arrivé assez vite, et bientôt la tempête. Pendant une trop longue semaine, le passage hivernal du cap Horn a été fidèle à sa réputation. Vous connaissez ces mers déchaînées, ces cieux verdâtres, l'angoisse de possibles icebergs ou de vagues furieuses, le spectacle des albatros et des damiers du Cap fuyant sous le vent : je n'essaierai pas de vous les décrire.

La plupart des passagers, dont votre serviteur, furent incommodés par le roulis, le tangage, le bruit de ces vagues hautes comme des maisons déferlant sur la coque. Impossible de dormir sur une couchette secouée dans tous les sens, et mieux valait ne pas rêver. Manger était impossible. Je n'avais plus la force de m'occuper de Narcisse, ou de discuter avec lui.

La tempête ne l'affectait pas, il gardait le pied sûr et un solide appétit. Au bout de trois jours d'inaction et d'ennui, il souhaita aider à la manœuvre. N'ayant pu le dissuader de ce projet, j'en fis part, entre deux haut-le-cœur, au capitaine du *Strathmore*, en soulignant qu'il ne s'agissait pas d'un caprice, et que mon ami avait une réelle expérience de la mer. Le capitaine dut penser qu'il avait affaire à un *yachtman* du dimanche et refusa poliment : il ne pouvait pas envoyer en pleine tempête un passager de première classe dans la mâture — sauf naufrage imminent, et nous n'en étions pas là ! En outre, il ne comprendrait pas les ordres hurlés en anglais. J'en convins, et plaidai pour le poste de barreur.

De guerre lasse, le capitaine céda et l'autorisa

à venir barrer en double avec le matelot de quart. Il paria une bouteille de porto que mon ami ne tiendrait pas une heure.

Le bosco prêta à Narcisse une tenue de mer — veste et pantalon matelassés et entoilés, bonnet, gants de laine. Il refusa les bottes, se mit pieds nus et sortit dans les bourrasques de neige.

Narcisse barra presque toute la journée. En quelques minutes, il avait retrouvé les gestes pour accompagner le navire dans sa glissade sur la vague, reprendre dans le creux, le tenir à la montée, le présenter au vent sous le meilleur angle, et dans tout cela garder le cap. Les hurlements des rafales et de la pluie horizontale étaient tels que nul ne pouvait lui parler, pas même le matelot dont il partageait la tâche et qui sans comprendre appréciait ce renfort inespéré.

Au changement de quart, Narcisse refusa d'être relevé, ne serait-ce que pour manger un morceau ou boire un thé. Le nouveau barreur était moins expérimenté, il laissa à Narcisse la direction des opérations. Vers trois heures il fut déséquilibré par un paquet de mer, et alla taper de la tête sur une pièce de cuivre, s'ouvrant l'arcade sourcilière et le front. À moitié assommé, aveuglé par le sang, il gagna l'intérieur pour se faire panser. Je ne sais si l'officier de quart s'en aperçut, en tout cas il ne fut pas remplacé.

Après le coucher du soleil, Narcisse céda enfin sa place et gagna directement sa couchette pour s'endormir sans manger dans ses vêtements trempés. Au dîner, où je faisais l'effort de venir pour prendre un peu de potage, le capitaine reconnut qu'il me devait une bouteille. Je le priai de la faire porter à l'équipage, lorsque nous serions sortis de ces mers déchaînées.

Le lendemain matin, j'appris que Narcisse s'était réveillé vers minuit et était retourné prêter main-forte aux barreurs successifs, jusqu'à l'aube — si on peut appeler aube ce moment où les nuages opaques laissent filtrer une froide lumière de mercure et découvrent une mer grise d'écume avec laquelle ils se confondent.

Pendant huit jours, Narcisse alterna huit à dix heures de barre et trois ou quatre heures de sommeil. Un pain dans son manteau, lentement grignoté, lui suffisait. Les autres passagers, malades, ne remarquèrent pas cet exploit. Les officiers et les hommes du bord exprimèrent leur admiration et leurs remerciements.

Lorsque enfin, ayant doublé le Horn, le *Strathmore* put mettre cap au nord et entrer dans l'Atlantique, le très gros temps et les vagues énormes cédèrent la place au mauvais temps et à une houle creusée mais régulière. Narcisse quitta son poste, abandonna sa tenue de pluie dans la coursive, et dormit trois jours d'affilée.

Ainsi, lui qui n'avait pas navigué depuis son naufrage, il y a bien des années, avait dans la tempête retrouvé les gestes essentiels de son métier. Sa mémoire revenait par étapes, non seulement le vocabulaire, le souvenir de son lieu de naissance, mais aussi ses reflexes de marin sûr de son savoir-faire.

Quand il fut reposé et restauré, je lui demandai pourquoi il s'était exposé de la sorte : le navire n'était pas en péril, il aurait pu rester au chaud et attendre l'accalmie.

« Les gars avaient du mal. Il fallait bien les aider. »

Le capitaine, qui vint le remercier, n'obtint pas de réponse plus élaborée.

J'avais donc sur le sauvage blanc trois indices : un prénom, Narcisse ; un métier, matelot, un lieu : Saint-Gilles-sur-Vie. Seront-ils suffisants pour le rendre à son passé ? et connaître les circonstances du naufrage ?

Une semaine après la fin de la tempête, un matelot du *Strathmore* vint me voir le bonnet à la main. L'équipage était très reconnaissant à mon ami de l'aide apportée, et voulait lui faire un petit cadeau. Je traduisis pour Narcisse, qui arbora un grand sourire. Du bonnet il sortit une demi-coque gravée au couteau, avec la mention « Passage du Horn » et la date, et la lui offrit. Narcisse s'en saisit avec une gravité et une émotion touchantes, qui suppléèrent tous les discours. Puis il me dit :

« Il me font un cadeau. Je dois leur faire un cadeau. »

J'avais assez fréquenté le Pacifique pour comprendre cette forme de courtoisie. Que pouvions-nous offrir à l'équipage ? Je fis chercher une autre bouteille de porto, et Narcisse la remit à son collègue anglais. Deux ambassadeurs à la Sublime Porte ou auprès de l'Empereur de Chine n'au-

157

raient pas échangé de présents avec une plus grande solennité.

Depuis lors, il garde toujours avec lui cette babiole de bois sculpté.

Je regarde Narcisse qui regarde la mer. Quatre mois déjà que nous passons toutes nos journées ensemble. Le sauvage blanc, muet, effrayant, apeuré, est devenu ce compagnon de voyage souriant et réservé qui n'attire pas l'attention.

Et moi, ai-je été transformé par cette aventure ? Les observations que je fais minent mes certitudes. Qu'est-ce qu'un sauvage ? Et si Narcisse était devenu complètement sauvage, quel jour et à quelle heure est-il redevenu civilisé ? Que nous apprend son apprentissage sur le fait même d'apprendre ? Et lequel de nous deux est l'apprenti ?

Je ne sais pas répondre à ces questions. Je sais seulement que l'histoire de Narcisse n'est pas une simple anecdote. Mes humanités au lycée de Grenoble, mes lectures, mes visites à la Société de Géographie, tout ce que j'ai découvert et appris en Islande et dans le Pacifique, y compris sur moi-même : rien de tout cela ne m'aide à comprendre Narcisse, mais tout m'y prépare. Je n'ai pas les outils pour analyser ce que son évolution nous enseigne. Je commence à comprendre qu'il me faudra les forger.

Lorsque nous serons arrivés en France, ma mission ne sera pas terminée. Comment pourrais-je l'abandonner sur le quai ? Narcisse vivra sa vie, auprès de sa famille si j'arrive à la retrouver, ou sinon installé par moi dans quelque place où son avenir sera assuré. Mais les notes que j'aurai prises en l'observant continûment pendant des mois doivent fonder une vaste réflexion dont j'aperçois à peine les prémisses — et dont je ne sais pas si j'aurai la force ou le courage de la mener à bien. L'histoire de Narcisse est plus grande que Narcisse, et les théories à construire sont plus grandes que son histoire. Les anecdotes autour de son retour en France, dont je devine la variété et l'attrait, ne seront pas des distractions, mais des obstacles. Je dois m'en souvenir.

Il faudra que vous m'aidiez, Monsieur le Président, à atteindre cette haute ambition. Je pressens — je pressens enfin — la direction que pourra prendre ma vie, si je parviens à tenir ce cap. Les prochaines années de Narcisse seront-elles plus banales que les miennes ?

J'attends avec impatience de trouver aux Açores ou à Londres vos lettres et vos sages conseils.

Croyez, Monsieur le Président...

6

La faim après sa longue randonnée de la veille se fit dès le matin à nouveau impérieuse.

Quelque chose avait changé dans la vie de la tribu : plus de rires ni de jeux, les sauvages murmuraient, ne se promenaient plus ensemble et semblaient inquiets. Il craignit d'abord en être la cause, lui et son escapade à la baie de l'Abandon, mais leur indifférence à son égard n'avait pas changé.

Couchée un peu à l'écart, la femme enceinte gémissait. La vieille accroupie à hauteur de sa tête faisait brûler des herbes. Cicatrice restait assis à ses pieds, il supposa qu'il était quelque chose comme le père de l'enfant à naître.

Nul ne s'occupait de préparer à manger. Narcisse entra dans la mer et, ne voyant aucun feu allumé, se résolut à manger sur place autant de moules qu'il put en trouver. Il crut entendre un bruit sourd et sec, comme un coup de canon tiré dans le lointain. Le *Saint-Paul*? ou un arbre qui s'effondrait dans la forêt? Non sans mal, il résolut de ne pas se laisser envahir par l'espoir et reprit son repas. Le bruit ne se renouvela pas, ce qui, paradoxalement, le rasséréna.

La femme se tordit toute la journée, ses geignements se transformèrent en hurlements de douleur, puis à nouveau en râles de détresse. Toutes les mères assises autour d'elle chantonnaient à voix basse une mélopée de mauvais augure. Les hommes et les enfants se tenaient à l'écart, conscients de leur inutilité. Chef faisait le va-et-vient entre les différents groupes et prononçait de brefs sermons en agitant les bras.

Elle mourut lorsque le soleil passa derrière les arbres. Les cris et les pleurs des femmes saluèrent son départ, Cicatrice retourna accablé parmi les hommes. Les mères et les jeunes rassemblèrent les enfants et, quelques instants après, s'enfoncèrent dans la forêt. La vieille, Waiakh, et enfin Quartier-Maître vinrent faire signe à Narcisse de suivre le mouvement, et sans discuter. Il obéit.

La marche dans la forêt, en silence et sans joie, dura jusqu'à la nuit noire. Chacun s'endormit là où il était, le ventre vide. Dès l'aube, la troupe reprit sa marche, et arriva vers midi à une nouvelle baie, qu'il dénomma la baie Ronde. En ligne droite et en marchant résolument, il ne devait pas y avoir plus de trois heures de la baie Ronde à la baie Nord, et donc neuf à dix heures jusqu'à la baie de l'Abandon. Mais à quoi bon tracer des cartes dans sa tête ? Sa première évasion s'était déroulée sans encombre, puis il lui avait fallu revenir. Voulait-il à nouveau se risquer à une marche plus éreintante encore, pour faire à nouveau demi-tour dès qu'il aurait atteint la baie de l'Abandon ?

Waiakh revint vers lui et répéta à nouveau ces deux mots : « Waiakh. Amglo », mais Narcisse ne répondit pas à ses avances. Pour s'occuper, il se construisit une hutte de branches calée entre deux arbustes et un rocher. Cette nuit, il ne dormirait pas dans un creux de sable comme un chien, mais dans son esquisse de maisonnette.

Cette occupation lui en suggéra une autre : pourrait-il construire un radeau, une pirogue, un esquif informe et s'enfuir par la mer ? En longeant la côte, Sydney était sans doute accessible en deux semaines — pourquoi deux ? il n'en savait rien mais s'en tint à ce décompte. Et au large, il rencontrerait peut-être un navire sauveur.

Évidemment, il était nu et n'avait plus son couteau. De quoi aurait-il besoin ? de bois ; de feu, pour les durcir ; de liens, pour les faire tenir ensemble. Il n'avait rien de tout cela et aucune idée sur la manière de procéder, mais il avait un projet et cela le remplit de joie. Les sauvages ne l'aideraient pas, mais ils ne s'occupaient pas de lui et ne s'y opposeraient pas. Leurs mouvements incessants étaient un obstacle, mais peut-être camperont-ils plus de quelques nuits en bord de mer. Ce jour-là, il faudrait qu'il soit prêt.

Quels bois utiliser ? La forêt sablonneuse ne comptait qu'une espèce d'arbres. Dans la mangrove poussaient aussi des palétuviers au tronc tortueux. Il cassa aux uns et aux autres des branches de différentes tailles, ramassa des branches tombées, déposa ses échantillons sur un rocher formant une avancée et les jeta les uns après les autres à la mer. Les branches vertes ou grises s'enfoncèrent assez rapidement et furent dispersées par les courants. Cela ne le découragea pas : il lui fallait d'autres essais, passer les branches à la flamme et, à force de tâtonnements, déterminer le meilleur matériau.

Construire un engin flottant n'était que la première difficulté.

Il faudrait trouver un mode de propulsion, voile ou rame. Il faudrait naviguer prudemment le long de la côte et revenir à terre à la nuit. Le danger d'être emporté au large et de perdre tout repère était le plus certain. Il devrait aussi se méfier des falaises accores, des courants de marée, des sautes de vent, des trop fortes vagues...

Et les vivres ? Il savait qu'il ne pourrait pas tenir au-delà de quatre ou cinq jours sans manger, et ne voyait pas comment se constituer des réserves, vu le mode de vie des sauvages. Et l'eau ? Voler une gourde ou deux n'avait pas été difficile. Mais voler toutes les gourdes de la tribu ?

Son esquif devrait disposer d'une sorte de coffre pour ses provisions. Une quille, même sommaire, lui permettrait de garder un cap. Une pagaie pour avancer, une perche pour les hauts fonds, une pierre en guise d'ancre... Une pirogue élémentaire commençait à se dessiner dans sa tête.

S'il partait, c'était quitte ou double. Pas de

retour en arrière — qui sait comment la tribu l'accueillerait s'il échouait dans sa tentative... Cap au sud, vers Sydney ou le premier établissement d'hommes blancs sur cette côte.

Bien sûr, il n'avait aucun des moyens nécessaires à son évasion, et aucune idée de la manière de les fabriquer. Mais plutôt que d'attendre le bon plaisir d'un navire de secours ou celui des sauvages, il devait patiemment acquérir les savoirs utiles, se consacrer aux préparatifs, inlassablement tout vérifier. Lorsque l'occasion se présentera, il saura se jeter dans l'aventure.

La route de mer était hérissée de dangers qu'il pressentait. La route de terre en dissimulait d'autres, moins familiers : bêtes féroces, marais infranchissables, insectes venimeux, tribus encore plus sauvages... Laquelle choisir?

Rien ne pressait de se décider. Rien.

Il avait le temps et revint vers le groupe des femmes. Les hommes et les jeunes gens n'étaient toujours pas là, sans doute restés à la baie Nord pour on ne sait quel rite funéraire. Il se retrouvait seul avec toutes les femmes de la tribu.

Dans combien de conversations du gaillard d'avant avaient-ils plaisanté sur une telle éventualité... loin du froid, de l'humidité, de la promiscuité et des ordres hurlés jour et nuit, paresser sous les arbres d'une plage du bout du monde, seul homme entouré de femmes nues... Cela, chacun le savait, n'arriverait jamais, ils pouvaient faire assaut de plaisanteries obscènes et se vanter d'improbables exploits amoureux en attendant de reprendre leur quart. Les plus anciens racontaient des escales tropicales enrichies de détails scabreux, les plus jeunes rêvaient à des peaux dorées et de longs cheveux noirs...

Il était seul et nu, avec des femmes nues, et son cauchemar n'avait pas de fin. L'ironie de la situation ne lui échappait pas. En pensant au plus hâbleur de ses camarades du *Saint-Paul*, il soupira : « Ah, mon pauvre Kermarec, j'échangerais bien ma place contre la tienne... »

L'agitation subite des femmes le tira de cette morne rêverie. Elles se précipitaient vers la pointe sablonneuse qui fermait au nord la baie Ronde, et d'où Waiakh les appelait à grands cris joyeux. Il avait découvert une tortue sur le sable. Les femmes le rejoignirent, retournèrent l'animal sur le dos en utilisant des bâtons comme leviers, puis le rapportèrent en traînant un lit de branches qu'elles avaient rapidement tressées.

Revenues au campement, d'où la vieille, Narcisse et les mères avec des bébés n'avaient pas bougé, elles préparèrent un feu, puis saignèrent la tortue au cou avec un coquillage acéré. Chacune vint boire le sang à même la plaie. Elles découpèrent la bête encore chaude et posèrent des quartiers de chair sur des pierres plates adossées au foyer. Les longues pièces de viande blanche grésillaient et doraient, exhalant une odeur fade. Narcisse prit prudemment un morceau, le fit cuire un moment sur l'autre côté — délicatesse qu'aucune n'imita —, et s'en saisit. Personne ne le lui interdit. Il mordit avec bonheur dans la chair dont le goût lui rappela celui du veau. Les anciens du *Saint-Paul* vantaient les mérites de la viande de tortue, et il comprit pourquoi. Les femmes mangèrent aussi de bon appétit. Il se resservit, arrosant d'eau de mer les tranches mises à cuire pour les saler, salivant d'avance de retrouver la saveur de la viande grillée, après tant de jours à survivre de coquillages, de poissons ou de viandes fibreuses à peine cuites à l'étouffée.

Les hommes n'arrivaient pas, les femmes repues s'étaient peu à peu écartées et dormaient sous les arbres — la veille au soir était morte leur sœur ou leur cousine, et néanmoins elles avaient mangé et mangé tant qu'elles avaient pu... —, Narcisse continuait à faire cuire et à savourer des escalopes de tortue, moins goulûment qu'au début, sentant ses forces revenir peu à peu, comme avant la marche à la baie de l'Abandon, avant les fièvres, avant la famine des premiers jours, avant même la funeste traversée depuis Le Cap. Il léchait ses doigts enduits de graisse et s'obligea à reprendre encore un morceau. Toute la viande restant allait se corrompre au soleil, mais il ne pouvait plus rien avaler. Savait-il quand aurait lieu à nouveau pareil festin ? Il gagna sa hutte et s'endormit aussitôt.

Quand il sortit peu à peu du sommeil, en fin d'après-midi, la chaleur ayant commencé à décroître, il constata que sa main s'était posée sur son sexe. Il accentua légèrement la pression et le sentit mécaniquement réagir et s'allonger. Un frisson de bien-être le parcourut, un sentiment de fierté l'envahit. Les yeux mi-clos, à l'abri des regards dans sa hutte, il ne s'arrêta pas. Que faisait-il donc? Ce qu'il faisait à bord, le soir dans son hamac, quand il n'était pas trop fatigué et n'en pouvait plus d'attendre les plaisirs annoncés d'une prochaine escale. Avant la putain du Cap il y avait eu celle de Bordeaux, une grosse femme placide exerçant dans un bordel du port où avec ses camarades ils avaient fêté leur paye et leur départ pour la Chine. Avant Bordeaux il y avait eu Nantes, d'autres encore. Mais il ne se souvenait précisément d'aucune. Seule celle du Cap, pourtant entr'aperçue à la lueur d'une bougie, et le quart d'heure passé avec elle revenaient à sa mémoire.

Sa main allait et venait. Il se revoyait par la pensée dans son hamac du *Saint-Paul*, tout ému de revisiter la taverne dans la nuit africaine, l'arrière-cour, la cabane, la paillasse — attentif à ne pas trop remuer sous la couverture, à ne pas se faire remarquer pour éviter les moqueries... Les femmes noires et nues au milieu desquelles il vivait depuis son arrivée sur cette terre n'étaient pas des femmes : elles ne lui inspiraient aucun désir d'aucune sorte, elles lui semblaient ne pas appartenir à la même espèce, et c'est bien pour cela qu'il s'était finalement habitué assez vite à vivre nu parmi elles. Avec ses camarades, ils s'accusaient plaisamment d'être capables de s'accoupler avec n'importe quelle créature. Certains

167

dans les bordels refusaient les « morceaux de charbon » — au Cap, il n'avait pas eu cette prévention. Mais les femmes de la tribu, qui dévoilaient tout de leur corps, qui ne se cachaient pas quand elles s'allongeaient avec un homme... non, jamais il ne pourrait !

Pour le temps qu'il aurait à passer ici, il n'envisageait que l'abstinence — ou cette pratique solitaire à laquelle il était accoutumé. Sa main droite remuait, déclenchant des sensations automatiques, familières, plaisantes. Depuis qu'il avait été abandonné, jamais il n'avait éprouvé quoi que ce soit d'agréable : la peur, la faim, la douleur, la soif, l'ennui, la fatigue, le désespoir, la rancune, l'abattement s'étaient succédé et parfois entremêlés. Pas un instant de plaisir. Celui qu'il se donnait le comblait d'un sentiment de plénitude : il ne se souciait de rien d'autre et obéissait au feu qu'il sentait dans ses reins.

De quoi se sentait-il fier ? Et pourquoi n'arrivait-il pas à revenir par la pensée à la paillasse du Cap, aux mouvements de son corps exigeant sur ce corps noir ? Vigueur pour vigueur, il se rappelait seulement cette nuit, une semaine plus tard, alors qu'ayant enfin fui les bourrasques de neige ils remontaient vers les latitudes tempérées où le service est moins exigeant. Il avait fini son quart, regagné l'entrepont, enlevé ses vêtements pour les accrocher au clou, s'était faufilé à tâtons jusqu'à son hamac, puis, allongé sous la mince couverture, avait posé la main sur son caleçon. Attentif à sa respiration et aux craquements et mouvements du navire, il avait retrouvé le bordel du Cap et à nouveau profité de celle qu'il avait payée trois guinées. Et dans le creux de sable qui tenait lieu de plancher à sa hutte, il se revoyait dans le hamac, tout occupé à se donner du plaisir sans réveiller les autres.

Les jambes écartées, les yeux clos, le souffle court, il ne pensait plus à rien.

Quand il eut fini, recroquevillé sur lui-même, revenu à la baie Nord, il se mit à pleurer : les larmes arrivèrent d'elles-mêmes, il s'y abandonna comme il s'était abandonné au plaisir. Il sentait qu'elles ruisselaient sur ses joues, qu'elles portaient son incapacité à vivre avec la tribu, son impossibilité à vivre sans elle. Il s'habituait peu à peu à la misère physique, à l'incertitude sur son sort, à la nudité, à l'infecte nourriture. Infiniment plus dure était l'absolue solitude : il comprenait qu'il était condamné à une privation complète de relations humaines. Amitié, camaraderie, amour, complicité, respect, séduction, sexe, toute la gamme des sentiments lui était désormais interdite. Personne avec qui partager — là était le plus profond désespoir. Et pleurer sur lui-même le consolait un peu.

Le curé du village disait aux garçons que s'ils faisaient certaines vilaines choses le soir dans leur lit leur ange gardien pleurait. Eh bien, qu'il pleure lui aussi ! qu'il pleure, ou qu'il lui vienne en aide, au lieu de rester là-haut tranquille dans le ciel !

Jamais dans la tribu il n'avait vu un sauvage

pleurer. Rien — il n'avait rien en commun. Il ne voulait rien avoir à faire avec eux, leurs femmes, leurs filles. Solitaires seraient ses plaisirs comme étaient solitaires ses méditations, ses angoisses, ses projets, ses souvenirs.

Il se leva et alla se nettoyer dans les vagues de la marée montante. Waiakh vint vers lui, désireux de jouer, il refusa de lui prêter attention et entra dans la mer jusqu'au point où l'enfant ne pouvait plus le suivre. Il avança encore, jusqu'à avoir de l'eau jusqu'au menton. Au loin les vagues brisaient sur le récif, formant à l'horizon de fragiles collines blanches qui s'effondraient et se reformaient. Une frégate planait, bientôt rejointe par une autre pour un élégant ballet dans les airs. Et s'il attendait là? Il ne savait pas nager. L'eau allait monter lentement, atteindre sa bouche, ses narines, ses yeux, il y faudrait juste un peu de courage et de volonté, attendre que la mer tiède l'envahisse et le libère...

Lorsqu'une vague lui remplit la bouche, il recracha et murmura face à l'horizon : « Je suis Narcisse Pelletier, matelot de la goélette *Saint-Paul*. »

LETTRE VI

Londres, le 2 août 1861

Monsieur le Président,

Votre lettre du 25 juillet m'attendait à l'hôtel. Vous me félicitez avec trop de compliments des progrès de Narcisse en Australie, et m'en attribuez trop généreusement le mérite. Mes courriers plus récents vous auront apporté d'utiles précisions à cet égard et répondu je l'espère à une partie de vos interrogations et de vos suggestions. Maintenant que la distance entre nous s'est beaucoup réduite, ce dialogue noué par-delà les océans, et dont je vous suis infiniment reconnaissant, va se conduire plus aisément.

Ces trois jours à Londres auront passé comme un éclair, mais dans la plus extrême confusion.

Débarqués de bon matin du *Strathmore*, nous avons quitté en fiacre le quartier des docks pour le Savoy. Narcisse regardait les hangars, les usines, les fumées, les parcs, les immeubles noircis, les palais, le dôme de Saint-Paul, le ciel gris, la foule, les enfants, les chevaux, les femmes en chapeau, les carrefours, les sergents de ville, les calèches, les magasins, les avenues, les arbres alignés sur les trottoirs, les hommes vêtus de noir... et ce spectacle de la capitale d'un Empire le plongea dans une sorte d'hébétude. Il fallut que je le prenne par le coude pour l'amener à sortir du fiacre, à entrer dans l'hôtel, à traverser le grand salon, à monter à sa chambre : il se tint à la fenêtre et observa les scènes de la rue pendant toute l'après-midi, sans bouger, sans parler.

De notre monde en effet que connaissait-il ? une maison isolée au fond d'un bras de mer, un clipper, et Sydney, ce gros village entr'aperçu. Et le voilà face à ce qui est peut-être la ville la plus grande et la plus moderne de l'univers. Je n'y avais pensé — et d'ailleurs qu'aurais-je pu y faire ?

Pendant que Narcisse regardait Londres, j'organisai notre passage pour la France, par ce nouveau trajet en chemin de fer pour Douvres, et à nouveau de Calais à Paris.

Parmi l'abondant courrier que le concierge me remit, une enveloppe venant de Saint-Gilles-sur-Vie me fit battre le cœur. Je l'ouvris avant même la vôtre, je sais que vous le comprendrez. C'était bien la réponse du maire :

« Monsieur le vicomte,

Votre lettre postée à Valparaíso le 21 juin a ravivé de tristes souvenirs. La personne dont vous cherchez la trace est certainement Narcisse Pelletier, né le 13 mai 1825, fils cadet d'un bottier honorablement connu dans la commune. Il a embrassé l'état de marin vers l'âge de quinze ans, et navigué comme mousse puis matelot sur divers navires. N'ayant pas froid aux yeux, il signait volontiers pour de longues traversées, entre lesquelles il trouvait parfois le temps de revenir embrasser ses parents, son frère et sa sœur.

Embarqué à Bordeaux sur la goélette *Saint-Paul* vers la Chine, il est mort en mer entre Le Cap et Java, le 5 novembre 1843. Cette date et ces circonstances figurent sur l'acte de décès.

Toute sa famille, tout Saint-Gilles fut atterré de la disparition de ce brave jeune homme qui n'a laissé que de bons souvenirs dans sa trop brève existence. Ses parents ne se sont jamais vraiment remis de ce deuil, même dix-huit ans après, même si l'arrivée chez leur fils aîné et leur fille de petits-enfants — dont un prénommé Narcisse — a adouci leur peine.

Aussi je n'ai pas voulu leur parler de votre singulière démarche, dont je ne parviens pas à cerner les motifs. Je vous serais obligé de m'expliquer pourquoi faire resurgir ce drame ancien, et vous supplie de ne rien entreprendre d'inconsidéré. Évitons d'inutiles souffrances à cette malheureuse famille. Si, comme je le suppose, vous avez recueilli quelque témoignage sur les derniers instants de Narcisse Pelletier, je vous adjure de n'en informer que moi seul et d'accepter que je sois le seul juge de l'intérêt de leur en faire part.

J'en appelle à votre humanité et dans l'attente de plus d'explications, vous prie de croire... »

D'abord je voulus me précipiter dans les bras de Narcisse, pour lui redonner son nom, son âge, son histoire et lui apprendre que ses parents vivent toujours. Mais je retins ce premier mouvement et m'astreignis à relire cette lettre et à y réfléchir. Pourquoi le maire avait-il employé l'expression « mort en mer » ? Le gouverneur comme moi-même avons toujours pensé que Narcisse avait été le seul rescapé d'un naufrage — ou le seul rescapé à avoir survécu aussi au séjour chez les sauvages. Le maire suggérait plutôt un décès par maladie ou accident, à bord d'un navire qui continue sa route, et dont le capitaine dresse procès-verbal, note la date exacte et accomplit les formalités d'état civil. Un marin mort en mer est enseveli dans les flots. Comment Narcisse aurait-il pu survivre ? Quelque chose dans cette information me semble illogique.

Né en 1825, Narcisse avait donc dix-huit ans lorsque, pour une raison encore mystérieuse, il ne fut plus matelot sur le *Saint-Paul* et se retrouva au fin fond de l'Australie. Il avait ainsi passé dix-huit ans chez les sauvages. Dix-huit années ! Quelque drame avait coupé sa vie en deux moitiés d'égale longueur, au terme duquel il se trouve refaire, avec la même soudaineté, le saut entre la barbarie et la civilisation. Dix-huit années ! Comment peut-on supporter ou même imaginer un aussi considérable isolement ?

Je répondis ensuite au maire de Saint-Gilles pour lui raconter en peu de mots comment j'avais rencontré en Australie un de ses administrés prénommé Narcisse, marin ayant passé de longues années chez les sauvages, et tout oublié de son passé. Une brève description, hormis les tatouages, complétait mon propos. Je le priai d'informer ses parents de son prochain retour, avec la délicatesse qu'impose un bonheur aussi inattendu. Il importe, bien sûr, de rendre Narcisse à sa famille. Lorsque le retour de l'enfant prodigue sera bien préparé, qu'il nous en informe à Paris, et je le ramènerai au plus vite.

Les cris inarticulés du sauvage blanc, « 'Sis-Tié- Let-Pol », qui m'avaient tant impressionné aux premiers jours de notre rencontre, devaient donc s'entendre « Narcisse Pelletier, de la goélette Saint-Paul ». Ces lambeaux de mots dont il avait perdu le sens étaient comme le dernier fil qui le rattachait à son histoire, l'ultime carte d'identité dont il se prévalait.

Cette lettre au maire était à peine achevée qu'un journaliste du *Daily Mirror* nous faisait demander. Je descendis seul le recevoir au salon. Ce jeune homme — assez désinvolte — avait appris l'histoire de Narcisse. Comment? Par une lady anglaise, récemment débarquée à San Francisco en provenance de Sydney, qui avait conté l'anecdote à un sien confrère californien. Je pestais intérieurement contre les bavardages inconsidérés de cette dame — dois-je dire de cette aventurière? Mon irritation s'accrut en entendant les questions stupides de ce polygraphe probable-

ment incapable de situer l'Australie sur une carte.
Narcisse était-il anthropophage ? Ses impressionnants tatouages dénombraient-ils les ennemis tués
au combat ? Avait-il épousé les trois filles du
grand chef ? Pourquoi avait-il assommé des matelots du navire qui l'avait sauvé, obligeant son
capitaine à le capturer avec un filet de pêche ? Je
récusai calmement toutes ces sottises, et tentai
de décrire son caractère doux, ses progrès pour
retrouver la langue française et les bons usages.
Prudemment, je tus mes échecs, son aventure
galante avec la supposée lady, son refus de parler
du temps passé parmi les sauvages. Je ne dévoilai
bien sûr aucun élément de son identité. Le journaliste qui ne m'écoutait qu'à moitié en prenant
des notes voulut lui parler. Je m'y opposai. Ai-je
eu tort ? Il n'insista pas et repartit.

J'étais à peine remonté dans ma chambre et
assis à mon bureau que Narcisse faisait irruption,
les vêtements en désordre, avec un air perdu que
je ne lui connaissais pas. Il me dit simplement :
« Viens ! », d'un ton sans réplique, et repartit vers
sa chambre voisine. J'y découvris une domestique
de l'hôtel, en jupons, en train de rajuster son cor-
sage, qui grommelait des insultes. Je lui demandai
ce qui se passait. Elle me répondit, avec ce terrible
accent des basses classes de Londres :

« Votre ami, là, qui ne comprend pas un mot
d'anglais, il était bien content de faire le joli cœur
et de m'emmener dans son lit. Mais maintenant
que c'est fini et qu'il a eu ce qu'il voulait, il veut
pas me donner mon petit cadeau... »

Quelques shillings nous débarrassèrent de la fille. Et je dus ensuite m'efforcer d'expliquer à Narcisse ce qui s'était passé. Les amours vénales sont pour lui incompréhensibles. Si je le comprends bien, l'amour entre un homme et une femme trouve en lui-même sa propre justification, il ne conçoit pas qu'on cherche à en retirer un autre bénéfice que celui, tout immédiat, de l'avoir fait. Et quelque singulier que soit ce commerce, il repose comme tous les autres sur une réalité que Narcisse comprend encore moins : l'argent. Les pièces que je mets dans sa main ne se mangent pas, ne réchauffent pas, ne servent à rien. J'ai totalement échoué dans cette double leçon.

Notre discussion sur ce point dura près d'une heure, et eût semblé par moments bien immorale, et à d'autres franchement comique, s'il y avait eu un observateur !

À cet instant, je mesure ma naïveté. Narcisse, revenu dans notre monde parce qu'il met un pantalon et boit dans un verre ? Narcisse, si loin de nous et des notions élémentaires qui font nos sociétés, imite ce qu'il peut de nos comportements... Je crois le guider sur un chemin rectiligne et balisé, alors qu'il est sans doute perdu dans une forêt touffue où tout lui est étranger. Ne suis-je pas d'abord en train de le dresser, d'en faire un animal savant, qui fait illusion, seulement illusion ? Narcisse, de plus en plus policé, toujours irréductiblement hors d'atteinte...

Tous les habitants de Londres se sont-ils donné le mot pour me déranger? Voilà maintenant le commissaire de police du quartier, à qui l'on a signalé ce Français sans papiers. Je m'en débarrasse en lui montrant la décision du juge colonial de Sydney. Il veut pourtant voir Narcisse et lui poser quelques questions. Je sers d'interprète, Narcisse a bien du mal à se prêter au jeu, le commissaire finit par s'en aller.

Le soir venu, je pus prendre tranquillement connaissance de l'annexe à votre lettre, par laquelle vous répondez à une suggestion que je m'étais permis de vous faire il y a trois mois. Je vous sais particulièrement gré des éléments que vous avez fait rechercher sur toutes les publications évoquant des histoires de marins naufragés en des terres hostiles.

Il faut écarter de ce recensement ceux qui, dans leur malheur, eurent la chance de compter des compagnons d'infortune. Le groupe de rescapés, quand bien même se réduisait-il à une paire, leur donnait une force, un courage, une pratique quotidienne de leur langue maternelle dont Narcisse n'a pas bénéficié. Symétriquement, si j'ose dire, j'en retrancherai les modernes Robinsons qui furent précipités sur une île déserte. Je ne dis pas que leurs souffrances furent moindres, mais eux qui n'eurent à affronter que la nature ne peuvent comparer leurs épreuves à celles de Narcisse.

Restent les cas de marins isolés parmi les sauvages. La désertion en motiva le plus grand nombre. L'attrait des îles tropicales, la perspective d'une vie paresseuse et insouciante, le sourire des femmes et la fertilité des terres ont parfois séduit des marins, le plus souvent de mauvais sujets heureux d'échapper à la discipline du bord. Installés au cœur d'une tribu, y ayant le plus souvent pris femme et fait souche, ils trouvent en général une fonction dans le négoce, servant de truchement entre leur famille d'adoption et les navires de passage. Certains, dans les îles à santal ou à bêche-de-mer, se sont assuré d'assez belles positions. Intermédiaires entre deux mondes, ils n'ont jamais oublié ce qu'ils ont choisi de quitter et savent marchander au mieux de leurs intérêts.

La situation des missionnaires, catholiques ou protestants, doit également être considérée isolément. Leur dévouement au service de Dieu leur donne une force sans égale.

Déserteurs et missionnaires vivent certes seuls parmi les sauvages parfois les plus effrayants, mais ils l'ont choisi.

Nous avons, au terme de ce tamis, sept drames dûment consignés, de marins isolés jetés à la côte parmi quelque tribu. Je remarque pourtant que le secours leur est parvenu, selon ces précieuses informations, au terme d'un séjour de trois à vingt mois. Ce quantum, qu'ils ne pouvaient évidemment connaître à l'avance, a dû leur paraître terrifiant. Il est cependant selon moi insuffisant pour qu'ils soient aussi profondément marqués que Narcisse. Je ne crois pas diminuer leurs souffrances ou leur courage en soulignant que le séjour plus de dix fois plus long qu'il a supporté change la nature de l'épreuve, et pas seulement sa durée.

Un autre facteur a peut-être joué : de tous ces malheureux dont l'aventure est connue, le plus jeune avait vingt-six ans, autant dire un adulte. À dix-huit ans, lors de son arrivée parmi les sauvages, Narcisse était encore un enfant, ou un tout jeune homme. Dans quelle mesure cela a-t-il compté ? A-t-il de ce fait opposé une moindre résistance à la pression que quel que soit le contexte il subissait ? Je l'ignore.

Il y eut d'autres cas, certainement. Des marins naufragés, recueillis par des sauvages et qui ont survécu, en espérant des secours, et qui ont finalement succombé, sous les coups, de faim, de maladie, de chagrin ou de vieillesse, un an, cinq ans, vingt ans, trente ans après, sans jamais avoir revu un homme blanc. Il est impossible de le savoir et ces tragédies resteront ignorées pour toujours, sauf à découvrir sur une plage inconnue des métis blonds ou roux, seules traces du séjour une à deux générations plus tôt d'un natif des rives de la mer du Nord...

Le lendemain matin, le concierge me fit monter tout exprès le *Daily Mirror*. L'histoire du sauvage blanc y occupait une demi-page. Je ne vous ferai pas l'injure, Monsieur le Président, de vous l'envoyer ou de vous la résumer. Chaque phrase est mensongère, chaque détail est inventé — hormis le fait que le sauvage blanc est français. À recevoir ce journaliste pour éviter qu'il écrive n'importe quoi, j'avais perdu mon temps. Je pliai le journal et m'efforçai de ne plus y penser.

Hélas! Tout Londres avait lu l'article, et je ne cessai de la journée de recevoir les lettres les plus diverses et les plus étonnantes. Telle société missionnaire souhaitait nous rencontrer pour débattre de l'apostolat dans le Pacifique; telle lady voulait prendre le thé avec le pauvre matelot; tel écrivain de renom me priait de lui livrer tous les détails de l'histoire pour son prochain roman; tel obscur savant me prenait à témoin de la justesse de ses théories dont j'ignorais tout...

Le ministre de France me demandait de venir le rencontrer pour tirer au clair la situation de ce compatriote. Je n'avais pas assez de temps pour déférer à son invite.

Seul le président de la Royal Society of Geography sut me convaincre. D'abord, Monsieur le Président, parce qu'il se recommandait de votre amitié et de sa qualité de membre correspondant de notre Société. En outre, je devinais qu'il n'était pas dupe des fables de la presse et s'intéressait véritablement à notre ami. J'acceptai donc, peut-être même avec un peu de vanité, son invitation à venir souper le soir même en compagnie des plus éminents explorateurs britanniques. Il avait eu la délicatesse de me laisser apprécier l'utilité de la présence de Narcisse. Narcisse, lui fis-je savoir, ne viendrait pas. Je tirai argument de son extrême timidité et de sa méconnaissance de l'anglais; je n'ajoutai pas le véritable motif, que la Société de

Géographie de Paris doit avoir la primeur sur celle de Londres.

En fin de matinée, alors que j'étais tout occupé de cette volumineuse correspondance, le directeur de l'hôtel souhaita être reçu. Il m'emmena à la fenêtre, et je découvris une foule de quelques centaines de personnes massées sur le trottoir et difficilement contenues par la police. Que voulaient tous ces badauds? Voir le sauvage blanc. Fallait-il donc qu'il paraisse au balcon? Surtout pas, la rumeur du spectacle attirerait une nuée incessante de nouveaux curieux. Non, il fallait rester caché, ne pas sortir, éviter que Narcisse soit pris dans un mouvement de foule. Cette situation regrettable troublait et inquiétait les autres clients, qui désirent le calme et la discrétion. Avant que le directeur n'ait le temps de me faire comprendre que nous étions indésirables, je le reconduisis à la porte en lui confirmant que nous partions demain.

Dans l'après-midi, je m'enfuis avec Narcisse par une porte donnant sur l'arrière, et nous fîmes une longue promenade à pied. Je ne l'accablai pas de commentaires, je voulais surtout qu'il constate, qu'il s'imprègne de la vie en ville. Il marchait l'air malheureux, soupirant chaque fois qu'il levait les yeux vers les immeubles de quatre ou cinq étages, sans cesse frôlé par des gens pressés. Hyde Park, que nous traversâmes, l'apaisa, il foula la pelouse avec une joie évidente.

À l'angle de Regent Street et d'une petite rue sombre, un mendiant roux tendait un chapeau aux passants. Narcisse tomba en arrêt devant cet homme à l'âge indéfini, à la barbe hirsute, aux vêtements troués. Son insistance à le dévisager finit par provoquer quelques grommellements en irlandais, auxquels une aumône mit un terme.

« Eh bien, Narcisse ? Nous continuons ? »

Il réfléchit longuement avant de me répondre :

« Tous les hommes de Londres courent. Lui ne bouge pas. »

Comment pouvais-je lui expliquer qu'il se trompait entièrement ? Devais-je souligner qu'il ne comprenait rien à ce qu'il voyait ?

À notre retour, plusieurs dizaines de lettres nous attendaient. Je n'eus pas le courage de toutes les ouvrir, et, après le thé auquel je me suis accoutumé, laissant Narcisse à l'hôtel je pris un fiacre pour la Royal Society.

Vous connaissez ce lieu majestueux, son président et la plupart de ses membres — et je puis témoigner, Monsieur le Président, de la très haute estime et de la respectueuse admiration qu'ils vous portent. J'en gravis les marches en songeant à tous ceux qui avant moi avaient pénétré dans ce temple de la puissance et de l'audace britanniques. L'accueil que je reçus fut plus que cordial, chaleureux. Nous entendîmes d'abord une conférence sur la question, toujours débattue, des sources du Nil. Un léger dîner fut servi, pendant lequel, dans un silence religieux, je présentai les traits les plus singuliers de l'aventure du sauvage blanc. Quelques questions pertinentes confirmèrent la qualité de l'attention de mes hôtes. Le dernier orateur de cette remarquable soirée fit le point des connaissances sur le passage du Nord-Ouest.

Ces quatre heures passèrent comme un enchantement. Chacun de ces gentlemen — marchands, officiers, missionnaires, capitaines au long cours... — avait gagné son droit d'entrée en explorant une partie dangereuse et inconnue de notre planète, et tous ensemble ce soir-là me considéraient comme leur pair. Mon seul apport avait été de révéler l'histoire de Narcisse. C'est à travers lui que je décrivis la côte nord-est de l'Australie et les tribus qui y nomadisent — et je posai plus de questions que je n'apportai de révélations. Les compliments que je reçus étaient-ils mérités ?

Ce matin, avant d'aller prendre le train pour Douvres, dans lequel je termine cette lettre, Narcisse m'a confié une nouvelle mésaventure, survenue pendant la soirée. Je fus aussitôt en alerte, c'était en effet la première fois que je l'avais laissé seul, livré à lui-même. Alors qu'il dînait au restaurant de l'hôtel, il échangea quelques regards avec une jeune femme à la table voisine. Cette Allemande voyageait avec un frère et un oncle. Au salon, ils bavardèrent un moment en français avec lui. Je ne sais ce que Narcisse lui confia, mais un peu plus tard elle le retrouva dans sa chambre, où advint ce que vous devinez — la découverte progressive des tatouages de Narcisse ajoutant sans doute aux pâmoisons de la dame.

Lorsque tout fut achevé, Narcisse imita ce que j'avais fait pour lui la veille avec la femme de chambre. Il fouilla dans ses poches et lui présenta galamment quelques piécettes dont j'avais pris la précaution de le munir. L'Allemande outragée les lui jeta à la tête et quitta précipitamment sa chambre en l'insultant dans sa langue.

« Après, il faut leur donner des pièces ou il ne faut pas ? »

Je consolai Narcisse, sans tenter de lui expliquer le malentendu. En moi-même je m'interroge sur ses succès féminins. Il est assurément bien bâti, et dans la force de ses trente-six ans, mais on ne saurait le qualifier de beau garçon. Son visage un peu triste et son allure n'ont rien d'exceptionnel, sa timidité aurait dû le desservir. Seule une femme, certes, pourrait dire en quoi consiste son charme. Le seul trait que je relève — et qui provoque chez moi une forme de gêne — est la fixité et l'intensité de son regard. Il plante ses yeux dans ceux de son interlocuteur avec une énergie peu commune, en conservant le silence le plus complet, et n'en dévie plus. Est-ce cette attitude résolue, pleine de promesses et de réserve, qui fascine les femmes ?

Mais ce marivaudage ne fut pas l'essentiel. Depuis deux jours, j'hésitais entre toutes les manières d'annoncer à Narcisse ce que j'avais appris du maire de Saint-Gilles. Il fallait pourtant cesser de balancer, et qu'avant d'arriver en France il sache qui il est. Aussi, alors que nous étions installés dans un salon de l'hôtel, j'eus avec lui l'entretien que je n'avais que trop différé.

« Narcisse, tu te souviens de Saint-Gilles-sur-Vie ? »

Il fit oui de la tête. Je connaissais la valeur de ce signe qui indiquait bien plus l'attention à son interlocuteur que son acquiescement à ses propos.

« J'ai écrit à Saint-Gilles pour savoir si un marin avait disparu il y a dix ou vingt ans. J'ai reçu la réponse. Tu t'appelles sans doute Narcisse Pelletier.

— Narcisse, ou Pelletier ?

— Les deux. Nous portons deux noms, le premier choisi par les parents, le second qui est transmis par le père à ses enfants.

— Narcisse, fils de Pelletier ?

— Si tu veux. Tu es né à Saint-Gilles le 13 mai 1825. Tu étais matelot sur la goélette *Saint-Paul*.

— La goélette *Saint-Paul* », répéta-t-il d'une voix pensive.

Je laissai ces noms résonner en lui, en écho à son « 'Sis- Tié- Let-Pol » d'il y a cinq mois, mais il ne fit aucun commentaire.

« Tes parents, ton frère et ta sœur vivent toujours à Saint-Gilles. Je les ai fait prévenir de ton retour. Tu vas retrouver ton père et ta mère.

— Ma mère est morte.

— Non, Narcisse, elle t'attend.

— Ma mère... n'est pas morte ?

— Ton père, bottier à Saint-Gilles, et ta mère sont toujours vivants. »

Dans un geste que je ne lui avais jamais vu

faire, Narcisse mit ses poings serrés sur ses tempes, comme pour calmer un orage intérieur, et ferma les yeux. Que d'émotions, à la perspective du retour dans la maison familiale... C'est du moins ce que je crus. Sans bouger, il murmura comme pour lui-même :

« Ma mère... est morte. Je l'ai vue. Elle est morte. J'étais là. »

Sa mère ? De quelle femme parlait-il donc ? Se pouvait-il qu'il évoque une sorte de mère adoptive, quelque femme sauvage qui aurait pris soin de lui ? Jamais il n'évoquait les liens noués avec ses hôtes, ni comment ceux-ci le considéraient. Parmi eux, avait-il été un fils, un domestique, un simple d'esprit, un prophète, un prince en exil, un monstre ? Là encore, son silence sur ses années australiennes était absolu, soit qu'il ne veuille pas en parler, soit qu'il ne trouve pas les mots pour dire les épreuves traversées. Il ne fallait certes pas le brusquer.

« Narcisse, ta mère de Saint-Gilles est toujours vivante et t'attend. »

Il conserva cette position de repli sur soi et dit lentement, comme pour lui-même :

« Ma mère est morte. Elle était malade plusieurs jours. Beaucoup de chaleur. Trop de chaleur dedans. Elle est morte. »

Prisonnier des épreuves traversées, il ne parvenait pas à revenir vers nous. J'étais là pour consigner ses souvenirs et sa transformation, mais aussi pour l'aider. Je tentai de trouver les mots.

« Tu es de race blanche, comme moi. Ton père

est blanc. Ta mère est blanche. Tous deux sont vivants. Je ne sais pas qui est cette femme dont tu parles et qui est morte. Une négresse australienne ne peut pas être ta vraie mère. Si elle t'a pris en affection et t'a aidé pendant que tu étais là-bas, tu peux dire "ma mère adoptive" ou, si tu veux, "ma mère noire". »

À ces mots, il me regarda avec fureur, voire avec une haine qui me laissa interdit. Je crus même un instant qu'il allait me frapper. Jamais je ne l'avais vu dans cet état de rage muette, difficilement contenue, et dont j'étais inexplicablement l'objet. Il détourna la tête — comme si ma vue lui était insupportable, ou qu'il n'ait que cette alternative à la violence physique. Je restai immobile et muet, ne comprenant pas ce qui se passait ni quelle partie de mon propos l'avait mis ainsi hors de lui.

Puis il enfouit sa tête dans ses mains et se mit à pleurer, en longs sanglots silencieux. Ces larmes que j'avais bien malgré moi provoquées me causaient plus de souffrance que ne l'auraient fait les coups qu'il s'était retenu de me donner. Que pouvais-je dire, qui n'ajoutât point à son désarroi? J'attendis.

Au bout d'un moment qui me parut interminable, le concierge vint nous prévenir que le fiacre qui nous amenait à la gare attendait. À nous voir, Narcisse pleurant et moi la mine bien sombre, il dut penser que nous venions d'apprendre le décès d'un proche — et à la vérité nous portions bien le deuil d'une sauvage australienne, dont j'ignorais tout, de la vie comme de la mort.

Pourquoi Narcisse ne me parle-t-il jamais de son séjour là-bas?

Croyez, Monsieur le Président...

7

Où la vieille trouvait-elle de l'eau?

Aucun ruisseau ne coulait à la baie Ronde ni à la baie Nord, pourtant elle revenait au campement avec des gourdes pleines. En parcourant avec la tribu cette forêt plate et sèche, il n'avait jamais vu d'eaux de surface, hormis la mare. L'eau des gourdes, légèrement boueuse, laissait en bouche un goût astringent de poussière et de silex. Grattait-elle le sol avec ses mains, une pierre ou un bâton, pour faire sourdre une eau stagnante?

L'eau était la clef. Il fallait l'arracher à la vieille.

Pendant deux jours, il l'observa continûment. Elle pénétrait dans la forêt une dizaine de fois par jour. Quand ses absences ne duraient guère, elle revenait avec des herbes, des tubercules, ou un lézard. Quand elle partait avec deux gourdes vides, elle disparaissait plus d'une heure.

Savoir où trouver de l'eau à une demi-heure de marche de la baie Ronde ne l'intéressait pas vraiment. Comprendre que l'eau pouvait être à une distance raisonnable de la côte était autrement plus important. Restait maintenant à apprendre à la trouver, dans ces paysages monotones.

Lorsqu'il la vit se saisir de ses gourdes vides, il se mit à la suivre, quelques pas derrière elle. Elle ne sembla pas le remarquer. Ils marchèrent, tout droit lui sembla-t-il, parmi ces arbres identiques pendant un long quart d'heure. Puis la vieille s'assit par terre. Il fit de même à dix mètres, attendant qu'elle se décide à repartir. Il ne la quittait pas des yeux, dans la demi-ombre argentée du sous-bois.

La pénurie d'eau, gâtée dans les barriques du *Saint-Paul*, avait été la cause de cette navigation autour de l'Australie et de tous ses malheurs. À Java, d'où ils devaient être repartis maintenant pour venir le chercher, ses camarades se seront délectés de mauvais vin, de bière hollandaise, d'eau de coco, du jus de ces fruits de toutes les couleurs qu'il avait vus sur les marchés du Cap et, l'an passé, de Ceylan. Plutôt que toutes ces saveurs mélangées, l'eau pure seule le faisait rêver. Dans la maison familiale, le puits donnait toute l'année. Le seau, la corde, la poulie... tableau serein, où il se revoyait gamin, fier de porter à sa mère quelques litres pour la cuisine et la vaisselle.

Au bout d'un moment, il dut se rendre à l'évidence : la vieille n'était plus là. Il avait dû être inattentif quelques secondes, et elle avait filé. Elle ne pouvait pas être bien loin. Il bondit en avant et courut un peu au hasard dans toutes les directions. Malgré ses jurons, malgré son ardeur à battre les fourrés, il ne put la retrouver, ni repérer le moindre signe de présence de l'eau. Après avoir erré en vain, et compris qu'à force de tours et détours il allait finir par se perdre complètement, il retourna penaud vers la baie Ronde et le camp.

La vieille était assise, avec ses gourdes pleines près d'elle. Elle ne parut pas remarquer son arrivée.

Trois fois il la suivit, variant les tactiques. Trois fois elle disparut à sa vue.

Ces deux journées, il voulut s'en convaincre, n'avaient pas été inutiles. Il avait appris la distance de l'eau, et que la vieille, pour une raison qu'il ne comprenait pas, ne voulait pas lui montrer les sources.

Le soir à la baie Ronde, ramassant des coquillages avec Waiakh qui ne le quittait plus, il mangea quelques huîtres crues, sans attendre que les jeunes allument un feu. L'une d'elles contenait une perle blanche irrégulière. Après l'avoir lavée, il la contempla avec des sentiments mêlés. Ce n'était pas une perle de grande valeur, mais suffisamment blanche, grosse et bien formée pour pouvoir se négocier contre quelque monnaie dans tous les ports du monde. Deux mois plus tôt, il eût apprécié ce pourboire inattendu et rangé la perle dans sa poche, en attendant la prochaine escale. Mais ici... Il n'avait pas de poche puisqu'il était nu, et aucun négociant à l'horizon. La perle la plus extraordinaire ou même la plus énorme pépite d'or ne valaient rien. Aucun sauvage ne l'aurait échangée contre un morceau de viande, aucune de leur femme ne s'était avisée d'en faire un bijou. Ce n'était qu'une excroissance dans la coquille, ou un jouet pour Waiakh. De dépit, il la jeta loin de lui sur le sable.

Cinq minutes plus tard, il courait comme un fou et la cherchait ardemment. Il eut le bonheur de la retrouver, à demi enfouie. Jeter la perle voulait dire qu'il n'espérait plus rien. Il allait être secouru, il embarquerait avec elle, et plus encore. Parmi toutes les huîtres de la baie, d'autres recelaient des perles, il fallait les chercher, et les mettre en lieu sûr. Il s'imagina faire des dépôts de perles dans chacune des baies, pour que, quel que soit le lieu où les secours arriveraient, il ne parte pas les mains vides. Et s'il s'enfuyait à pied ou par la mer, les perles ne pesaient rien, il ne les laisserait pas derrière lui.

Au milieu de la plage de la baie Ronde, un rocher un peu massif évoquait la forme d'une petite chapelle. Il l'inspecta en tous sens et découvrit sur la face opposée à la mer et aux vagues une anfractuosité où il pouvait enfoncer le poing. Il y déposa un lit de petits cailloux, des herbes sèches, et enfin la perle. Ce serait son coffre-fort. Waiakh l'imita et déposa gravement dans un trou situé à sa hauteur quelques cailloux.

Une perle... un collier de perles? Dans sa cachette, il eut la vision de trente à quarante perles blanches identiques, à l'orient parfait, destinées à orner le cou d'une princesse... Mais non. Cela ne se pouvait. Combien d'huîtres faudrait-il qu'il ouvre? Combien de jours et de jours à camper à la baie Ronde? Des perles, comme les grains d'un sablier qui dirait infiniment lentement le passage du temps...

Il n'y en aurait jamais qu'une, car dans quelques jours au plus le *Saint-Paul* allait apparaître. Il embarquerait avec sa perle et ne la vendrait pas. En Chine ou à Aden, il la ferait monter avec un fermoir en argent et un lacet de cuir, et il rapporterait ce bijou à sa sœur. Dans son coffre à bord, sous ses vêtements, il avait rangé une étoffe violette, moirée, à fils d'or, achetée au Cap d'un marchand indien. Avec ce châle et cette perle en pendentif, comme elle sera jolie et comme il sera fier de sa sœur! Les galants tourneront autour d'elle, et le moment venu elle pourra dire oui à un garçon sérieux et être heureuse pour le reste de sa vie. À son cou, une perle dont nul ne connaîtra l'histoire.

L'étoffe du Cap est sur le *Saint-Paul*, et lui sur cette plage. Lorsqu'un marin meurt en mer, ses camarades se partagent ses maigres biens. Ont-ils déjà ouvert son coffre, étalé dans l'entrepont ses vêtements de mer, son bonnet, ses chaussettes, son peigne, son gobelet en étain, son rasoir? Ont-ils choisi, les anciens d'abord, ce qui les intéressait? Et, après que l'un d'eux a défait le papier de soie et exposé aux regards admiratifs son emplette du Cap, lequel aura fait main basse sur l'étoffe violette?

LETTRE VII

Saint-Gilles-sur-Vie, le 16 août 1861

Monsieur le Président,

Arrivant à Paris, je trouve votre billet m'indiquant que vous avez dû vous rendre en province pour une dizaine de jours, afin de débrouiller une affaire familiale. Puissiez-vous l'avoir réglée dans le sens que vous souhaitez, c'est en tout cas le vœu que je forme. Narcisse et moi avons été déçus de ce retard, mais après quelque cinq mois nous pouvons bien patienter encore un peu.

Une autre lettre, de Saint-Gilles, nous apprenait que tout le bourg nous attendait avec impatience. Le maire, rassuré par mes explications, avait annoncé à la famille l'heureuse nouvelle. Je décidai donc d'inverser notre programme et d'aller d'abord reconduire Narcisse auprès des siens.

Avant cela, je dois vous raconter notre voyage depuis Londres. Narcisse a conservé la tristesse et les larmes une bonne partie de la journée. Pendant que le chemin de fer parcourait la campagne anglaise, le silence le plus complet, et pour moi le plus pesant, a régné entre nous. Il pleuvait à Douvres et la Manche était agitée. Narcisse voulut néanmoins faire la traversée à l'extérieur, sur la dunette arrière, où je me devais de l'accompagner. J'ai même craint un instant qu'il ne choisisse cet endroit que pour pouvoir sauter dans les vagues et y trouver l'éternel oubli. Redouter cela, c'était accepter que son existence à mes côtés soit pire que ce qu'il avait vécu en Australie. Et s'il avait véritablement résolu de se suicider, au nom de quoi devrais-je l'en empêcher ? Et que lui étais-je, pour prétendre le faire ? Narcisse n'est pas moins libre que Socrate et doit pouvoir boire la ciguë s'il le souhaite. Je forme seulement le vœu qu'il accepte de trouver quelque saveur à son retour parmi nous. Au terme de ces sombres méditations, bousculées par les rafales de pluie et les paquets de mer, nous arrivâmes à Calais, parfaitement trempés, et quelque peu rassérénés. Souvent j'ai constaté combien le contact avec la nature et les éléments lui tient lieu d'antidote à toutes les peines de l'âme. Un pré, une rivière, un parc, un estuaire et plus encore la mer libre l'apaisent et le calment.

Ce calme retrouvé lui fut nécessaire à Calais. Un inspecteur de police soupçonneux et borné voulut absolument examiner sa situation de fond en comble. Après avoir dédaigneusement écarté sans la lire l'ordonnance du juge colonial de Sydney — un juge anglais ne saurait fonder en droit la situation d'un Français... —, il releva triomphalement que le matelot Pelletier, en rupture d'embarquement, ne pouvait lui présenter son livret de marin, ce qui constituait une contravention de troisième classe. Et d'ailleurs, ce suspect dans ces vêtements dégoulinants était-il bien le dénommé Pelletier, ou quelque usurpateur d'identité? J'expliquai, posément d'abord, puis avec un peu d'humeur, qu'ayant survécu à un naufrage sur une côte hostile, recueilli par des sauvages pendant dix-huit ans, il avait eu bien d'autres soucis que sa situation administrative. Quant au précieux livret, il avait été depuis longtemps croqué par les poissons. Mais alors, renchérit le butor, où était l'acte du consul constatant la perte du navire? Et d'abord, qui étais-je pour répondre à la place du matelot Pelletier, ou prétendu tel? Que je m'écarte de cette affaire qui ne me concernait nullement, et que le suspect le suive au poste, le temps que sa situation soit tirée au clair. Que diable, la sécurité de l'Empire ne permettait pas de laisser entrer n'importe qui sur la foi d'une fable ridicule...

Le matelot Pelletier, muet, suivait cet échange les yeux écarquillés — et j'espérais sans trop y croire qu'il ne comprenait pas tout. Le ton monta encore, l'inspecteur invoquait des articles de loi, et moi alternativement des relations haut placées et les principes du droit humain. Des voyageurs goguenards faisaient cercle autour de nous et commentaient la scène. J'étais déterminé à ne rien céder : sortir par la grande porte avec Narcisse ou alors menottés tous deux. Le tumulte finit par alerter le commissaire de police de Calais, qui nous fit venir dans son bureau, et, ayant enfin écouté et lu les lettres du maire de Saint-Gilles, fournit à Narcisse un utile laissez-passer.

À Paris, nous nous installâmes au Grand Hôtel pour trois jours. Je réglai quelques affaires personnelles et urgentes, après une absence du sol natal de plus de trois années, et organisai le voyage à Saint-Gilles.

Nous avons pris le chemin de fer d'Orléans, qui n'existait pas à mon départ de France, puis la diligence jusqu'à Poitiers, enfin une patache pour La Roche et Saint-Gilles, où nous sommes arrivés le jour convenu.

Les fêtes données à Saint-Gilles ne méritent pas de longues descriptions — non pas qu'elles aient manqué de pompe ou de nobles sentiments. Mais cet arc de triomphe garni de branches, ce discours du maire, ce feu de joie, cette foule émue, ces applaudissements, ces larmes, ces chants de toute une commune apprennent plus sur nos honnêtes indigènes vendéens — s'il nous venait l'étrange fantaisie de les prendre pour sujets d'études — que sur Narcisse et son aventure.

Je participai en retrait à cette après-midi et cette soirée de retrouvailles. Le maire, un notable matois et efficace, m'avait trouvé à loger chez le curé, accommodement fort pratique. La maison Pelletier est en effet bien encombrée, puisqu'y habitent les parents, leur fils aîné et leur bru, et leurs trois enfants.

En découvrant cet inconnu bien vêtu — je n'avais pas été assez économe sur cet aspect : désireux qu'il fasse bonne figure et qu'on ne me soupçonne pas de négliger mon protégé, je l'avais habillé en monsieur de la ville —, bien chaussé — des bottines en cuir, quand tous ont des sabots, à lui dont le père est cordonnier —, ils ont marqué un temps de surprise, comme s'ils s'étaient attendus à voir arriver un gamin de dix-huit ans. Puis sa mère le serra contre son cœur, et dans des flots de larmes il fut reconnu comme le cadet de la famille.

J'observai vite, et sans surprise désormais, que Narcisse ne partageait pas la liesse générale ni l'émotion des siens. Il s'y prêtait par politesse, et pour jouer le rôle que tous attendaient de lui, mais eût répondu de même aux caresses de n'importe quelle autre matrone qu'on lui eût présentée comme sa mère. Son absence de tout souvenir de ses années d'enfance — les prénoms de ses frère et sœur, la disposition des pièces, les mille anecdotes d'une famille —, ses réponses laconiques, son peu d'empressement à se jeter dans les bras qui s'ouvraient commençaient à provoquer un léger malaise.

Le maire le perçut et choisit ce moment pour me présenter la famille et rappeler mon rôle. La curiosité vendéenne me prit alors pour cible, et je dus répondre à cent questions à la fois. Je confessai ne rien savoir des circonstances à bord du

Saint-Paul, et bien peu sur sa vie chez les sauvages. Qu'auraient-ils compris d'ailleurs, si pour meubler j'avais raconté telle scène empruntée à Santo ou à Fidji? Et qu'en auraient-ils fait?...

Le temps des souffrances et de l'exil était terminé, et Narcisse retrouvait les siens.

Le maire, le curé et moi nous retirâmes pour laisser les Pelletier entre eux.

Le lendemain, dimanche, l'église fut pleine à craquer pour la grand-messe qui fut donnée en son honneur. Un Te Deum fut ajouté à l'ordinaire, et le curé montra solennellement aux fidèles le registre des baptêmes à la page où trente-six ans plus tôt son prédécesseur avait accueilli Narcisse. Le parrain, son oncle, qui lui avait donné le goût des voyages en lui racontant ses campagnes sous Napoléon, n'était plus de ce monde, mais la marraine était toujours là, au premier rang, une vieille dame enrubannée assise avec les Pelletier.

Dans son sermon, le curé reprit la parabole du retour du fils prodigue — à laquelle j'avais moi-même pu avoir recours — pour récuser toute comparaison avec Narcisse. Le fils prodigue par caprice réclame sa part d'héritage, choisit de la dilapider, et lorsqu'il ne lui reste plus rien revient se jeter aux pieds de son père, qui lui pardonne néanmoins et tue le veau gras. Car la miséricorde de Dieu est plus grande que nos péchés. Narcisse, lui, est parti courageusement pour travailler comme matelot, affronter les tempêtes et l'éloignement des siens. Dieu lui avait réservé des épreuves redoutables, dix-huit années d'exil parmi d'horribles sauvages. Il ne s'était jamais découragé, avait remis son destin entre les mains du Seigneur. Même s'il avait oublié le Pater Noster et le Credo — et qui pourrait le lui reprocher ? —, il avait porté sa croix dans tous les sens du terme. Et Dieu n'avait pas oublié son enfant perdu à l'autre bout de la terre, Il avait étendu sur lui Sa main secourable et l'avait ramené auprès des siens, pour retrouver aujourd'hui l'église de son baptême.

Je ne sais trop d'où le curé avait tiré ses méditations théologiques. Il avait eu deux longues conversations en aparté avec Narcisse, et je n'avais pas osé lui dire que Narcisse ne comprend sans doute pas ce qu'est un curé. Il sait — sans malice aucune et sans le vouloir — renvoyer à chacun l'image qu'il attend. Il se pouvait qu'il n'ait dit au curé que ce que ce saint homme souhaitait entendre.

La messe fut suivie d'un banquet en plein air auquel participa la moitié de la population. Narcisse donnait toujours cette impression d'être là, et de n'y être pas.

Trois de ses amis d'enfance vinrent le féliciter, admirer ses tatouages, et lui rappeler qu'ils formaient un quatuor de vauriens, impitoyables pour la maraude des pommes ou la chasse aux grives. Mais qui étaient pour lui ce Julien, ce Mathieu, ce Pierre, désormais mariés et ayant repris le métier de leurs pères ? Il en étonna plus d'un en refusant de toucher au verre de vin qu'on ne cessait de lui proposer.

Lorsque le banquet fut terminé, au son d'un violon et d'une clarinette, tous les habitants raccompagnèrent Narcisse chez lui.

La suite de l'après-midi fut un grand moment de manœuvres diplomatiques, entre le père Pelletier, le curé, le maire et votre serviteur. Deux à deux, trois par trois, en rencontres programmées ou dues à un trop savant hasard, nous avons réfléchi à ce qu'il allait advenir de Narcisse. Une conférence générale, après dîner, à la table du curé, fut le point d'orgue de ces échanges. Je fus d'abord flatté d'y être associé, moi qui n'avais aucun titre à m'en soucier. La mission que le gouverneur des Nouvelles Galles du Sud — ou plutôt que mon devoir — m'avait confiée s'arrêtait là ou, plutôt, après un ultime passage à Paris pour vous le présenter.

Cette vision des choses, me fit-on comprendre avec d'infinies précautions de langage, atermoiements, proverbes, retours en arrière et allusions, pouvait être débattue. J'ai trop l'habitude de mes paysans de l'Isère pour ne pas avoir reconnu cette lenteur, qu'il est vain de tenter de forcer. Quelle vie désormais en effet pour Narcisse à Saint-Gilles ? Il n'a plus sa place, au sens propre, dans la maison familiale. Bien sûr, il y aura toujours pour lui une assiette de soupe, et un coin où dormir à la grange. Mais de quoi vivrait-il ? L'échoppe de cordonnier nourrit à peine le père et l'aîné, qui cultivent aussi quelques lopins de terre et élèvent une vache et quelques moutons. Narcisse ne sait plus ni tirer l'alène, ni traire ou tondre, ni piocher, bêcher ou tailler la vigne. Qui aurait le temps de tout lui réapprendre? Et quand bien même, les champs sont trop petits pour nourrir ne serait-ce qu'un valet de ferme. Évidemment, aucune fille du pays ayant un peu de bien ne voudrait de lui. L'intérêt de tous allait rapidement s'émousser, et il ne fallait pas tirer de traites sur la charité publique.

Lorsque le propos fut à peu près fermement dessiné, je dis, avec peut-être un peu trop d'humeur :

« Alors quoi? Il faudrait qu'il reprenne la mer? »

Tous se récrièrent, et je crois qu'ils étaient sincères. Si Narcisse reste à Saint-Gilles, il ne mourra pas de faim, mais c'est une bien pauvre existence qui l'attend. À trente-six ans, il revient avec la naïveté et l'ignorance d'un enfant. Que faire d'un enfant de trente-six ans, de quarante ans, de cinquante ans? L'avenir de Narcisse, qui n'était plus en Australie et pas en mer, n'était pas davantage à Saint-Gilles.

Ils étaient trop habiles pour avancer davantage, et je devinais que cette réunion avait été soigneusement préparée à l'avance entre les trois comparses. La courtoisie commandait que je ne comprenne pas trop vite, et pendant que le curé nous sortait une liqueur de son armoire, nous

nous lamentâmes de concert sur l'infortuné destin de ce malheureux.

Après avoir terminé mon verre, je lançai une prudente allusion, qui ne fut pas repoussée. Il n'était pas convenable de conclure ce soir. Ils avaient compris que j'avais compris, et ils souhaitaient que je reparte avec Narcisse.

Celui-ci — et moi avec lui, bien sûr —, serions toujours les bienvenus à Saint-Gilles. Le père Pelletier tint à préciser qu'il aurait toute sa part dans la succession.

Et de toute façon, rien ne pressait de prendre une décision dans l'instant. Il faudrait voir comment il évoluerait : son retour dans le monde des Blancs ne datait que de cinq mois, son retour en France de huit jours, son retour à Saint-Gilles de la veille. Cette importante rencontre que je leur avais annoncée, et dont ils étaient fiers pour Narcisse, nous amenait à repartir à Paris. Inutile de se hâter.

Au-delà de mon premier mouvement, je ne peux donner tort à leur démarche. Depuis dix-huit années, la vie de la famille avait continué sans lui. Ils avaient pleuré sa mort annoncée, et vécu des printemps et des automnes où il n'était pas. Pour le père Pelletier, le petit Narcisse, âgé de trois ans et qui avait passé presque toute la journée dans les bras de son oncle, importait plus que ce grand fils revenu de l'au-delà du Styx.

Nous nous séparâmes bons amis et je sortis faire quelques pas dans le bourg endormi, et la nuit encore douce. Un quartier de lune se leva derrière l'église. J'avançai jusqu'à la rivière et, revenant vers le presbytère, je découvris Narcisse, agenouillé dans un fossé, qui vomissait et pleurait. Il me confia entre deux hoquets avoir suivi au cabaret ses trois amis d'enfance et fini par accepter le verre de vin qu'ils lui proposaient depuis onze heures du matin. Un deuxième, un troisième... il ne se rappelait plus. Mais comme il se montrait, même saoul, toujours aussi peu bavard, les trois lurons se sont lassés de lui et sont partis boire ailleurs, le laissant seul et bientôt malade. Je l'aidai à se relever, à se débarbouiller, je le consolai; non, ce n'est pas de consolation qu'il avait besoin, il n'éprouvait pas, pour autant que je puisse le percevoir, de honte ou de regrets, sentiments qui lui sont inconnus. Il voulait comprendre ce qui s'était passé et je le lui expliquai. Ce vin, que les autres boivent et apprécient sans mesure, ne lui convient pas, lui tourne la tête et agit sur lui comme un poison. Ses anciens amis ne pouvaient pas l'imaginer et n'avaient pas voulu lui faire du tort. S'il a mal à la tête, demain il n'y paraîtra plus. Qu'il continue dans l'abstinence, puisqu'il s'en trouve bien. Mes commentaires l'apaisèrent, me sembla-t-il. Je le ramenai jusqu'à la maison de ses parents, qui l'attendaient, et me retirai sans me montrer.

À Sydney, dans la prison du gouverneur, il avait refusé le verre de vin qu'un soldat lui avait proposé pour s'amuser. S'en souvenait-il?

Hier soir, dans ma petite chambre du presbytère, le sommeil fut long à venir. Je revoyais Narcisse vomissant dans un fossé à deux pas d'ici, pleurant sa mère adoptive dans le salon de l'hôtel de Londres, repoussant les attaques de Bill dans notre maison de campagne, fuyant vers le haut du jardin du gouverneur à Sydney pour apercevoir la mer par-dessus les murs. Une idée étonnante me vint : et si je m'étais trompé dès le début ? Et si la bonne décision avait été, que cela plaise ou non au gouverneur, de louer un bateau et de faire déposer Narcisse sur la plage où cette histoire a commencé ?

Hypothèse absurde, bien sûr : qui aurait le cœur de renvoyer un évadé dans sa prison — prison si perverse et cruelle que le prisonnier ne la perçoit plus ? Après deux ou trois semaines dans le monde des Blancs, renvoyer Narcisse aurait été le précipiter une seconde fois dans un monde qui n'est pas le sien. Aurait-il eu la force d'oublier la chaloupe du John Bell, le port de Sydney, mes lectures de Racine, la nourriture et les vêtements des Européens, et de se faire à nouveau complètement, absolument, uniquement sauvage ? Un tel supplice eût été inhumain et barbare. Le chemin que suit Narcisse ne peut être parcouru que dans un seul sens, et vers le haut. Nous ne devons jamais oublier que ce n'est pas un chemin facile, et que Narcisse ne dispose d'aucun guide. Nouvel Ulysse, il doit triompher de mille embûches avant de retrouver son Ithaque. Mais quoi ? Narcisse n'est plus un enfant et je ne lui ai jamais promis un chemin de roses.

Et que vaut son mal de crâne de ce matin au regard de tout le reste?

Mardi prochain, je vous présenterai Narcisse Pelletier et vous pourrez juger des progrès accomplis.

Croyez, Monsieur le Président...

8

Pour signer son premier embarquement comme mousse, son père l'avait accompagné à Nantes. Le voyage avait duré deux jours, pendant lesquels, les mains crispées sur son sac, il avait regardé avidement par la fenêtre de la patache les paysages qui défilaient lentement. Son père lui parlait peu, sinon pour réitérer ses conseils d'obéissance et d'ardeur au travail, ou pour s'interroger sur les prix et la qualité des cuirs qu'il voulait acheter pour l'atelier.

Sa mère lui avait confectionné un gâteau qui se conservait bien, afin qu'il puisse en croquer un morceau le soir si le mal du pays se faisait trop fort, et l'avait longuement embrassé, ce à quoi il n'était pas habitué. Les récits de voyage de son oncle, grenadier de la Grande Armée qui avait parcouru la moitié de l'Europe à pied avant d'être blessé à Eylau et de rentrer au village, lui revenaient en mémoire, et le confirmaient dans son choix. Il se disputait toujours avec son frère aîné, les métiers de cordonnier ou de valet de ferme ne l'attiraient pas, il n'avait pas d'avenir à terre.

Son père avait offert le gâteau à la cousine qui les hébergea à Nantes : tous allaient se moquer du lui, si le petit mousse le soir sortait le gâteau de sa maman pour cacher son chagrin. Aucune douceur ne l'attendait à bord, autant qu'il s'y habitue dès l'appareillage.

Les belles maisons et les églises de Nantes le laissèrent bouche bée, tout comme la foule et les robes des dames, mais plus encore le spectacle du port : des navires à perte de vue, des mâts hauts comme des arbres, des charrettes, des cordages, des barriques, des palans, des portefaix, des ballots, des tas de planches, des marins parlant toutes les langues, dont un Noir, le premier qu'il ait jamais vu.

Son père lui acheta chez un fripier un pantalon et une veste de mer, puis vint le présenter au capitaine du brick *La Fidèle*. Celui-ci le confia au maître de manœuvre, qui, à la veille du départ, n'avait pas de temps à consacrer au mousse et à son père, aussi gauches l'un que l'autre. Il lui indiqua son hamac et où ranger ses affaires, et repartit surveiller le chargement du fret.

Alors qu'il pensait dormir chez la cousine, son père lui intima l'ordre de rester à bord et d'y passer sa première nuit. Qu'il regarde, qu'il apprenne, qu'il trouve sa place au plus vite. Il le serra dans ses bras, sortit de sa poche un bonnet qu'il lui posa sur la tête et redescendit sans se retourner.

Ah, si Narcisse avait giflé le second, ou simulé

la folie en bavant, roulant des yeux et tenant des propos incohérents, ou sauté dans la Loire, ou s'était brisé la jambe en trois morceaux en tombant dans l'entrepont, ou, soudain, couvert de taches rouges, s'était mis à tousser et à cracher des glaires noires, ou avait fracturé la cabine du capitaine pour y vider toutes les bouteilles d'alcool, ou simplement, éperdu de sombres pressentiments, avait suivi son père en pleurnichant et abandonné ce navire et tous ceux qui suivraient... Mais non, il l'avait parcouru en tous sens, comme un nouveau terrain de jeux. Le maître de manœuvre, le voyant baguenauder les mains dans les poches, lui avait confié diverses menues tâches — transmettre un ordre, porter un coffre, ranger le contenu d'un placard, apporter seau et pinceaux, balayer le pont... Il n'était plus Narcisse Pelletier, mais le mousse. Il ne manqua pas de s'emmêler dans les innombrables termes techniques de la marine à voile, et de se faire rabrouer. Avait-on jamais vu mousse aussi stupide! — mais il comprenait à demi que tous les mousses avant lui avaient eu droit à cet accueil. La soupe du soir arriva sans qu'il ait vu le temps passer. Sa première nuit dans le hamac, dans les flancs d'un navire à quai, fut profonde et sans rêves.

Le lendemain, le mousse courut partout dans la fièvre de l'appareillage. Les derniers marins embarquaient, pour certains les traits tirés et la bouche pâteuse. Son père ne revint pas. À trois heures après-midi, profitant de la marée descendante et d'une petite brise, le capitaine fit larguer les amarres. L'autre mousse, plus ancien, prit le novice avec lui et lui montra ce qu'il avait à faire.

Les jours avaient succédé aux jours et les embarquements aux embarquements.

Au Cap, il aurait dû déserter. Avec un peu de chance et d'habileté, en quelques années de travail assidu, avec ses économies âprement amassées il aurait ouvert une taverne, et tous les marins français en escale y auraient vite pris leurs habitudes : Chez Narcisse, sa terrasse sous les arbres décorés de lampions, son patron toujours rigolard et bien informé, ses bons pichets de vin, son petit orchestre. Et dans la cour, des cabanes en planche avec chacune une paillasse, un lit, une cuvette, un bougeoir eussent abrité l'autre versant des activités de maître Pelletier. Il aurait eu les meilleures filles du Cap, de belles plantes aimant la vie et donner du plaisir, de midi à minuit. À son oreille gauche, un bel anneau d'or véritable. Et la lanterne rouge ornant la façade de son cabaret serait vite devenue célèbre dans tous les océans. Et même... même s'il avait échoué dans tous ses projets, même si pendant des mois et des années il avait survécu en traînant sur le port, à l'affût de la moindre piécette, offrant ses services pour les tâches les plus misérables, voleur d'occasion, dormant dans une case en paille, heureux du quignon de pain dont un compatriote lui aurait fait l'aumône, qu'il aurait eu raison de déserter au Cap !...

Après Le Cap, quand le *Saint-Paul* faisait route vers le Sud-Est, affrontant des tempêtes de neige et des vagues énormes, et que, pour la première fois de sa vie de marin, il avait vraiment eu peur, il aurait dû au contraire pendant la nuit descendre à fond de cale avec une tarière et percer des trous dans la coque pour inviter l'eau glacée, et d'un coup de hache saboter le gouvernail. Le capitaine n'aurait eu d'autre choix que de tenter de regagner Le Cap avec un bateau à peine manœuvrant. Ou peut-être les vents et les courants auraient été les plus forts et les auraient emportés encore plus au sud, vers ces îles sans arbres dont on ne parle qu'à voix basse et où nichent les oiseaux géants, vers ces falaises de basalte d'où les cascades remontent vers un ciel de plomb. Ils auraient à grand-peine échoué le navire dans quelque baie non cartographiée, construit des abris de fortune avec les débris du *Saint-Paul*, survécu des dernières provisions et de la chasse aux phoques, ignorant son rôle de sabordeur... Les trente gars, avec les outils et tout ce qu'ils auraient pu récupérer de l'épave, auraient passé des mois difficiles, serrés les uns contre les autres pour se tenir chaud, épargnant leurs maigres vivres. Au printemps reviennent les navires baleiniers ou phoquiers américains, si nombreux dans les mers du Sud. L'un d'eux, explorant de nouveaux territoires de chasse, les aurait découverts par hasard et secourus. Ils auraient trimé comme des forçats toute une campagne, six mois et plus, pour payer leur passage, avant d'être débarqués sains et saufs à

Rhode Island ou dans le Connecticut. Qu'il aurait eu raison de saboter le *Saint-Paul*!...

Son père l'avait bien prévenu : aucune douceur ne l'attendait à bord.

Ainsi rêvassait Narcisse, en cette fin d'après-midi, après avoir joué avec Waiakh à lancer des pierres.

LETTRE VIII

Paris, le 3 septembre 1861

Monsieur le Président,

Je vous écris cette lettre avec des sentiments mêlés.

Quelle joie pourtant pour moi que de vous retrouver dans votre bureau, d'entendre la chaleur de votre accueil, et les compliments réitérés que vous m'avez adressés... Quel bonheur que de vous présenter enfin Narcisse Pelletier, de vous entendre lui parler et lui poser des questions, avec toute l'acuité de votre regard et de votre expérience...

Nous vous avons peut-être paru un peu empruntés, et je confesse que nous sommes timides : Narcisse, parce que c'est sa nature ; et moi, parce que je sais par qui j'avais l'honneur d'être reçu. Tel un disciple devant son maître, j'attendais votre verdict. Au cours du long entretien que vous nous avez accordé, je me suis peu à peu je crois départi de cette retenue peut-être excessive.

La difficulté principale est celle que vous avez vous-même éprouvée. Comment lui faire décrire la tribu de sauvages au milieu de laquelle il a vécu dix-huit ans? Il ne répond pas aux questions directes, et je ne comprends toujours pas pourquoi : il ne peut pas avoir tout oublié de ce monde qu'il n'a quitté que depuis six mois! C'est donc soit qu'il ne veut pas, soit qu'il ne peut pas. Ne trouve-t-il pas les mots? Pourtant, raconter les chasses ou les mariages, les repas et les fêtes, le quotidien de ses journées ne requiert pas de termes compliqués. Je crois plutôt qu'un sentiment complexe enfoui en son tréfonds lui interdit de parler, sans que je comprenne pourquoi. J'ai noté en effet que parfois, sous le coup notamment d'une émotion forte, il laisse échapper quelques informations précieuses, mais pour ainsi dire malgré lui. Je note chacune de ces révélations et j'essaie de leur donner du sens. Ce travail malaisé prendra-t-il quelque jour une forme académique? Il est trop tôt pour le dire.

Vous m'avez félicité des carnets que je tiens depuis le premier jour. Ce travail, que vous avez qualifié de « digne d'éloges », est pour moi la meilleure garantie de ne rien inventer. Combien forte en effet serait la tentation de romancer la vie de ce malheureux, ou d'en tirer un livret pour l'Opéra-Comique...

La grande affaire de ce rendez-vous était la séance plénière de la Société de Géographie, trois jours plus tard. Je me reproche de l'avoir insuffisamment préparée. Pour avoir assisté, depuis les bancs du fond réservés aux membres associés, à plusieurs grandes conférences et aux savantes discussions qui ont suivi, pour avoir même une fois ou deux osé poser une question, je croyais connaître cette cérémonie, ses grands prêtres et ses rites. Je savais aussi que, sous votre sage présidence, les débats seraient de grande qualité. La présence de Narcisse, sans doute, pourrait surprendre — ou décevoir — le public, et lui-même être impressionné par la solennité de l'amphithéâtre, mais je connais trop bien son caractère taciturne, et je redoutais seulement qu'il se mure dans le silence. Nous avons préparé des questions et espéré tous deux qu'il parlerait, certes brièvement mais assez pour donner du corps à son histoire. Bref, je pensais non sans naïveté qu'il me suffirait de monter à la tribune, de raconter cette aventure et, après quelques applaudissements, de répondre à des admirateurs conquis.

Lors de cet entretien, vous n'imaginiez pas, je veux le croire, la tournure que prendrait la séance et vous m'avez conforté dans mes illusions. Nous avons défini ensemble la tenue que porterait Narcisse et la manière de lui passer la parole ou de voler à son secours, les cartes qu'il conviendrait de faire suspendre aux murs, la durée de mon propos initial. Vous m'avez signalé que l'originalité de cette aventure attirerait à coup sûr une foule nombreuse et élégante, ainsi que maints journalistes, et nous nous sommes réjouis de contribuer ainsi à écrire ensemble une page qui ferait date dans l'histoire de notre Société.

La rumeur de la présence du « Sauvage Blanc » courut dans tout Paris et atteignit les journaux. Ils ne réussirent pas à me joindre — ou n'essayèrent pas ? Traduire les sottises du *Daily Mirror* du mois dernier leur demanda moins d'efforts. On ne parla que de cette affaire dans tous les salons, et l'écho qui me revenait de ces racontars aurait rendu misanthrope n'importe quel explorateur. Lorsque hier après-midi nous arrivâmes au siège, la rue était envahie par la foule et les sergents de ville avaient du mal à la contenir. Le plus grand nombre de ces badauds n'avaient pas de billet pour assister à la séance, ni d'ailleurs d'intérêt pour la Géographie. Votre secrétaire nous fit entrer par l'arrière, et nous confia que jamais aucune séance de la Société n'avait eu un tel retentissement. Je commençais à me dire que cette histoire ne m'appartenait plus. Narcisse, lui, avait je ne sais pourquoi l'air de s'amuser — air qu'il arborait pourtant rarement. On nous signala dans l'assistance la présence de personnes célèbres, tels le prince héritier Charles d'Eisenach, M. Rossini, compositeur, MM. Alexandre Dumas fils et Sainte-Beuve, hommes de lettres, et de nombreuses femmes du monde dont je n'ai pas retenu les noms mais bien vu les grands chapeaux.

Votre propos introductif, Monsieur le Président, m'a un peu surpris par son ton badin. Vous nous avez habitués à davantage de gravité. Face à un public aussi nombreux, aussi inhabituel, et à un aussi grand nombre de personnes du sexe, vous avez fait le choix du sourire et ainsi, selon les meilleures règles rhétoriques, étonné et capté leur attention. Vous leur avez présenté M. Pelletier, assis dans un fauteuil au pied de l'estrade et tourné vers la salle, dont la figure et la tenue n'avaient rien de remarquable. Certains sans doute s'attendaient à le voir porter une coiffe de plumes d'Indien, un masque nègre ou des peaux de bête, ou pousser des cris inarticulés en sautant partout comme un singe. Sa bienséance modeste fut une première leçon : l'après-midi serait consacrée à la science et non aux spectacles de foire.

Comme un prédicateur de carême monte en chaire pour ranimer la foi des fidèles, je m'élançai à la tribune. De ce pupitre, je découvris la salle dans toute sa majesté, le public debout dans les allées, et pris conscience de la foule présente. Jusque-là j'aurais pu me croire aux Italiens pour un spectacle en matinée, mais avant même de commencer à parler je m'imaginais prononçant un discours devant le Corps législatif, et cet exemple me donna un peu de courage. Brièvement, je pensai à mon frère Louis, dont l'ambition est de faire un jour partie du conseil municipal de Grenoble. La nature m'a donné une voix qui porte, l'auditoire préparé par vos soins attendait dans un parfait silence. J'allais pouvoir rendre à la Société de Géographie les bienfaits dont elle m'avait honoré. Je commençai.

Suivant vos conseils, je parlai sans notes et pendant une petite heure. Je résumai d'abord ce que nous savons sur la découverte et la géographie de l'Australie, notamment du Nord-Est, et les mystérieuses populations qui l'habitent ; puis comment je vins à m'occuper du sauvage blanc ; son retour progressif à la civilisation. J'exposai — un peu longuement peut-être ? — ses rares confidences, qui révèlent certains faits singuliers sur les mœurs des sauvages. Je conclus en racontant comment j'avais pu établir son identité, et sur son retour à Saint-Gilles dans les bras de ses parents.

Des applaudissements nourris saluèrent ma péroraison, les dames avaient sorti leur mouchoir : j'avais le sentiment d'avoir réussi à partager l'essentiel de cette histoire. Je voyais à peine Narcisse Pelletier, assis deux mètres plus bas, qui ne bougeait pas et peut-être souriait. Vous avez bien voulu reprendre la parole et annoncer que cette aventure me qualifiait désormais pour, de membre associé, être promu membre à part entière. Les applaudissements redoublèrent. Vous ne m'en aviez point averti, et la température de la salle ne fut pas la seule cause qui me fit rougir.

D'un coup de marteau énergique, vous avez ramené le silence et ouvert le débat. Les deux premières questions visaient à me faire préciser certains points sur notre séjour à Sydney et le rôle du gouverneur. J'y répondis, quelque peu indisposé toutefois par l'éclairage violent de la tribune qui m'empêchait de bien distinguer les orateurs successifs.

La troisième question fut celle du R. P. Leroy. Je ne connaissais cet oratorien que par ses articles sur le nord du Québec et ses populations indiennes. Son attaque, vous vous en souvenez, fut insidieuse. Il me félicita d'avoir été le Bon Samaritain, pour ensuite regretter de ne pas entendre ce récit dans la bouche même de l'individu ici présent. J'expliquai à nouveau ce que vous avez constaté par vous-même : il n'a ni le désir ni l'expérience nécessaires pour prononcer une telle conférence. Et là vint l'estocade : comment la Société pouvait-elle avoir la certitude de ne pas avoir à faire à un imposteur ? Non pas vous, Monsieur le Vicomte, dont la bonne foi n'est pas en cause, mais ce matelot. N'était-il pas de mèche avec l'équipage du bateau qui l'a prétendument découvert ? N'est-il pas un vulgaire déserteur, qui aura trouvé cet ingénieux moyen pour rentrer en France innocenté et sans bourse délier ?

Vous avez perçu comme le public a frémi, alléché par la perspective de la polémique et du scandale. Désobligeante pour vous et pour moi, sa question était formulée de manière assez habile pour ne pas être discourtoise.

Ma réponse fut en deux temps : tout d'abord, quel matelot déserteur aurait pu forger une histoire aussi complexe, avec autant de complices, autant d'incertitudes, et pour un but aussi médiocre ? Il aurait également fallu qu'il trompe, outre le capitaine et les marins du *John Bell*, le gouverneur Young, le médecin, les soldats, sans jamais se trahir? et moi-même qui l'observe continûment depuis le 2 mars, qui l'ai vu réapprendre notre langue, et avec quelles difficultés! moi qui constate que des notions aussi élémentaires que l'argent ou la propriété lui restent radicalement étrangères, je ne l'ai jamais vu donner la moindre prise à un tel soupçon. Les tatouages et les scarifications impressionnants qu'il porte sur presque tout le corps sont des gages suffisants de la véracité de son histoire.

Peut-être n'aurais-je pas dû terminer ainsi. Des cris de « On veut voir!! » et « Torse nu!! » retentirent dans le public. Conscient du risque de laisser la séance plénière tourner à la séance de cirque, vous avez rappelé à l'ordre les perturbateurs, sous menace d'expulsion. Le R. P. Leroy a paru satisfait de ma réponse.

La question du colonel Sebastiani sur l'anthropophagie ne me surprit pas. Après avoir franchement avoué que je n'avais pas recueilli d'éléments précis sur ce point, j'exprimai ma conviction : Narcisse Pelletier n'a rien d'un guerrier ni même d'un bagarreur. Ses blessures à l'oreille gauche et à la cuisse droite peuvent s'expliquer autrement que par un combat. Et surtout, son caractère calme et retenu semble exclure qu'il ait jamais participé à des guerres tribales et à je ne sais quelle orgie barbare d'après la victoire. Je soulignai que lorsqu'un bagnard australien s'était permis de lever la main sur lui, il avait esquivé les coups sans chercher à les rendre, faisant là preuve d'une douceur — les termes d'une lettre que je vous avais écrite me revinrent à l'esprit —, d'une douceur véritablement évangélique. Cette pointe finale fut accompagnée d'une révérence ironique que j'adressai au R. P. Leroy. Le public sourit. Je ne compris pas tout de suite que je venais bien inutilement de me créer un ennemi mortel.

M. Decouz — que vous m'avez décrit en nous raccompagnant comme « un mécène généreux et un compilateur méticuleux, dont les expéditions les plus exotiques n'ont jamais dépassé Clermont-Ferrand » — a alors ouvert un débat essentiel, dont je reconnais toute la pertinence même si j'en tire des conclusions diamétralement opposées. Il a d'abord aimablement précisé qu'il ne doutait pas de la réalité de cette aventure, puis souligné le jeune âge et le faible niveau intellectuel du matelot Pelletier. Si la même aventure avait eu pour héros un homme fait, un officier ou quelque autre personne du monde, eût-il de la même manière tout oublié et régressé au rang du dernier des sauvages ? N'eût-il pas trouvé dans les trésors de son intelligence et de sa culture, ainsi que dans les consolations de la religion — à son tour de s'incliner vers le R. P. Leroy —, la force de résister à l'abaissement moral dont le matelot portait tous les stigmates ? Survivre au milieu des sauvages, certes, mais en déclamant parmi eux les passages les plus émouvants des *Pontiques* ou de l'*Odyssée*.

Passer son temps d'exil en compagnie d'Ovide et d'Homère...

Je m'étais, vous le savez, posé cette question. Fallait-il, pour trancher de manière véritablement scientifique, abandonner sur des plages inconnues ici un ingénieur, là un maître en Sorbonne, là encore un capitaine de frégate, et revenir dix-huit ans plus tard vérifier lequel avait réussi à apprendre à ses sauvages « Perrette et le pot au lait » et les tables de multiplication ? Cette boutade formulée à la tribune perdit tout son sel et parut la marque d'une arrogance que j'étais bien loin d'éprouver. Vous avez adroitement relancé le débat et j'ai pu préciser ma réponse. Ce que Narcisse Pelletier avait perdu au contact des sauvages, ce n'est pas seulement ce qu'il avait appris à quinze ans — le métier de matelot — ou à dix ou cinq ans — la capacité de discuter, de penser le futur, le vocabulaire de base, la gamme des émotions —, mais même ce qu'on apprend quasiment au berceau : les prénoms de ses frère et sœur, le visage de sa mère, les premiers éléments du langage. Si, comme je le crois, l'éducation peut se comparer aux différents étages d'une maison, les savoirs auxquels M. Decouz pensait que l'on pouvait se raccrocher sont ceux du troisième étage, alors que Narcisse avait perdu là-bas jusqu'aux fondations. Cette explication ne convainquit pas davantage. Mais le pire était à venir.

L'orateur suivant — que je n'ai pas reconnu — avait lu mon petit livre et m'en félicitait. Dans mes *Scènes du Pacifique*, j'avais décrit les archipels de Mélanésie, et n'évoquais de l'Australie que le port de Sydney. J'acquiesçai d'un hochement de tête. Donc je n'avais aucune expérience des sauvages de l'Australie ? Je ne pus que confirmer, moi qui ne prétends être expert en rien. Le coup était habile et il porta.

Une voix avec un fort accent anglais s'éleva des bancs des membres associés pour prendre ma défense. Cet inconnu avait assisté à ma présentation devant la Société royale de Géographie le 1er août, et témoigna, bien qu'elle eût été moins complète et hors la présence du matelot, de sa parfaite rigueur scientifique et du grand intérêt qu'elle avait suscité. Je m'inclinai pour remercier de cet appui inattendu. Le R. P. Leroy fit alors remarquer que, pour un membre associé, l'usage n'était point de donner la primeur de ses découvertes à une Société étrangère, même aussi prestigieuse que celle de Londres. Cette venimeuse remarque de procédure annula tout le crédit qu'avait voulu m'apporter le gentleman du fond de la salle et m'aliéna une partie du public. Je ne voulus pas polémiquer.

Rien dans les charges de votre présidence n'empêchait que vous prissiez parti sur ce point, vous qui savez dans quelles conditions j'acceptai cette invitation.

M. Collet-Hespas sortait visiblement d'un excellent déjeuner. Il commença par rappeler que quatre ans plus tôt il m'avait interrogé sur les perspectives de la pêche en Islande, et je m'en souvins alors qu'il le disait. Il vous demanda l'autorisation de poser une question directement à « ce brave garçon ». Nous avions envisagé cette hypothèse et étions convenus qu'il n'était pas possible de refuser, ce qui aurait pu laisser penser qu'il y avait quelque chose à cacher, mais que vous me demanderiez de reformuler. Vous avez, je pense, oublié cette précaution et invité le digne armateur à s'adresser au héros de cette aventure. Narcisse n'a fait de confidences ni à moi, ni à vous, ni à ses parents à Saint-Gilles. Qui pouvait croire qu'il en ferait à cet homme qu'il voyait pour la première fois, et devant une bruyante foule de curieux ?

« Mon brave, dis-nous donc si les sauvages peuvent avoir plusieurs femmes.

— Oui... Comme ici. »

Un brouhaha où se mêlaient indignations et amusements accueillit cette réponse. En en reparlant plus tard avec lui, j'ai compris le malentendu. Narcisse m'expliqua en comptant sur ses doigts qu'il avait eu plusieurs femmes : la dame anglaise du *Strathmore*, la femme de chambre et l'Allemande du Savoy, et une nouvelle maîtresse parisienne trois jours plus tôt, aventure que je ne découvris qu'alors. Il n'était pas entré dans un débat sur la polygamie. Mais le public crut qu'il avait esquivé la question par un trait d'esprit immoral — alors qu'il ne comprend ni le bel esprit ni la moralité.

Je vous ai fait passer un billet pour vous suggérer une pause, voire d'arrêter là la séance. Mais
en vain. Le R. P. Leroy avait demandé la parole :

« Mon garçon, dis-nous ce que tu mangeais
quand tu étais là-bas.

— Des poissons... de la viande... des
coquillages...

— Fort bien. Fort intéressant. Et dis-moi,
quelle religion pratiquent ces sauvages ? »

Je m'alarmai de voir le révérend père aborder
la théologie, mais n'osant pas raconter le prêche
du curé de Saint-Gilles — il y aurait fallu trop
d'explications —, bredouillai que la question était
trop abstraite. Narcisse en effet ne répondit pas.

« Je vais le dire plus simplement. Ont-ils le culte
des ancêtres ? des esprits ? des dieux de la chasse,
de la pluie, de la bonne santé ? du soleil ? »

Le mot « culte » est pour Narcisse aussi hermétique que celui de religion. Quelle ne fut pas ma
surprise de le voir répondre, lentement :

« Soleil... »

Parfois il reprend en écho le dernier mot de son
interlocuteur, en une forme de politesse, pour ne
pas laisser le propos sans réponse. Mais là, il
répéta plusieurs fois « Soleil », d'un ton pénétré
que je ne lui connaissais pas, comme absent à
toute cette séance, puis se leva.

L'oratorien fut lui aussi un peu étonné de la
réaction qu'il avait déclenchée, et comme il sié-
geait au premier rang, parut craindre que Narcisse ne porte la main sur lui — j'avais pourtant
assez dit combien il est inoffensif. Narcisse se

retourna, me regarda dans les yeux et proclama d'une voix forte :

« Narcisse Pelletier... Soleil. »

Que voulait-il dire ? Que ne voulait-il dire qu'à moi ?

Vous m'avez interrogé sur son attitude, et je n'ai pu que témoigner publiquement de mon incompréhension. Ma franchise déclencha quelques ricanements.

Le R. P. Leroy se leva à son tour et vint à la rencontre de Narcisse.

« Fort bien. Très intéressant. Mais je ne vois pas quelles conclusions en tirer. Essayons autre chose. Dis-nous comment sont faites les habitations des sauvages. Ils construisent des cases ? rondes ? carrées ? faites de bois, de torchis, de palmes, de pierres ? une par famille, ou les hommes séparés des femmes ? ou alors ils dorment dans des grottes ? des tentes ? ou peut-être des iglous ? »

Cette avalanche de questions ne pouvait que paralyser Narcisse, et il me semble que le R. P. Leroy le sentait et abusait du procédé. Narcisse garda le silence. J'hésitai à intervenir, craignant d'ajouter à sa confusion.

« Et les enfants ? Qui s'occupe de leur éducation ? Le père ? La mère ? Les vieilles femmes ? Jusqu'à quel âge ? Y a-t-il des cérémonies d'initiation ? En quoi consistent-elles ? »

Narcisse resta sans réaction.

Écartant largement les bras, dans un geste qui fit virevolter sa soutane, l'oratorien se tourna vers le public — ce qui n'est pas, sauf erreur, l'usage dans ces séances.

« Pour ma part, j'en ai assez entendu. Ou plutôt, je n'ai rien entendu. Ce garçon est imbécile, en tout cas on ne peut rien en tirer. Je ne vois pas ce qu'il apporte à notre connaissance de l'Australie. Quand j'exerçais mon ministère au Québec, je parlais tous les soirs avec de vieux Indiens, par le truchement d'un métis, je notais toutes leurs confidences et j'ai pu ainsi décrire leurs mœurs fort curieuses. M. le vicomte innove, et apporte à la science géographique l'idée singulière de l'enquêteur muet. Son discours introductif était passionnant, mais quand je vais directement à la source je constate qu'elle est tarie — si elle a jamais coulé. Si ce malheureux ne fait de confidences qu'au seul vicomte, ou si celui-ci interprète avec talent et imagination ses silences et ses mimiques, à quoi bon nous l'amener ici ? Ce n'est pas un imposteur, nous dit-on. Il a traversé des épreuves terribles, mais ne veut pas nous en parler. Je veux bien le recommander à Dieu dans mes prières, mais je refuse de le regarder comme utile à la Géographie, qui nous rassemble tous ici. »

Des applaudissements retentirent sur de nombreux bancs, dans un brouhaha général où chacun commentait la philippique. Vous m'avez donné la parole, mais dans le tumulte personne n'écouta, d'autant plus que le R. P. Leroy s'était lancé dans une grande discussion à haute voix avec plusieurs de ses voisins. Narcisse regardait cette confusion générale avec ce demi-sourire qu'il arbore quand il n'est pas sûr de comprendre. Dois-je vous l'avouer ? J'étais profondément malheureux.

Après plusieurs rappels à l'ordre, vous avez rétabli le calme, et m'avez à nouveau demandé de répondre. Ainsi interpellé, je parus sur la défensive, voire comme un accusé sommé de se justifier, face à un public dont la conviction était faite. Je répétai une nouvelle fois les circonstances du retour de Narcisse Pelletier à la civilisation et ses difficultés d'expression. Il fallait s'adapter à cette contrainte, et savoir tendre l'oreille pour repérer les éléments qu'il donnait pour ainsi dire malgré lui. Au milieu de ma réponse, le R. P. Leroy se leva et sortit. Plusieurs autres membres l'imitèrent, et une partie du public. Le bruit des pas et des chaises couvrit mon propos, que j'abrégeai un peu brutalement, puisqu'il devenait manifestement inutile.

Et vous avez levé la séance.

Je ne m'étendrai pas sur l'humiliation — le terme n'est pas trop fort — que j'ai ressentie, et le sentiment de n'avoir été soutenu par personne. À la réflexion, je veux seulement souligner que l'attitude du R. P. Leroy — quelles qu'en aient été les raisons — ne me paraît pas scientifique. Et cela seul suffit à le disqualifier.

Les rares propos de Narcisse sont difficiles à interpréter ? Il n'est pas aussi bavard que les vieux Indiens du Québec ? Et nous devrions nous arrêter là ?...

Mon illustre compatriote Champollion montre l'exemple. Connaîtrait-on son nom, s'il avait appris sous la dictée d'un vieil égyptien à lire et écrire les hiéroglyphes ? C'est la difficulté de l'énigme, hermétique à tout autre avant lui, qui fonde sa gloire. Narcisse est ma pierre de Rosette. Que le R. P. Leroy ne fasse pas l'effort d'apprendre à la lire ne démontre strictement rien. Je déchiffre, patiemment, lentement, difficilement, et j'en suis fier.

Il m'a paru nécessaire de vous relater comment j'ai vécu cette journée d'hier. Vous comprendrez que j'adresse une copie de cette lettre au Président du comité éditorial de notre Revue, afin d'aider à la rédaction du compte rendu qui devrait paraître dans un prochain numéro.

Croyez toujours, néanmoins, Monsieur le Président...

9

Les femmes coupent le poisson avec la coquille d'une sorte de moule ronde, bleutée, bombée. La partie la plus aiguisée est celle la plus proche de la jointure. Elle sert aussi à tondre les enfants, dont la tête aura été préalablement enduite d'une mixture à base de terre grasse et de sable.

Pour couper une branche, elles choisissent un autre coquillage, blanc, allongé comme un doigt et se terminant en biseau. Elles l'empoignent fermement dans le poing et donnent de haut en bas de petits coups secs qui finissent par venir à bout de la branche la plus solide — quitte à jeter l'outil brisé et à en prendre un autre.

Pour une blessure ou une coupure, un tout petit coquillage blanc, de la taille et de la grosseur d'un bouton de veste, délicatement passé sur la peau, y laisse une fine incision, permettant ensuite de nettoyer et soigner la plaie.

Il observe les femmes et essaie de comprendre. Au début, il voulait seulement tailler sa barbe, qui commençait à prendre du volume et à le démanger. À bord, il se rasait à peu près une fois par semaine, et n'avait pas l'habitude de sentir ses joues ainsi couvertes. Après avoir regardé les femmes avec attention, il comprit quelle sorte de moule employer et comment. Plusieurs tentatives, réalisées sur ses avant-bras qu'il n'hésita pas à écorcher, lui permirent de confectionner une pâte ayant la consistance voulue et d'y passer son rasoir de fortune sans trop de dommages. Personne ne s'occupait de lui et de ses essais. Quand il estima maîtriser cette technique, il s'enduisit le visage de terre humide, et se racla longuement et soigneusement les joues et le menton avec le coquillage. Un peu de sang lui resta sur les mains, mais il ne devait pas s'être coupé beaucoup plus qu'avec un coupe-chou mal aiguisé. Un plongeon dans la mer nettoya et cicatrisa ses estafilades.

Ce premier succès était prometteur.

Il avait retrouvé le pouvoir de couper. Cela ne remplaçait évidemment pas son couteau, qui avait dû être jeté quelque part dans la forêt et qui lui manquait maintenant plus que ses vêtements. Ce couteau lui avait été offert par son père, après son deuxième embarquement comme mousse, pour lui signifier qu'il devenait adulte. La lame dans son étui en cuir fixé à la ceinture ne l'avait plus jamais quitté, à terre ou en mer, dans le travail ou le repos.

S'il arrivait de nouveau à couper, il pourrait assembler des branches, leur donner une forme, les faire tenir ensemble par des liens ou des chevilles, il saurait se faire charpentier de marine et construirait une sorte de pirogue. Une graisse quelconque pour calfater, un bois solide pour rame, une grosse pierre prise dans un lien pour ancre : il pourrait envisager une périlleuse navigation côtière. Bien des questions restaient à régler, bien des déconvenues l'attendaient sans doute, mais il sentait qu'il avançait.

Inutile de bouder orgueilleusement loin des sauvages : il fallait les observer en toutes circonstances et découvrir tous leurs secrets. Ajoutés à sa débrouillardise et sa farouche volonté de s'en sortir, ils lui permettraient de régler les uns après les autres tous les problèmes qui faisaient obstacle à son évasion. Peu importait qu'il soit pressé ou impatient. Le temps ne coulait plus de la même manière.

C'est par ennui qu'il avait décidé de se raser, et analysé comment elles s'y prenaient pour tondre les enfants et pour couper. Sa volonté tout entière devait être désormais tendue vers l'observation minutieuse de leurs faits et gestes pour y acquérir tous les métiers dont il aurait besoin. Il avait trouvé bien mieux qu'un but : une méthode.

Avec ce coquillage allongé en guise de hache, de rabot et d'herminette, il s'efforça de couper une branche, de l'écorcer, d'en faire une sorte de mauvaise planche. Il y fallut trois coquillages, et une main entaillée lorsque l'outil dérapa, mais au bout d'une heure d'efforts il avait à peu près réussi. Le charpentier du *Saint-Paul*, un Dieppois taciturne, eût hoché la tête de dédain et jeté au rebut cet informe poteau à peine dégrossi. Mais eût-il fait mieux, avec d'aussi pauvres outils?

Il recommença aussitôt, sentant que ses coups gagnaient en précision et en efficacité, et parce qu'il n'avait rien d'autre à faire. Les trois planches sommaires qu'il fabriqua étaient-elles la promesse ou les prémices d'une future embarcation? Il les considéra avec fierté. Pour éviter d'alerter les sauvages — on n'est jamais trop prudent —, il choisit de les employer pour sa hutte. Il jeta à bas son ouvrage de la veille et entreprit de le reconstruire. Ses trois planches de fortune lui permirent de voir plus grand. En utilisant les trous dans le calcaire du rocher et les fourches de l'arbre, il parvint à faire tenir une esquisse de charpente et à délimiter un espace où il pouvait presque se tenir debout. Les matériaux de sa première hutte et d'autres branches et palmes lui permirent de confectionner, sinon un toit et des murs, du moins une apparence. Le soleil et le vent passaient au travers, mais il n'était pas mécontent de son travail.

Rasséréné par ce progrès qui donnait un sens à sa journée, il aida Waiakh qui avait décidé de se construire une petite hutte à côté de la sienne. Puis ils allèrent jouer dans les vagues. L'enfant répétait sur un ton chantonnant : « Waiakh. Amglo », en faisant de grands gestes. Il disait Waiakh en posant la main sur sa poitrine. Narcisse comprit qu'Amglo était le nom dont la tribu le baptisait. Il le dit à son tour avec une grimace

234

comique : « Amglo. Narcisse Pelletier, surnommé Amglo par les sauvages. »

« Amglo », dit encore Waiakh. Il montra le soleil et décrivit un arc de cercle le bras tendu, partant de la mer, pointant à la verticale de sa tête, et redescendant vers la cime des arbres. L'enfant désignait les mouvements de l'astre. Amglo était donc le nom du soleil ? Par quel étrange caprice l'avaient-ils appelé Soleil ? Parce qu'il était plus grand qu'eux ? que sa peau blanche leur semblait éblouissante au regard de la leur ? ou parce que son bateau était arrivé de l'Est, à l'aube, sur la ligne d'horizon ?

« Amglo. Vous m'appelez Soleil... »

Ainsi, il savait désormais un mot de leur langue. Il aurait besoin d'en apprendre d'autres, beaucoup d'autres. Comment disait-on, dans leur jargon : Où trouver de l'eau ? Allez me chercher à manger ! Y a-t-il d'autres hommes blancs dans la région ? Venez avec moi à Sydney...

Mais non. Il lui faudrait des mois d'apprentissage pour pouvoir parler avec eux. Il n'avait pas envie de leur parler, et il ne resterait pas des mois. Le *Saint-Paul* allait revenir, ou il s'échapperait vers le Sud.

Il revint vers sa hutte, l'enfant trottinant derrière lui. Cette fidélité inutile l'exaspéra, et en quelques coups de pied il détruisit la hutte de Waiakh. Qu'il aille dormir ailleurs ! Cette méchanceté gratuite lui fit du bien.

« Eh bien quoi ? »

L'enfant le regardait sans comprendre.

« Tu trouves que je suis méchant ? »

Narcisse ricana.

« Mais vous êtes tous bien plus méchants que moi ! Vous êtes tous méchants. Vous êtes sales, vous puez. Et puis regardez-vous, comme vous êtes petits ! Des nains, des nains contrefaits. Vous êtes laids, horribles, monstrueux. Même toi tu es plus vilain qu'un singe. Vous êtes noirs, mais même pas d'un beau noir ! En Afrique, j'ai vu des grands costauds, d'un noir presque brillant. Vous, vous êtes... poussiéreux, d'un noir terne. On dirait... la peau d'une vache, la peau flétrie d'une vache malade. Vous ne parlez pas, vous grognez. Vous ne souriez pas, ne riez pas. Vous ne chantez pas, vous aboyez en claquant des dents. Vous ne marchez pas, vous trottinez. Vous êtes... des gnomes, tout droit sortis d'un cauchemar. Et même en rêve on ne peut pas imaginer créatures aussi affreuses. Vous êtes tous fils de démons et vous me torturez. Vous mangez des... des choses ignobles, dégoûtantes. Vous allez tout nus sans aucune gêne. Vous m'avez volé mes vêtements et arraché la moitié d'une oreille pour me voler mon anneau. Vous êtes bêtes, avides, méchants, et plus laids que les sept péchés capitaux. Même un chien a plus de douceur et d'affection que vous. Même un cochon ! Vous n'êtes pas des hommes, vous êtes moins que ça, il n'y a pas de mots pour vous désigner.

Vous m'avez fait souffrir tous les jours, tous les instants, mais qu'est-ce que vous croyez ? Le *Saint-Paul* va revenir, et pas seulement les trente gars du *Saint-Paul*. Il y aura d'autres bateaux de commerce ou de pêche, désireux de vous punir pour ce que vous m'avez fait, et puis des navires de guerre, des français, des anglais, des espagnols, des américains. Toute une flotte va bloquer vos côtes. Et des troupes entières vont débarquer. Blancs comme moi, et vous apprendrez ce que cela veut dire. Ah vous ferez moins les malins, vous pourrez grogner et aboyer et claquer de la langue, à notre tour de ne pas vous comprendre et de rire de vos airs effrayés. Vous ne savez pas ce qu'est un fusil, un coup de feu, vous apprendrez, crois-moi ! Tous ces marins et ces soldats en colère vont vous pourchasser dans la forêt, vous rattraper, vous encercler, vous enfermer, vous faire avancer à coups de trique, vous, les hommes, les femmes, les vieux, les enfants. Pas besoin de vous pour avoir de l'eau, les navires auront tout ce qu'il faut pour boire jusqu'à plus soif, et se laver à terre tous les jours si on veut. Mais pas une goutte pour vous ! Et quand vous serez tous réunis et attachés, ils vont commencer à vous couper à tous l'oreille gauche, à la serpe, à la baïonnette, au couteau, au poignard. On fera un gros tas de ces oreilles noires et on y mettra le feu. Ensuite ils vont tous vous tuer, lentement, les uns après les autres, sans aucune pitié, car vous l'avez tous mérité cent fois ! Ils vont vous enfoncer une lame dans le ventre, répandre vos entrailles sur le sable et vous laisser vous vider de votre sang, qu'il n'en reste plus un seul sur terre, des comme vous. Vous vous tordrez de douleur et vous agoniserez longtemps sous le soleil brûlant. Surtout, rampez, gémissez, demandez grâce, qu'ils vous répondent à coups de botte! Et pour être sûrs de bien finir le travail, les bateaux de guerre vont bombarder la forêt, et tu verras comme ils peuvent tirer loin, jusqu'à vider complètement leurs soutes à munitions, et que plus aucun arbre ne reste debout. Et après cela, ils y mettront le feu, un incendie comme on n'en a jamais vu, qui ravagera tout jusqu'au-delà de l'horizon, un immense feu de joie pour fêter votre disparition...

Et moi je serai sur la dunette du *Saint-Paul*, avec un pantalon de lin, une chemise de coton, un foulard de soie, un bonnet de feutre — mais le lin, le coton, la soie, le feutre, tu ne sais pas ce que c'est, petit monstre, fils de gnome noir et puant —, et dans mes beaux vêtements neufs je boirai du bon vin blanc du Cap en regardant les soldats vous tuer et mettre le feu, et j'applaudirai des deux mains, je pousserai des Hourras! de toutes mes forces et je les encouragerai en leur criant: "Hardi les gars! Encore! Il ne faut pas qu'un seul en réchappe, ne mollissez pas!" Et quand au bout de trois jours l'incendie finira par s'éteindre et que la fumée sera retombée sur votre terre maudite et réduite en cendres, où on ne pourra plus trouver aucune trace que le pays ait jamais été habité, nous pourrons repartir tranquilles et sans nous retourner.

Je rentrerai en France et je ne naviguerai plus jamais. Je reviendrai chez moi, je reverrai mes parents, je chercherai du travail et tu verras comme je peux travailler dur!, je m'établirai, je rencontrerai une jolie fille que j'emmènerai au bal, je l'épouserai à l'église — tu ne sais pas ce que c'est qu'une église, petit diablotin tout noir —, et je lui ferai très vite un enfant, un petit garçon tout rose et potelé que je tiendrai dans mes bras quand elle ne lui donnera pas le sein, et puis un deuxième, et un troisième, au moins. Je jouerai avec eux le soir en rentrant, ils viendront galoper dans notre lit, et je leur raconterai mes voyages autour du monde, mais jamais jamais jamais ce qui s'est passé ici. Jamais.

Et le jour où je reviendrai chez moi, tu sais ce dont j'ai envie? Que ma mère me fasse une potée. Évidemment, tu ne sais pas ce que c'est, sale petit macaque. J'irai chercher à la cave de belles pommes de terre de l'année; j'irai chercher au jardin un bon chou vert bien craquant, un peu pommé, un peu gros; des navets blancs et violets; des branches de céleri; des poireaux; j'irai chercher au saloir quelques saucisses bien rebondies, bien grasses, un beau morceau de lard, un pied de cochon, de la poitrine fumée. Je poserai tout sur la table, j'aiderai la maman à préparer les légumes et elle fera cuire tout ça à petit feu, tranquillement, pendant plusieurs heures. Ça sentira bon dans toute la maison, les voisins sauront ce qui mijote et passeront donner le bonjour. Et je la mangerai le soir, sur la table du jardin s'il fait beau, ou sinon dans la cuisine près du fourneau. Il y aura aussi des fromages, de plusieurs sortes; des grappes de raisin; des noix; un pichet de vin...

Et quand nous n'aurons vraiment plus faim, elle sortira du four une tarte aux prunes... »

De sa vie entière il n'avait jamais fait un aussi long discours. Il avait parlé pour entendre le son de sa voix, ivre de ses propres mots, étonné lui-même de ce qu'il s'entendait dire. Waiakh aussi l'avait écouté sans bouger ni parler, le regardant avec une attention manifeste et comme intimidé. Il reprit son souffle. Parler de tarte aux prunes à ce négrillon mangeur de lézard ?...

LETTRE IX

Vallombrun, le 25 septembre 1861

Monsieur le Président,

Qui aurait pu croire que cette aventure nous ferait recevoir à la Cour?

Le comte de Marsigny, grand chambellan impérial, m'a prié de passer le voir. En effet, S. M. l'Impératrice, instruite par les rumeurs de la ville et de la presse de l'arrivée d'un sauvage blanc, avait exprimé le souhait de le rencontrer. Il ne me dit pas s'il avait eu vent de la séance mouvementée de notre Société. Je m'inclinai : Narcisse et moi étions à la disposition de Sa Majesté.

« Il n'est pas... dangereux, au moins ? »

La question est habituelle, et j'assurai que Narcisse était le plus doux et le plus dévoué des sujets de Leurs Majestés. Le premier mot qu'il avait prononcé à Sydney, et par lequel il s'était reconnu comme Français, n'était-il pas le prénom du fondateur de la dynastie ? Toute sa famille n'était-elle pas réunie dans la vénération de son oncle, vétéran de la Grande Armée, blessé à Eylau ? Quelque chose dans l'œil du Grand Chambellan me laissa penser qu'on ne me croyait qu'à moitié — ou plutôt qu'on voulait bien me croire sur parole, mais que cette créance n'était pas tout à fait suffisante pour garantir la sécurité de S. M. Une lettre de mon frère m'apprit d'ailleurs quelques jours plus tard que le préfet de l'Isère avait été chargé de recueillir des renseignements sur notre famille et moi-même, sans excessive discrétion au demeurant. Le résultat de l'enquête ne dut pas être trop négatif...

« À votre avis, où et comment pourrait se dérouler l'audience ?

— Il ne m'appartient pas de formuler des conseils auprès de S. M. ou de son entourage. Je dois seulement vous préciser que M. Pelletier est encore timide et impressionnable. »

Jamais auparavant Narcisse n'avait été qualifié de Monsieur. J'éprouvai une sensation étrange en entendant dans ma bouche cette appellation formelle, comme si un être nouveau — non plus le sauvage blanc, non plus Narcisse — commençait à apparaître.

« L'apparat de la Cour impériale pourrait l'effrayer, ou le rendre tout à fait muet. S'il pouvait être présenté à S. M. dans une forme d'intimité, avec un protocole allégé et un petit nombre de participants, il serait plus à l'aise pour répondre à ses questions.

— La roseraie de Compiègne plutôt que les

grands salons des Tuileries... Et vous me dites qu'il peut raconter son histoire ?

— M. Pelletier ne sera que trop heureux de satisfaire la curiosité de S. M. Il s'exprime avec la plus grande simplicité, et cherche encore parfois ses mots. Sans doute n'a-t-il pas, ou pas encore, conscience du caractère extraordinaire de son aventure, et ne sait-il pas bien la raconter, mais il répondra à toutes les questions.

— Ses récits seront-ils... convenables devant S. M. et les dames de la Cour ?

— Ce n'est pas, ce n'est plus un matelot du vulgaire qui aurait l'honneur d'être reçu. Il est revenu... comme un enfant, avec une étonnante simplicité d'âme, une totale absence de malice ou d'ironie. »

Narcisse n'est pas un conteur, et en six mois je n'ai presque rien appris de son séjour australien. Mais pouvais-je avouer qu'il risquait d'ennuyer par son silence ?

Un secrétaire assis à une table consignait notre échange. Après quelques autres questions, le Grand Chambellan conclut :

« Nous recevrons ce M. Pelletier. »

Une semaine plus tard, nous arrivions en train à Compiègne. Une calèche nous transporta au château, mais sans s'arrêter à l'entrée principale s'engagea dans les allées du parc et nous amena à un élégant pavillon de bois. Un valet nous proposa des rafraîchissements, et tout en goûtant une orangeade, dans la douceur de ce début d'automne, je répétai une dernière fois à Narcisse les conseils de maintien que je lui avais ressassés pendant tout le trajet.

Le choix de sa tenue m'avait causé bien des soucis. Si la mode ou l'élégance lui sont indifférentes, il n'aime pas les vêtements serrés à la gorge, aux manches ou à la ceinture. Habillé comme moi d'une veste, d'un gilet et d'une cravate de soie, il eût souffert. Après avoir pris conseil sur ce qui pouvait se porter à Compiègne en après-midi, je fis acheter un pantalon de toile blanche, une large chemise écrue avec un foulard autour du cou, une veste grise sans forme, un chapeau noir à larges bords. Il pouvait passer pour un gentilhomme amateur de bateau, un maquignon de retour de la foire ou un notable des montagnes balkaniques.

Un officier de hussards, un géant large d'épaules, vint nous chercher, et nous guida dans les allées. Narcisse marchait d'un bon pas, avec le sourire qu'il manifeste chaque fois qu'il est en pleine nature. Alors que le militaire et moi ne remarquions pas les premières feuilles mortes que nous foulions, lui parvenait sans effort et même sans regarder le sol à ne pas les déranger.

Au détour d'un bosquet, nous étions arrivés. Deux autres hussards taillés sur le même modèle se tenaient debout derrière un banc — le Grand Chambellan n'avait voulu prendre aucun risque. S. M. était assise, souriante, vêtue d'une robe de soie verte, d'un léger châle blanc et coiffée d'une charmante toque ivoire. À trois pas d'elle, je m'inclinai dans une respectueuse révérence. Narcisse fit de même, mais en adressant ses hommages à la femme assise à la droite de S. M., dont la robe bleue rebrodée de fils d'or et la grande capeline ornée d'une plume de faisan lui avaient paru révéler une plus haute dignité.

« Pauline, il n'y a plus d'impératrice quand vous êtes auprès de moi », la taquina S. M. La princesse de Metternich, dont l'identité m'avait été confirmée par le prénom, éclata de rire devant le quiproquo, laissant Narcisse désemparé. Je saluai la princesse, et un homme âgé et replet assis dans un fauteuil que je reconnus comme M. Mérimée. Le Prince Impérial jouait avec un cerceau, sous l'œil attentif de Mme Bruat, sa gouvernante. Deux dames de compagnie brodaient.

« Vicomte, dit S. M., je vous remercie de nous avoir amené M. Pelletier. De l'avoir ramené d'Australie en France, et de nous l'amener aujourd'hui à Compiègne.

— Lequel de ces deux voyages vous a le plus marqué ? » demanda la princesse.

Pris au dépourvu, je ne trouvai de réponse que bien plate et bien sotte.

« Le ramener en France était un devoir, être reçu avec lui à Compiègne est un honneur doublé d'un plaisir. »

La fadeur courtisane du mot déplut-elle à S. M. ? Elle changea d'interlocuteur.

« Alors, monsieur Pelletier, vous êtes heureux d'avoir retrouvé la France ?

— Oui, Votre Majesté. »

Il avait mieux retenu mes leçons d'étiquette que celles de conversation.

« Racontez-nous à quoi vous occupiez vos journées, pendant toutes ces années là-bas.

— Le matin, les hommes vont chasser ou pêcher. Quand il fait trop chaud, tout le monde dort. Le soir, les femmes font à manger. La nuit, elles chantent — ou tout le monde danse. Puis tout le monde dort. »

Nous avions à plusieurs reprises répété cette réplique, qui était plus de mon invention que de Narcisse. Il fut cependant bon comédien et sa réponse appréciée.

« Voilà une vie qui aurait pu me convenir, remarqua rêveusement S. M.

— Et que mangiez-vous ? » demanda la princesse.

Narcisse réfléchit un moment. Allait-il faire une meilleure réponse qu'au R. P. Leroy ?

« Du poisson... des coquillages... des escargots... des...des... » Il ne trouvait pas le mot.

« Une bête qui vole en bandes... Verte...

— Des oiseaux ? proposa la princesse.

— Non. »

Le Prince Impérial, qui s'était rapproché pour écouter, s'écria alors :

« Mère, je vais chercher mon imagier ! »

La princesse le complimenta pour sa vivacité d'esprit et son à-propos, pendant qu'il courait chercher son livre pour le donner à Narcisse. En tournant les pages, celui-ci finit par voir l'animal, le nom français revint à son esprit, et nul ne vit qu'il ne savait pas lire. L'image avait facilité le retour du mot.

« Des sauterelles. »

Une exclamation de surprise et de dégoût accueillit cette annonce. M. Mérimée fit alors un charmant trait d'esprit dont je ne me souviens plus.

« Faisait-il froid ?

— Non, Votre Majesté. Un peu entre deux lunes, et pendant les grosses pluies.

— Comment étiez-vous habillé ?

— Il n'y avait pas d'habits. »

S. M. vérifia que les oreilles du Prince Impérial n'avaient rien entendu, et exprima par un sourire délicat qu'elle n'en voulait pas au témoin des inconvenances que sa franchise révélait.

« Les hommes ont combien de femmes ?

— Une, Votre Majesté.

— Une seule ? Et peuvent-ils en changer ?

— Quand la première femme est un peu vieille, on peut en prendre une autre. Il faut continuer à donner à manger à la première. »

J'étais stupéfait de voir Narcisse raconter volontiers à l'Impératrice la vie chez les sauvages, alors que les questions que je lui avais mille fois posées étaient restées sans réponses. S. M., à raison de sa bonté et de sa simplicité naturelles, obtint bien plus de détails que M. Collet-Hespas la semaine précédente.

« Voilà une coutume australienne qui me semble en usage à la Cour », soupira S. M. Ma pénitence lui sembla avoir assez duré.

« Vicomte, racontez-nous comment vous avez sauvé la vie de ce malheureux. »

Je lui fis le récit du début de cette aventure, en soulignant le rôle du hasard, et celui du gouverneur des Nouvelles-Galles du Sud.

« Il faut l'en remercier. J'écrirai une lettre là-dessus à Victoria. »

L'une des dames de compagnie, qui devait être préposée à la correspondance, inclina la tête et nota quelques lignes sur un carnet.

« Mais, dit la princesse, vous avez été certain dès le début de la véracité de cette histoire ? Vous n'avez pas craint d'être la victime d'une mauvaise plaisanterie ?

— À Paris, de peur d'être dupé, on n'ose plus rien, déclara M. Mérimée.

— Lorsque j'ai vu ce malheureux garçon pour la première fois dans les jardins du gouvernorat, il ne portait qu'un pagne. Ses tatouages sur tout le corps parlaient pour lui.

— Les tatouages ne sont-ils pas habituels chez les marins ? objecta la princesse.

— En effet, Votre Altesse. Mais ceux-là — et les autres signes gravés sur sa peau — ne ressemblent à rien de connu. Peut-être seriez-vous intéressées à les voir ? »

Une inclinaison de l'éventail impérial accepta l'offre, et je priai Narcisse de quitter sa veste et de retrousser sa manche de chemise droite jusqu'à l'épaule.

Une scarification part du biceps, s'enroule deux fois autour de l'avant-bras et vient finir sur le dos de la main. Elle traverse un long tatouage en damiers, réalisé avant, et qui est comme labouré par ce tracé tortueux. Dans les espaces restants, des lignes brisées, des cercles, des tourbillons alternent sans ordre visible. Les motifs réalisés avec un pigment noir, rehaussés de rouge sur la face intérieure de l'avant-bras, sont d'une netteté parfaite, et l'on devine les dizaines d'heures de travail qui ont permis leur réalisation.

S. M. et son entourage, même les officiers de hussards, restèrent bouche bée devant un spectacle aussi nouveau. Narcisse, avec un rien de fatuité, tournait lentement le bras, ouvrait et fermait le poing pour faire ressortir l'étrange décor de sa peau.

« Mère, moi aussi je veux un dessin sur le bras! »

La princesse Pauline expliqua au Prince Impérial qu'il fallait un millier de piqûres avec une aiguille très longue et très grosse, et le Prince Impérial parut alors moins décidé.

Je fis signe à Narcisse de redescendre sa chemise et de remettre sa veste, pour éviter qu'on ne lui demande l'autre bras — voire les jambes, avec sa blessure à la cuisse, ou le dos. Ces marques n'étaient pourtant que l'écume de ce que Narcisse avait enduré, et j'espérais que de nouvelles questions allaient lui permettre d'en révéler d'autres pans.

« Et pendant que vous étiez là-bas, votre famille?...»

Narcisse se tourna vers moi, et je répondis à sa place à S. M.

« Ses parents, son frère, sa sœur ont pensé qu'il était mort. Ils en avaient reçu l'annonce officielle par l'armateur.

— Pendant dix-huit années... », médita S.M., avant de s'adresser à son aide de camp :

« Capitaine, veillez à ce que le ministre de la Marine regarde pourquoi ce malheureux a été abandonné et comment on a pu donner à ses parents la fausse nouvelle de sa mort. »

Puis, revenant à Narcisse :

« Vous avez revu vos parents ?

— Oui, Votre Majesté. Le vicomte m'a accompagné à Saint-Gilles-sur-Vie.

— Combien ces retrouvailles ont dû être touchantes... »

Je m'inclinai, ne voulant pas ennuyer S.M. avec notre voyage en Vendée.

« Et quand vous étiez en Australie, comment viviez-vous ?

— Au début, j'étais comme un enfant. Je ne savais rien faire, ni parler, ni chasser, ni manger. Une vieille s'est occupée de moi. Je suis resté avec elle le temps de devenir grand.

— Mais quel âge aviez-vous quand vous vous êtes retrouvé là-bas ? » demanda la princesse.

Le voyant muet face à une question délicate, je le suppléai :

« Dix-huit ans et six mois. Je crois que les sauvages l'ont considéré au début comme un enfant parce qu'il ne savait rien de leurs usages.

— Comme c'est curieux ! s'étonna S.M. Et cette vieille dame, mon ami ?

— Elle est morte.

— Oh, je suis navrée. Vous avez dû vous sentir bien seul à nouveau... Et après cela ? »

Sa question portait sur les liens que Narcisse avait pu nouer ensuite, mais il l'interpréta tout autrement.

« Après, nous l'avons laissée sous son arbre. Le soir même, nous sommes repartis à un autre endroit dans la forêt.

— Comment cela ?

— Quand la mort passe, on la laisse là où elle est. Il ne faut pas toucher le mort, ni ses flèches, ses paniers, sa nourriture. Il faut s'en aller, sinon... du mauvais arrive. Il ne faut pas retourner au même endroit. »

Combien de précieuses informations recelaient ces quelques phrases ! S. M., à qui il cherchait à plaire, obtenait sans s'en douter bien plus de détails que mes continuels et vains interrogatoires. J'en conçus, je dois l'avouer, un peu de dépit. En vous écrivant ce récit, je comprends surtout que j'eus tort de m'entêter avec mes questions, ma méthode et mes principes d'enquête. Narcisse parle où et quand cela lui plaît.

Pour oublier cet épisode un peu triste, S. M. lui demanda :

« Et moi, mon ami, savez-vous donc qui je suis ?

— Vous êtes la femme du grand chef.

— Ce n'est pas trop mal vu », soupira S. M., qui alors se tourna vers son amie et lui confia d'une voix rêveuse, caressant machinalement un coussin brodé : « Ces yeux... depuis que je suis impératrice, aucun homme ne m'a regardée avec cette franchise et cette force. Je n'ai pu soutenir son regard. »

Un instant de gêne s'installa. Narcisse et moi attendions d'être de nouveau invités à participer à la conversation. Que dire, après cette confidence? Pour briser le charme, la princesse de Metternich battit des mains comme une enfant et s'écria :

« Allons faire de la musique. Voilà bien un langage universel. Mesdames, jouez-nous donc quelque chose. »

Deux dames de compagnie enlevèrent un brocart posé sur un meuble, dévoilant un piano droit posé sur une petite estrade. La plus jeune apporta un tabouret, s'y installa, et exécuta deux préludes de Chopin, avec beaucoup de sentiment, peut-être un peu trop.

Narcisse avait déjà entendu notre musique, un trio dans un café à Calais, l'harmonium de l'église de Saint-Gilles, une fanfare militaire dans un kiosque à Paris. Je savais qu'il n'y comprenait rien et n'y éprouvait ni intérêt ni plaisir. Il écouta poliment. Il devinait que S. M. n'en avait pas fini avec lui.

« Dites-moi, mon ami, quand vous étiez en Australie, vous chantiez?

— Oui, Votre Majesté.

— Chantez-nous donc un air de là-bas. Cela nous changera des ritournelles à la mode. »

Cette demande imprévue m'alarma. Je lui

avais bien sûr à plusieurs reprises adressé la même demande, mais avec un constant insuccès. Nous n'avions rien préparé, et j'ignorais comment il réagirait. Il baissa la tête, rassemblant ses souvenirs, et s'exécuta.

Les sons qui sortirent de sa bouche — comment les décrire? miaulements, répétitions saccadées de syllabes, claquements de langue ou de dents, grognements syncopés, sifflements... — ne ressemblaient à rien de ce que l'on enseigne au Conservatoire ou que j'aie jamais entendu, même dans le Pacifique. Aucune portée, aucune altération en dièses ou en bémols n'aurait pu noter cette mélopée. Un rythme étrange et marqué attestait qu'il s'agissait bien d'un chant. Sa voix même avait changé, gutturale et sourde. Quelque chose de la rudesse de l'Australie, de la solitude de ses déserts, de l'ardeur du soleil sur une terre craquelée pénétra dans le parc de Compiègne, et je me serais presque attendu à voir un peu de poussière rouge se déposer, impalpable, sur les épaules de l'Impératrice...

Narcisse s'arrêta brusquement, sans cadence ni *rallantando*. S. M. frissonna et, pour reprendre un ton léger, dit sans parvenir à sourire :

« Eh bien, Pauline, voilà qui est sans doute plus étonnant que ce M. Wagner dont vous me vantez les nouveautés... »

La princesse Pauline relança la conversation qui menaçait de languir, et se tourna vers Narcisse :

« Et qu'allez-vous faire demain, mon ami? »

Cette question anodine le plongea dans une profonde perplexité. Je voyais, à sa manière de remuer les doigts, qu'il était perdu. Il s'inclina vers la princesse, respira profondément, et se jeta à l'eau :

« Demain, le soleil se lèvera. »

S. M. et la princesse ne pouvaient reconnaître mes leçons de grammaire et mes tentatives pour lui inculquer la notion même de futur. Elles s'extasièrent sur la « sagesse orientale » de cette réponse.

« Voilà, dit S. M., ce que je vais désormais répondre à tous ces importuns qui me sollicitent sans cesse pour connaître mes projets ou ceux de l'Empereur... »

Je n'osai dissiper le malentendu de cette réponse — et il me semble, alors que je vous écris ces lignes, que l'audience tout entière fut un long malentendu.

« Vous n'avez point de métier, point de situation ? » renchérit la princesse.

Il baissa les yeux.

« Et si le vicomte ne s'était pas occupé de vous, vous seriez mort de faim ? »

Narcisse ne sut que répondre. Le raisonnement hypothétique lui était encore plus étranger que le futur. Son silence fut compris comme une délicatesse de sentiment.

« Capitaine, ordonna S. M., je veux qu'on trouve à ce malheureux un emploi dans l'administration. Vous verrez avec le vicomte ce qui pourra lui convenir. Je veux que ses années d'errance et d'infortune s'arrêtent aujourd'hui. »

Elle se leva — l'audience était terminée. Ses dernières paroles furent pour moi :

« Vicomte, je veux saluer votre geste. Vous avez recueilli ce malheureux alors que rien ne vous y obligeait. Vous vous êtes dévoué, vous vous en êtes occupé comme de votre propre frère. Vous l'avez ramené dans son pays. Indifférent aux bruits de la ville et aux honneurs, vous n'attendez aucune récompense de cet acte généreux. Je ne sais si les Français comprendront votre attitude, et je crois que peu vous en chaut. Votre Impératrice — même si elle doit être seule, là encore — salue votre grandeur d'âme. »

Aussi surpris qu'ému devant les paroles de ma souveraine, je m'inclinai profondément et préférai le silence à une réponse médiocre.

« Prenez cette bague en souvenir de moi. La couleur de sa pierre vous rappellera l'océan. »

Je recueillis de sa main un anneau d'or, orné d'un saphir et de diamants, qu'elle retira de son majeur. L'instant fut étrangement solennel, et S. M. et la princesse semblaient graves et attendries. Narcisse suivait des yeux un vol d'oiseaux vers le sud, un frémissement du vent dans les branches d'un orme.

Le hussard revint vers moi, signifiant qu'il était temps de nous retirer. S. M. s'était détournée, la princesse Pauline annonçant dans un charmant éclat de rire qu'elle allait se risquer au piano.

Pendant que nous retournions vers le pavillon, une polka retentit sous les arbres. Au moment de passer de l'autre côté de la haie, Narcisse se retourna pour voir une dernière fois S. M. Celle-ci, debout, la tête à moitié tournée vers l'arrière, le regardait s'éloigner.

Avant de nous laisser monter dans la calèche, le capitaine de hussards me prit en particulier :

« Monsieur le Vicomte, comment pouvons-nous obéir au souhait de S. M. ? Quel emploi ce garçon est-il susceptible de tenir ?

— Je l'ignore !

— Vous ne le voyez tout de même pas au Conseil d'État ?

— Il n'y serait pas heureux. »

L'officier me toisa, pensant avoir entendu une impertinence en réponse à sa boutade — mais j'avais été sincère en ne pensant qu'à Narcisse, et j'aurais pu tout aussi bien faire valoir qu'il ne savait pas lire. Je dus compléter ma réponse :

« Il reste... peu familier des papiers et de l'écrit. La foule le met mal à l'aise, comme le fait d'avoir à discuter, ou simplement d'écouter autrui. Les travaux manuels et la vie au grand air lui conviennent. Je ne l'imagine pas à Paris, ni dans une grande ville.

— Est-il capable d'obéir ?

— Peut-être pas comme un soldat. Mais il est doux, plein de bonne volonté et fait ce qu'on lui dit.

— Un emploi aux Eaux et Forêts ?

— Il a toujours vécu sur la mer ou à son rivage. Si vous pouviez lui trouver quelque place qui l'y ramène...

— Puisque Sa Majesté vous a donné sa bague,

vos désirs sont des ordres », conclut l'officier avec un mouvement sec de la tête et sur un ton d'insolence qui contredisait son propos et son geste.

Narcisse, pendant que nous discutions de son avenir, admirait les chevaux bais de l'équipage impérial. Je me demandais par quelle mystérieuse alchimie S. M. avait obtenu de lui, comme sans y penser et sans doute sans s'en apercevoir, nombre d'informations précieuses que Narcisse n'avait jamais livrées à quiconque auparavant. Ah, si les sceptiques de la séance de notre Société avaient pu assister à cet entretien, ils se seraient sentis bien sots...

En route vers la gare, Narcisse me demanda :
« Nous reverrons l'Impératrice ?
— Je ne sais pas. Je ne crois pas. »
C'était la première fois qu'il employait le futur, qu'il me posait une question, qu'il manifestait une forme d'intérêt pour ce qui lui arrivait. Il voulut aussi voir la bague, mais les étroits carreaux laissaient filtrer une lumière d'automne où ni l'or ni les pierres ne brillaient. Il s'en désintéressa.

Oserai-je vous dire quel fut son commentaire de cette mémorable journée ? Je vous le confie sous le sceau du secret et de la science :
« L'Impératrice est une belle femme. Plus que la princesse Pauline. »

Croyez, Monsieur le Président...

10

Pendant ces journées nu sur les plages, Narcisse s'était protégé du soleil de son mieux, restant à l'ombre autant que possible.

Pourtant, ce matin, Narcisse pelait. Des lambeaux de peau, après avoir bruni puis cloqué, se détachaient. Les épaules, le dos, les fesses, les cuisses, auparavant toujours protégés par les vêtements, le faisaient particulièrement souffrir. Et la peau rose et neuve qui apparaissait, plus sensible encore, ne supportait ni le soleil, ni le sable, ni le vent, ni le sel de la mer.

Tout son corps ardait. Les Chinois de tous les ports du monde vendent aux marins des fioles de potions contre les brûlures du soleil, mais ici que pouvait-il étendre pour apaiser sa peau? Toutes les plantes lui étaient inconnues, et il ne pouvait pas prendre le risque d'appliquer au hasard leur suc ou leurs feuilles froissées sur ses brûlures. Il essaya avec l'intérieur de la peau d'un poisson un peu gras après cuisson, mais sans bénéfice notable.

La vieille avait remarqué son état, mais ne lui

proposa rien. Avec dégoût, il la vit ramasser à terre un lambeau de peau morte, le mâcher, déglutir, le recracher. Croyait-elle qu'il était en train de muer comme un serpent?

Avec les saisons, les serpents muent, les lièvres changent de couleur, les oiseaux renouvellent leur plumage. Et lui, devait-il également se transformer? De quelles mues insoupçonnées sera-t-il capable? Que doit-il cesser d'être, et que peut-il devenir? La chenille ne choisit pas de devenir papillon. A-t-il plus de choix?

En fin de matinée, un sauvage sortit de la forêt. Dès qu'elles l'aperçurent, les femmes cessèrent de jouer avec leur enfant, sortirent de la mer, se réveillèrent, et toutes accoururent pour l'entourer, le toucher, être près de lui, lui parler, lui chanter de brèves cantilènes. Il avança lentement jusqu'à un arbre isolé, au pied duquel il s'allongea. Les femmes lui apportèrent de l'eau, des poissons, des branchettes, des coquillages, firent un feu juste à côté. Toutes s'assirent autour de lui, avec les enfants, et parlaient sans cesse et toutes ensemble.

Narcisse vint voir. Ce sauvage lui parut incroyablement vieux. Ses cheveux frisottés étaient d'un blanc de neige — alors que le doyen de la tribu, celui qu'il surnommait Chef, avait encore des cheveux sinon noirs du moins cendrés. Son visage était ridé de plis profonds partant dans tous les sens, enfonçant les yeux dans les orbites. L'âge avait fondu les muscles des bras et des

jambes, ne laissant sur les os qu'une peau trop
abondante et qui pendait comme un vêtement
trop grand. Les tatouages et les scarifications se
perdaient, illisibles, dans les plis de cette peau
devenue grise et comme déjà morte. Il était
amputé du petit doigt de la main droite, comme
le charpentier du *Saint-Paul*, et n'avait plus que
quelques dents branlantes. Alors que les autres
hommes allaient entièrement nus, il portait aux
hanches une mince ceinture, faite d'une liane tressée, d'où pendait sur le devant une minuscule
rosace.

Qui était cet ancêtre?

À voir les femmes empressées, désireuses non
pas de lui obéir mais de satisfaire à l'avance ses
éventuels caprices, fières d'être en sa compagnie,
il ne put s'empêcher de les comparer aux bigotes
de l'église, que la visite d'un émissaire de l'évêque
mettait en pâmoison. Il remarqua que les enfants,
même plus grands que Waiakh, poursuivaient
leurs jeux et ne lui prêtaient aucune attention. Il
calqua son indifférence sur la leur.

Dans l'après-midi, la vieille vint le trouver et lui
fit signe de la suivre. Elle l'amena jusqu'à l'aïeul,
toujours étendu, à demi somnolent. Narcisse resta
debout, heureux de sentir sa taille et ses muscles
devant cette créature chétive. La vieille fit un petit
discours chantonné, dans lequel il crut entendre
« Amglo ». L'étiquette locale commandait-elle
qu'il soit formellement présenté au notable? Il
esquissa une révérence bouffonne, et dit à très
haute voix :

« Salut à toi, ô prince crasseux des sauvages. Je suis Narcisse Pelletier, matelot sur la goélette *Saint-Paul*. Comme vous n'arrivez pas à parler correctement, les tiens m'appellent Amglo. »

Quelque chose dans le regard insistant du vieillard le mit mal à l'aise, et il passa son chemin.

Toute la journée, les femmes s'empressèrent auprès du vieillard. Narcisse ne voulut pas lui prêter attention, que lui importait un sauvage de plus ou de moins... Le vieillard n'était pas venu pour voir Amglo ou s'occuper de son avenir, vu le peu d'intérêt qu'il lui avait manifesté. Peut-être, après la mort de la femme en couches, était-il pour toutes ces femmes quelque chose comme un sorcier ou un magicien venu les consoler... Qu'ils chantent ensemble tous les Requiem des sauvages, ça lui fera une distraction !

Puis, alors qu'il suçotait les restes d'un gros poisson aux écailles bleutées, une évidence le frappa. Si cet aïeul était venu pour participer au deuil ou pour constater l'arrivée d'Amglo, voire pour les deux, c'est donc qu'il avait été averti de ces événements affectant la tribu. Qui l'avait prévenu ? Quand et comment ?

À le voir si fragile et si malaisé pour les gestes les plus simples, il comprit aussi que le vieillard ne pouvait pas vivre en ermite dans quelque coin de la forêt. Il avait besoin de l'aide d'autres sauvages pour chasser ou trouver à boire. Avec ses petits pas hésitants, il n'avait pas pu marcher seul plus de deux ou trois jours. Ainsi, pas trop loin d'ici, un autre groupe de sauvages campait et c'est auprès d'eux qu'il devait vivre.

Narcisse repensa à l'arrivée de Chemineau, lorsqu'ils étaient auprès de la mare. Il avait alors cru deviner que le jeune avait chassé solitaire pendant quelques jours, mais peut-être avait-il rendu visite à ces cousins, pour saluer le chef, porter un message, chercher une épouse ou, qui sait, recueillir la bénédiction de l'aïeul.

L'Australie était peuplée de sauvages. D'autres bandes circulaient en tous sens, longeant la mer, dans les forêts, les mangroves, les déserts qu'il imaginait sans fin.

Les tribus les plus au sud, proches de Sydney, devaient connaître les hommes blancs.

Pouvait-il espérer être conduit de groupe en groupe jusqu'à la colonie anglaise, ou son plus lointain avant-poste ? Pouvait-il faire passer de tribu en tribu un message pour ses semblables, gravé sur une écorce et signalant sa présence ?

Il était bien trop tôt pour se laisser aller à un nouvel espoir insensé, fondé sur deux idées différentes et qu'il ne savait réaliser ni l'une ni l'autre. Aucun miracle n'aurait lieu et il ne devait pas se leurrer. Il avait seulement appris que d'autres tribus existaient, circulaient, avaient des contacts.

Passer d'une tribu à l'autre ? À supposer que tous les sauvages se montrent accueillants, voire complaisants, comment pourrait-il être sûr que ses nouveaux hôtes allaient l'emmener dans la bonne direction ? Et quelle était la bonne direction? Vers le sud, assurément, mais les sauvages se déplacent-ils en ligne droite?...

Faire passer un message était-il plus assuré? Il tenta de griffer un morceau de bois avec plusieurs coquillages et parvint à force d'essais à tracer des lignes. Écrire son nom, certes, mais pour dire quoi et à qui? Il ne savait pas expliquer où il était, et les sauvages changeaient souvent de campement. Et quand bien même arriverait-il à tracer sur une écorce son nom et une carte approximative, afin au moins de provoquer des recherches, comment expliquer aux sauvages l'importance de ce message, et l'urgence à le faire passer de main noire en main noire, jusqu'à une main blanche? L'écorce patiemment gravée et porteuse de tous ses espoirs ne servira-t-elle qu'à allumer un feu?

LETTRE X

Monsieur le Président,

Je vous remercie de votre réponse du 10 septembre. Vous avez bien voulu m'expliquer les préoccupations, en effet diverses et contradictoires, qui vous ont guidé dans la conduite de la séance plénière, et je les entends, bien sûr. Je vous remercie d'avoir pris le temps de lever ce qui aurait pu constituer une difficulté entre nous. Les vives émotions qui m'ont parcouru cette après-midi-là, mon souci de protéger Narcisse Pelletier, ainsi que mon jeune âge, comme vous le sous-entendez, ont sans doute brouillé la perception que j'en ai eue depuis la tribune, alors que nous rentrions juste de ces quelques jours singuliers à Saint-Gilles. La lettre que je vous ai écrite à chaud manquait de recul. L'audience de Sa Majesté qui a suivi, et dont je vous ai rendu compte, était un autre événement d'importance. Il a fallu, pour retrouver la sérénité nécessaire, quitter Paris.

Comme vous le voyez à mon silence avant de revenir vers vous, j'ai pris le temps de réfléchir, dans le calme du château de Vallombrun. Ma sœur Charlotte, que je n'avais pas revue depuis près de quatre années, nous attendait. Je l'avais informée de l'essentiel de cette aventure, et elle était très désireuse d'en rencontrer le héros principal.

Nous l'installâmes dans une chambre d'amis, et il partage nos repas. Pour nos gens, un invité comme d'autres. Les premiers jours, il parut apprécier les arbres aux couleurs d'automne, les prés et les haies, les promenades, la fontaine du village et les ruisseaux. De certaines crêtes proches du château on aperçoit quelques-uns des monts enneigés des Alpes. Je m'étonnai que la frontière du royaume de Piémont-Sardaigne qui avant mon départ m'en séparait ait reculé aux sommets les plus hauts, et que l'Empire recouvre désormais la totalité des bassins de l'Isère et de l'Arve. Narcisse, lui, ne comprend pas ce qu'est la substance blanche qu'il découvrait à l'horizon.

Si j'ai beaucoup aimé la marche quand j'avais vingt ans, je n'ai plus, surtout après une aussi longue absence, le loisir d'accompagner Narcisse tous les jours. Le sens de l'orientation dont il avait fait preuve dans les forêts autour de Sydney puis dans les rues de Paris m'assurait qu'il ne se perdrait pas : je l'engageai à découvrir le pays par lui-même.

Il partit d'un bon pas un matin, et revint le soir

sans sa casquette, la veste déchirée, le pantalon maculé de boue. Je craignis d'abord qu'il ait fait quelque mauvaise rencontre, mais non. À deux lieues d'ici, des paysans déchargeaient un tombereau de bûches pour l'hiver. Spontanément, et quasiment sans parler, il leur a « donné la main », comme on dit ici. Surpris au début de voir ce grand gaillard bien habillé transporter le bois vers le bûcher, ses nouveaux amis ont profité de l'aubaine, sans doute un peu narquois au début de le voir aussi indifférent au destin de ses vêtements neufs. Deux autres voyages de tombereau suivirent. Ils partagèrent le pain, la tomme et le saucisson, et terminèrent de ranger le bois pour l'hiver. Puis Narcisse rentra au château.

Les jours suivants, ses promenades l'amenèrent à accompagner la désalpe d'un troupeau de moutons, à sortir le fumier d'une étable, à transporter des brouettes de terre d'un chantier, à déboucher un fossé. Ne croyez pas qu'il recherche l'embauche et l'effort. Il se promène le nez au vent. Passant près d'hommes au travail, comme à bord du *Strathmore*, il ne peut pas ne pas les aider.

Je lui fournis des vêtements plus adaptés à cet étrange loisir. Mais les gens au village murmurent sur cette manière d'être qui ne les amuse plus et parfois les offusque. Ils se méfient spontanément d'une générosité si singulière. Mais mes gens ne comprennent plus s'ils doivent le traiter en invité ou en tâcheron — car il ne laisse pas le cocher sortir seul le foin de la grange, ni la cuisinière porter un cageot de pommes. Mais si ma sœur ne me dit rien, je comprends sa surprise de devoir dîner avec un journalier muet. Moi-même, pendant ces quelques semaines, je n'appris absolument rien de plus : Narcisse est un gentil garçon, mais cette seule qualité lui donne-t-elle une créance illimitée sur mon hospitalité ?

Je crois également que Narcisse eut une aventure avec une fille du village, et que le curé et le père de l'intéressée ont jugé sa présence inconvenante.

Bref, si la place de Narcisse n'est pas à Saint-Gilles, elle n'est peut-être pas davantage à Vallombrun.

Je méditais sur mes relations avec lui, lorsque je reçus une lettre du ministère de la Marine. La question de Sa Majesté n'avait pas été oubliée. Le ministre avait chargé l'amiral Jurien de La Gravière de présider une commission d'enquête sur les événements ayant conduit le matelot Pelletier à passer des années parmi les sauvages australiens alors que l'armement avait annoncé à tort son décès, empêchant ainsi toutes recherches. Des suites disciplinaires ou pénales n'étaient pas exclues, me confia-t-on dans les couloirs.

Les bureaux retrouvèrent sans difficulté l'armateur du *Saint-Paul*, son capitaine, son journal de bord. Le second, qui avait contresigné le procès-verbal de décès du 5 novembre 1843, avait été poignardé dans une rixe à Valparaíso en 1855.

Devant la commission d'enquête, sous les ors de l'hôtel de la Marine, le capitaine Porteret, qui ne naviguait plus à la suite d'une blessure à la jambe, avait d'abord plaidé qu'il ne se souvenait plus très bien de cette affaire ancienne, juste d'une traversée difficile du Cap à la Chine, avec des malades, une escale imprévue... L'officier rapporteur, qui avait étudié le journal de bord, le pressa de questions sur ses choix tactiques. Pourquoi avoir choisi une route aussi au sud au départ du Cap ? Pourquoi s'être entêté à faire ensuite une route à l'est, alors qu'il avait noté au journal plusieurs malades, et qu'il aurait pu gagner La Réunion, Maurice ou Ceylan ? Pourquoi cette navigation lente et précautionneuse à l'ouest puis au nord de l'Australie, ponctuée de tentatives timides et vaines pour faire de l'eau ? Pourquoi avoir tant tardé à prendre la bonne décision, cesser de chercher une aiguade et partir pour le port le plus proche ?

À chaque question le capitaine se tassait sur sa chaise, bredouillait, et retrouvait partiellement la mémoire. Ses explications hachées, parfois contradictoires, laissaient une impression pénible d'incompétence. Je ne pouvais imaginer que ce vieil homme ait assumé le commandement d'une goélette au long cours et d'un équipage d'une trentaine d'hommes.

Un jeune officier le harcela de questions sur les cartes avec lesquelles il naviguait en 1843. Le capitaine ne savait plus précisément, elles étaient sans doute anciennes et médiocres, l'armateur était pingre et économisait sur tout, même en timonerie. Des cartes d'avant la Révolution ?

D'avant l'expédition de Nicolas Baudin? Il ne savait plus. En tout cas il était sûr de n'avoir jamais eu de cartes anglaises.

L'amiral lui porta le coup de grâce :

« Combien de morts avez-vous eus après Le Cap? »

Blême, le capitaine dut confesser qu'il ne s'en souvenait pas.

« Eh bien, je crois qu'il est temps de faire une pause et de vous laisser relire votre journal de bord. J'espère que cela vous aidera pour la suite. »

Pendant qu'un second maître conduisait le capitaine dans un bureau adjacent, l'amiral vint vers nous.

« Bonjour, vicomte; bonjour, matelot. J'attends beaucoup de la confrontation qui va suivre. Je ne suis pas sûr que ce Porteret ait compris ce qu'il fait là. Ses choix de navigation ont été médiocres, mais pour l'instant je ne vois rien de fautif. Par contre, l'abandon d'un membre d'équipage et la rédaction d'un faux acte de décès sont des crimes. Je ne sais pas encore vers quoi nous nous dirigeons. Le Ministre attache beaucoup de prix à la résolution de cette énigme. Tout dépendra, mon garçon, de ton témoignage. »

La commission d'enquête me demanda ensuite dans quelles circonstances le matelot Pelletier avait été découvert. Je répétai mon récit des événements de février et mars en Australie. L'un des officiers me posa une question à laquelle je n'avais jamais songé :

« La baie où le matelot a été retrouvé par ce navire anglais, le *John Bell*, n'est pas une terre inconnue, elle est cartographiée, le mouillage est recensé aux Instructions nautiques : même si par vent d'est ou forte marée il vaut mieux l'éviter, il n'y en a pas d'autres dans le secteur. Bref, cette baie est régulièrement fréquentée. Comment expliquer qu'en dix-huit ans aucun navire n'ait rien remarqué ? ou, pour dire les choses autrement, pensez-vous que le matelot ait choisi de se montrer ce jour-là ? »

Je me tournai vers Narcisse, qui comme je le pressentais resta muet. Je dus improviser.

« D'après ce que j'ai pu comprendre, les sauvages qui ont recueilli le matelot Pelletier nomadisent selon les saisons entre le bord de mer et l'intérieur. Il ne faut pas imaginer qu'ils campent en permanence sur les rivages. Je ne peux pas vous dire s'il a cherché ou fui le contact avec les Blancs. N'oublions pas qu'il n'était pas vraiment maître de ses mouvements. Il n'était pas attaché, mais pouvait-il faire autre chose que de les suivre ? Quand la chaloupe anglaise a débarqué sur la plage, quelques sauvages et Pelletier ont continué à pêcher dans les rochers. Ils ne se sont pas enfuis, n'ont pas tenté de se cacher. Il ne s'est pas distingué des autres. En se rapprochant du groupe, les Anglais ont constaté que l'un d'eux était plus grand et, quoique tanné par le soleil, manifestement de race blanche. Il ne parlait que la langue des sauvages. Ils l'ont invité par gestes à monter dans la chaloupe, ils ne l'ont pas forcé. Quand le

John Bell a mis à la voile, il a manifesté le plus complet abattement.

— Et pourquoi ne nous le dit-il pas lui-même? » demanda l'amiral.

Narcisse regardait les officiers en grand uniforme d'un air tranquille, comme si tout cela ne le concernait pas vraiment. J'attendis qu'il réponde, et il ne dit rien. J'écartai les bras pour les prendre à témoin de son attitude :

« Je ne sais pas. Il a toujours refusé ou, plutôt, s'est toujours abstenu de répondre à mes questions sur ce qui s'est passé là-bas. Je l'ai bien sûr interrogé sur les circonstances de son arrivée sur cette côte. Sur ce sujet-là comme sur tous les autres, il conserve un entier silence. Je n'y puis rien. Seule S. M. l'Impératrice a su obtenir quelques confidences. »

Cette conclusion visait à prévenir toute nouvelle question sur son silence, et fut à cet égard efficace. L'amiral reprit :

« Pour les Anglais, l'existence de ce sauvage blanc fut une complète surprise?

— Une surprise totale. Aucun récit de taverne, aucune rumeur d'entrepont n'avait jamais mentionné un tel cas.

— Il y a pourtant eu dans le Pacifique d'autres marins tombés sur la natte, objecta l'amiral — pour le plaisir d'employer une expression qui n'a cours que là-bas, en souvenir sans doute de ses campagnes de jeunesse.

— On en connaît, suite à naufrage ou désertion. La Société de Géographie a procédé à ma demande à une recension de tous les cas connus. Aucun n'est resté dix-huit ans dans une solitude absolue. Aucun, pour tout dire, n'a ainsi adopté entièrement les mœurs et la langue des sauvages. Le cas d'un jeune homme blanc, devenu complètement sauvage, oubliant entièrement ses origines, semble sans exemple. »

Je ne crus pas utile d'ajouter devant la commission une réflexion plus scientifique et que je me faisais en parallèle. On connaît à l'inverse des sauvages amenés en Europe et qui se sont adaptés à notre mode de vie. Aoutourou, qui suivit Bougainville de Tahiti jusqu'à la cour de Louis XV, fut le plus notable mais pas le premier. Venus des plaines d'Amérique, des profondeurs de l'Afrique, des îles du Pacifique, de gré ou de force, bien des sauvages se sont acclimatés à Paris ou à Londres. Plus étonnant encore, les missionnaires parviennent à les civiliser sur les lieux mêmes de leur naissance.

Ainsi, le sauvage vivant au milieu de Blancs adopte nos usages, alors que le Blanc précipité parmi eux conserve les bienfaits de la civilisation, des années durant — à la seule exception connue et pour cela fascinante de Narcisse. Peut-on mieux démontrer la supériorité du Blanc sur le sauvage ? La force d'attraction ainsi mise en valeur, et qui s'exerce toujours dans le même sens, confirme ce que le bon sens suggère.

À l'exception de Narcisse.

L'amiral fit revenir le capitaine Porteret, après nous avoir placés près de la porte. Comme nous étions les seuls civils, il nous regarda en passant, sans marquer d'intérêt particulier. Narcisse ne parut pas davantage le reconnaître.

« Alors, capitaine, avez-vous retrouvé le souvenir de la journée du 5 novembre 1843?

— Oui, amiral. Nous étions entrés dans cette baie qui paraissait accueillante, et j'avais envoyé des hommes à terre pour chercher une aiguade. Une heure après, la chaloupe est revenue pour m'apprendre que Pelletier avait disparu. Je renforçai l'équipe à terre et son armement, et leur ordonnai de patrouiller la côte et la forêt adjacente, en tirant des coups de fusil en l'air pour se faire entendre. À partir du dernier endroit où l'on avait vu le matelot, ils ont marché en tous sens sur deux ou trois lieues. Ils n'ont découvert aucun indice, aucune trace. Pelletier avait disparu comme par magie. Je communiquai par signaux avec la chaloupe et toujours la même réponse : rien. La position du navire était inconfortable, avec un mouillage médiocre, un fort courant de marée, l'approche d'une tempête — et les gémissements des malades. Le second me pressait d'abandonner, mais je ne pouvais m'y résoudre. Pourtant, au crépuscule, il fallut se rendre à l'évidence et suspendre les recherches. La chaloupe parvint péniblement à rembarquer dans une mer bien formée, et nous avons quitté la baie à grand-peine. Sur mes instructions, un dépôt de vivres, des vêtements, un fusil et des munitions avaient été laissés à terre. Je voulais que Pelletier — s'il était encore vivant — supporte au mieux sa nuit à terre. J'étais dans l'idée de revenir le lendemain et de poursuivre les recherches autant qu'il faudrait. Mort ou vif, un homme ne disparaît pas sans laisser de traces. Mais pendant deux jours, la tempête fit rage et nous éloigna sensiblement des côtes. Il me fallut prendre une décision : revenir en arrière, contre les vents dominants ; ou sauver les malades. Après une longue délibération avec le second, j'optai, le cœur déchiré, pour la route de Sydney. Que pouvions-nous faire d'autre ? Fouiller encore et encore la baie et ses environs ne nous aurait rien apporté de plus. Pelletier n'avait pas répondu à nos signaux. Pour moi, pour le second, à la réflexion, il était mort et son corps gisait dans un recoin inaccessible, une grotte, un marécage... De quoi était-il mort subitement ? Morsure de serpent, insolation, chute fatale... Il nous aurait fallu des jours et des jours, et beaucoup de chance, pour retrouver son cadavre. Je le croyais vivant en appareillant, je me suis convaincu de sa mort dans les heures qui ont suivi. D'autres hommes de mon équipage réclamaient de l'eau et des soins. Je n'hésitai plus. M'entêter dans de vaines recherches eût provoqué la mort de mes malades et, le second vint au surplus m'en avertir, un risque de mutinerie. »

Les officiers le toisaient d'un air dubitatif.

« Votre journal de bord est loin de contenir tous ces détails.

— Cela m'est revenu à la lecture. Le journal a été rempli conformément aux règles, par le second et sur mes instructions. Il mentionne la mort de Pelletier le 5 novembre 1843.

— Mais vous n'en saviez rien ! Et, selon vous, ce n'est que le lendemain que vous avez tiré cette conclusion. Votre journal est mensonger.

— Pardon, amiral. Il est peut-être approximatif mais pas mensonger. J'avais toutes les raisons de penser que Pelletier était mort, comme un homme tombé à la mer : personne ne voit ses derniers instants ni ne recueille le cadavre, mais l'issue est hélas certaine. »

La comparaison était habile et lui permit de reprendre un peu d'assurance. Ne voulant pas perdre l'avantage, l'amiral lui montra Narcisse :

« Reconnaissez-vous cet homme ?

— Non, amiral.

— Voici Narcisse Pelletier. »

Le capitaine le dévisagea longuement, puis secoua la tête :

« C'était il y a dix-huit ans, un gamin que j'avais embarqué à Bordeaux deux mois plus tôt, un parmi les trente de l'équipage. Je ne sais pas. Je ne le reconnais pas. »

L'amiral posa la même question à Narcisse, qui, sans surprise pour moi, ne reconnut pas non plus le capitaine Porteret. Un officier prit alors la parole :

« Matelot, tu as entendu le récit fait par le capitaine. C'est bien comme cela que les choses se sont passées ?

— Oui, monsieur.

« — Tu te souviens du moment où tu as été séparé de tes camarades ?

— Non.

— Tu les as recherchés ?

— Je ne sais pas.

— Tu as entendu les appels, les sifflets, les coups de fusil ?

— Oui... non... je ne sais pas.

— Tu as trouvé sur la plage les vivres laissés pour toi ?

— ...

— Tu ne te souviens de rien, pour cette journée du 5 novembre 1843 ?

— Non... rien... du temps d'avant. »

En l'absence de tout témoin, le récit du capitaine devenait la vérité. Je savais enfin par quel enchaînement de circonstances Narcisse était arrivé en Australie, même si un mystère demeure : pourquoi avait-il manqué le départ de la chaloupe ? comment s'était-il égaré ? avait-il perdu connaissance ? ou les sauvages l'avaient-ils capturé et bâillonné ? Nous ne le saurons jamais.

« Mon brave, bougonna l'amiral, si tu ne te souviens plus de rien, pourquoi nous assures-tu que la version du capitaine est exacte ? »

Cette remarque suggérait qu'il avait des doutes, mais il choisit de ne pas les exprimer devant nous. Il était visiblement déçu, la commission d'enquête n'allait pas mettre au jour un drame oublié et sanctionner un abandon délibéré par un criminel. Leur rapport irait s'enfouir dans un placard, le ministre rassurerait Sa Majesté d'un mot, sans avoir l'occasion de citer le nom et le zèle de l'amiral. L'affaire perdait tout intérêt.

À la droite de l'amiral, un capitaine de vaisseau, qui m'avait jusque-là paru somnoler, dit alors d'une voix éteinte :

« Quelque chose m'échappe, capitaine. Vous traversez l'océan Indien dans des conditions difficiles, vous avez des morts, des blessés, vous manquez d'eau. Vous longez la côte ouest de l'Australie jusqu'à son extrémité nord. Vous êtes alors assez près de Java. Selon votre journal de bord au départ du Cap, telle était en effet votre destination. Pourquoi n'avoir jamais mis cap au nord ? Pourquoi avoir longé l'Australie, tournant le dos aux Indes néerlandaises ? Chacune des journées qui suivirent vous en ont éloigné. »

Cette question de géographie suscita un très visible embarras. Le vieux capitaine hésita visiblement entre plusieurs réponses, avant de bredouiller quelque chose sur son navire peu manœuvrant et sa préférence pour une route vent arrière.

« Ne nous dites pas que vous ne pouviez pas naviguer bâbord amures !... Je ne vous parle pas de remonter au vent...

— Nous nous écartons, suggéra le président de séance.

— Pardonnez-moi, amiral. Une dernière question. Après la disparition de Pelletier, avec des malades et l'eau toujours plus rare, vous continuez jusqu'à Sydney, certes désormais le port le plus proche, puis, après une courte escale, vous repartez directement pour la Chine. Vous n'êtes jamais passé par Java. Pourquoi ? »

La confusion du capitaine fut à son comble. Comme je n'avais pas eu accès au livre de bord, je ne pouvais comprendre vraiment l'intérêt de la question.

« Eh bien... La dernière fois que j'avais fait escale à Java, j'avais eu des... des difficultés avec les autorités. J'ai été accusé de... de fraude...

— De contrebande ?

— C'était il y a bien longtemps...

— De contrebande ?

— D'être parti sans payer toutes les taxes douanières... certaines factures... J'ai préféré... éviter Java. Les Hollandais ont de la mémoire. Ils ne plaisantent pas avec ce genre d'affaires.

— Entre la vie de vos matelots et une amende, vous n'avez pas hésité ? »

Le capitaine Porteret baissa la tête.

« Si vous aviez relâché à Java, Pelletier ne se serait jamais retrouvé seul sur une plage australienne... »

L'amiral s'ennuyait visiblement. Il laissa un officier sermonner le capitaine sur la tenue du journal de bord et évoquer la possibilité d'un blâme, puis leva la séance.

Deux jours plus tard, j'étais reçu par l'aide de camp de Sa Majesté. Nous avions échangé entretemps plusieurs courriers, pour obéir au souhait impérial de trouver à Narcisse quelque emploi dans l'administration. J'avais insisté pour que l'affectation soit proche de la mer, et pas trop loin de Saint-Gilles-sur-Vie. Après avoir refusé un emploi de cantonnier dans la Nièvre et de garde-chasse dans les Landes — mais qui étais-je et au nom de quoi pouvais-je faire des choix sur son avenir? — je ne pus récuser la troisième proposition, qui était peut-être la dernière avant de lasser la patience de l'officier de hussards. Sans objections de l'impétrant — qui s'en remit à moi sur ce chapitre comme sur tous les autres —, l'affaire fut conclue et l'arrêté signé : Narcisse Pelletier est nommé garde magasinier de troisième classe des Phares et Balises, au phare des Baleines (Charente-Inférieure). Il devait prendre son poste le premier du mois, ce qui nous laissa juste le temps de remercier l'aide de camp, de repasser par Saint-Gilles et de l'installer dans cette nouvelle vie.

Bien sûr, me direz-vous, est-ce bien raisonnable de l'envoyer à la pointe extrême d'une île aussi pauvre et éloignée que Ré? N'est-ce pas une forme de prison à peine plus grande que celle du gouverneur de Nouvelles-Galles du Sud, et à trois lieues du bagne de Saint-Martin-de-Ré? La vue monotone de la mer et le travail fastidieux, avec pour seules distractions les promenades sur la grève et le ramassage des coquillages, ne le lasse-ront-ils point? À cela je réponds qu'il faut bien que ce garçon fasse une fin, et que je n'ai pas à ce jour trouvé mieux.

Ses proches en semblent fort satisfaits pour lui. Notre passage à Saint-Gilles fut plus bref et plus modeste que le précédent. La famille le félicita pour cette nomination par brevet impérial, avec la secrète jalousie de ceux dont l'avenir n'est jamais garanti envers le rentier et le fonctionnaire — et en l'espèce devant leurs yeux l'un aidant l'autre. À tout prendre, Narcisse a de la chance : le logement est assuré, la paye tombera tous les mois, et il se retrouve à trente-six ans dans une position que bien des matelots de son âge lui envieraient. Tout est bien qui finit bien, en somme, me dirent le maire et le curé. D'ailleurs, Ré n'est pas si loin, nous pourrons aller le voir souvent, ajouta le père Pelletier, et nous savions tous qu'il n'en ferait rien.

Une étape à La Rochelle me permit de rendre visite à l'ingénieur subdivisionnaire pour lui présenter son nouveau subordonné, et lui expliquer pourquoi la nomination d'un simple garde magasinier de troisième classe — qu'il n'avait pas sollicitée — avait été signée par le ministre lui-même et non par un chef de bureau. Sans entrer dans d'inutiles détails, je lui expliquai ce qu'avait été sa vie, et les singularités de son caractère. L'ingénieur comprit à demi-mot, et m'assura qu'il relaierait fidèlement l'intérêt que Paris porte à ce garçon.

Nous prîmes ensuite le coche d'eau pour Ré, et une carriole nous amena au phare des Baleines, en un Finistère impressionnant par temps calme, et qui doit être épouvantable lorsque se lèvent les tempêtes de l'Atlantique. Les consignes de l'ingénieur au chef de station facilitèrent son installation. Dans le bâtiment des gardiens, une chambre lui fut attribuée, où il déposa les quelques affaires que j'avais achetées pour lui — la demi-coque du *Strathmore* fut fixée au mur.

Ses tâches sont simples : il doit nettoyer, graisser, entreposer le matériel du phare ; balayer, ranger et entretenir les bâtiments ; s'occuper du jardin, du potager, de l'écurie ; et pour le reste aider en cuisine.

Le chef de station et ses camarades sont tous d'anciens marins. Taciturnes, il savent que Narcisse a traversé des malheurs et l'ont accueilli comme un des leurs. Le tout nouveau garde magasinier de troisième classe se mit aussitôt au travail, sous la supervision d'un ancien, et semble heureux d'être utile. Je demandai au chef de station de m'adresser un rapport mensuel sur Pelletier. Ce brave homme accepta, et refusa l'argent que je lui proposai. Il voulut bien également percevoir le traitement pour le compte de Narcisse, et le tenir à sa disposition dans des limites raisonnables.

Je pris congé de Narcisse et lui souhaitai bonne chance. J'ai fait pour lui ce que je devais faire, et lui promis de venir le voir une ou deux fois par an. Il ne manifesta pas d'émotions particulières à notre séparation, à moins qu'il ne l'ait pas bien comprise.

Sur le chemin de retour vers mon auberge de Saint-Martin-de-Ré, je compris que je ne comprends toujours pas Narcisse Pelletier, pas plus aujourd'hui qu'au premier jour de cette étrange aventure.

Croyez, Monsieur le Président...

11

Les hommes sont revenus.

Pendant trois jours, la tribu ne fit que manger, boire et dormir. Le petit gibier rapporté par les chasseurs, les poissons et les coquillages variaient agréablement les repas, ou plutôt le défilé continu auprès du foyer et des pierres chaudes. Chacun s'y servait à sa guise, et Narcisse n'eut aucun scrupule à y revenir souvent.

Le ventre plein, il s'abandonnait à une nostalgie douce-amère : il était vivant, certes, comme il se l'était promis, et ne semblait pas condamné à mourir de faim. Mais son destin était-il de passer des semaines, des mois, des années à dormir et manger sur l'une ou l'autre plage ?

Le troisième soir, il constata que le très vieux sauvage n'était plus là, ni le jeune homme qu'il avait surnommé Chemineau. Sans doute raccompagnait-il l'ancêtre vers quelque autre parentèle. Comme ce Chemineau ne manquait pas une occasion de le regarder de travers ou de lui manifester une peu discrète et inexplicable hostilité, ce départ ne le chagrina guère. Qu'ils aillent au diable, tous les deux, et qu'ils y restent !

Dès l'aube suivante, la tribu fut à nouveau saisie de cette frénésie qu'il avait remarquée lorsqu'elle avait quitté le campement au bord de la mare. Et en effet, ayant rassemblé le peu de biens qu'ils emmenaient avec eux, les femmes, les enfants, puis les hommes entrèrent dans la forêt, et se mirent en marche. Narcisse portait les deux gourdes que la vieille lui avait assignées.

L'étape fut longue, et les plus petits enfants eurent du mal à suivre. Assez vite, il comprit qu'ils faisaient route dos à la mer, presque plein ouest. Il savait être près de l'équateur, et constata le matin qu'il marchait sur son ombre, et l'après-midi qu'il avait le soleil dans les yeux jusqu'à son coucher. Quelle distance avaient-ils parcouru ? Trois lieues, peut-être quatre. Suffisamment pour devenir invisible aux éventuels secours.

Si le *Saint-Paul* revenait, ou si quelque autre navire entrait dans la baie de l'Abandon, découvrait son inscription, se dirigeait vers le nord, aucun autre indice ne mettrait les gars sur la voie, aucun élément ne leur permettrait de deviner où était passé Narcisse Pelletier. Ils rentreraient à bord bredouilles, certains qu'il avait survécu jusqu'au 21 novembre, la date qu'il avait écrite avec les cailloux de la plage, incertains de la suite. Que déciderait le capitaine ? Même si, malgré de prévisibles remontrances de l'armateur, il choisissait de perdre encore quelques jours à patrouiller les environs, la chance qu'une équipe prenne la bonne direction, s'aventure assez profondément dans ce pays inconnu et finisse par tomber sur la tribu était infime. C'était courir un bien grand risque, pour un bénéfice bien aléatoire. Ne trouvant personne sur la plage, le capitaine donnerait le signal du départ. Mieux valait donc que nul ne vienne le chercher pour l'instant. Après avoir de toutes ses forces espéré l'arrivée d'un navire, il mettait la même force à souhaiter un retard supplémentaire... En tout cas, il ne se posait plus la question de se séparer des sauvages : il savait qu'il n'y survivrait pas.

Le paysage parcouru ne changea guère dans la journée, toujours cette forêt monotone, ce plateau sans relief et sans horizon. Parfois les arbres se faisaient plus rares dans une terre devenue pulvérulente et sablonneuse. La chaleur croissante et l'absence totale de vent favorisaient les attaques constantes de minuscules mouches, moucherons et moustiques, qui semblaient trouver la chair blanche fort à leur goût. Il n'avait aucun moyen de protéger la totalité de son corps exposé, et ses grands mouvements de bras et ses claques étaient, hélas, inutiles. La vieille, que les insectes dédaignaient, n'avait pas de raison de lui préparer quelque onguent. Seul un mélange de sueur et de poussière lui fournissait par endroits une croûte protectrice. L'ayant constaté, il s'aspergea de poignées de sable pour tenter de se défendre des morsures. Mais il n'était pas encore assez crasseux pour être totalement épargné.

Ils ne s'arrêtèrent qu'à la nuit tombée, sans avoir fait aucune pause. À l'endroit du bivouac, Chemineau les attendait et avait allumé un feu. La vieille ne partit pas remplir les gourdes vides. Les chasseurs n'avaient qu'un pauvre butin et, comme aux premiers jours — ou parce qu'ils n'étaient plus au bord de la mer? —, Narcisse n'eut plus le droit de s'approcher du foyer et de se servir lui-même. Il dut attendre que la vieille lui apporte une bien maigre pitance. Lorsqu'elle revint pour la seconde fois, Chemineau lui barra le passage, prit le petit morceau qu'elle lui destinait et l'avala d'un trait en toisant Narcisse. Il connaissait bien ce regard de haut en bas, le menton en avant, de qui cherche la bagarre, et ce sauvage ne lui faisait pas peur. Il méritait une bonne raclée, qui eût rapidement prouvé qui était le plus fort, et qu'il y avait quelques risques à humilier délibérément un matelot du *Saint-Paul*. Infliger une sévère punition à ce petit arrogant eût été un vrai plaisir, et Narcisse avait appris sur les quais nombre de coups et de feintes dont il lui aurait bien volontiers fait la leçon. Mais montrer ses muscles n'était pas prudent. Comment savoir quelle serait la réaction de la tribu? S'ils n'appréciaient pas la correction donnée à Chemineau, si tous les hommes se jetaient sur lui pour le défendre, il n'aurait pas le dessus. La seule fois où ils s'en étaient pris à lui de la sorte, il n'avait rien pu faire face au nombre et y avait laissé la moitié d'une oreille. N'ayant aucun désir de renouveler l'expérience, il serra les dents et passa son chemin. La vieille ne lui apporta rien d'autre.

Son intelligence, plutôt que sa force, devait le sauver. Que constatait-il ? Chemineau était parti la veille au soir avec l'ancêtre, et, quoi qu'il ait fait de sa journée, arrivait le soir au lieu convenu pour le campement. Chaque sauvage avait donc dans la tête une carte du pays, et peut-être une boussole. Ils pouvaient ainsi se donner des rendez-vous et arriver au même point par des chemins différents. Cette connaissance du terrain, il fallait qu'il l'acquière pour pouvoir le moment venu se déplacer pour son évasion. Plus il parcourrait le pays avec eux, plus il serait à même d'y circuler seul.

Il devait aussi mieux comprendre pourquoi Chemineau se comportait ainsi avec lui. Tous les autres sauvages lui témoignent une parfaite indifférence. S'il ne respecte pas leurs étranges coutumes — comme de ne pas se servir lui-même de viande, mais attendre que la vieille le nourrisse après le repas des hommes —, ils lui rappellent la règle, mais seulement le temps nécessaire pour qu'il fasse ce qu'ils attendent de lui, et sans lui tenir rigueur de son ignorance.

L'hostilité de Chemineau, elle, est constante, systématique, et plus manifeste même que les premiers jours. Pourtant, si la tribu avait décidé de l'accueillir, de le nourrir, de le supporter, de s'en encombrer, son attitude devait sembler bien discourtoise envers ses aînés. Narcisse tenta d'imaginer au village l'accueil d'un étranger par le maire, le curé ou tel autre notable : si un jeune s'était permis de manquer de respect à l'invité, il eût sans tarder reçu la taloche que justifiait son impertinence.

Les deux avaient à peu près le même âge — pour autant que Narcisse parvienne à donner un âge aux sauvages. Chemineau craignait-il une concurrence de son conscrit ? Auprès des filles ? Cela ne se pouvait. Narcisse n'avait jamais montré le moindre intérêt à leur égard, et sans avoir besoin de feindre. Auprès de la vieille, alors ? Chemineau était-il jaloux de ce qu'elle avait fait pour lui ? Elle l'avait soigné, elle lui apportait sa nourriture. Il ne comprenait pas pourquoi, mais peu importe. Elle savait ce qu'elle avait à faire. Se sentait-il inexplicablement menacé ?

Qui était-il, par rapport à elle ? Un fils, un petit-fils, un neveu, un filleul ? Et qui était son père ? Il fallait qu'il découvre les liens entre les membres de la tribu, plutôt que de les voir comme un ramassis interchangeable. En attendant, il essaya de se représenter la vieille comme une princesse douairière, et Chemineau comme un bouillant prince du sang. L'arrivée d'un Blanc menaçait-elle à ce point sa position ? Et comment ? Aucun moyen d'avoir de réponses à de telles questions. Pas encore. Cela viendrait.

Lucien, dans la maison familiale ou l'atelier paternel, l'avait habitué aux rebuffades et aux coups d'un grand frère distant et brutal, qu'il n'aimait pas et le lui rendait bien. Chemineau était comme un double noir de Lucien, et il ne pouvait pas plus l'éviter que l'original en son temps.

Chemineau n'était pas son ami? La belle affaire! Il n'avait pas besoin d'amis, il ne voulait pas en avoir parmi les sauvages.

La faim était revenue, et le morceau que Chemineau lui avait volé ne l'eût pas comblée. Il s'allongea dans la poussière et s'efforça de ne pas penser aux repas abondants sur les plages. Ce soir, parmi ces buissons et ces arbres épars du plateau, les hommes avaient su dénicher des lézards et des petites bêtes à poil ras. Il fallait qu'il puisse en faire autant, pour se nourrir pendant son évasion.

Tout chasseur qui lui apprendrait son art serait son ami.

Vallombrun, le 15 avril 1862

Monsieur le Président,

J'ai reçu le dernier numéro de la Revue de notre Société, où figurent les deux pages de compte rendu de la séance du 2 septembre.

Vous m'avez assez fait comprendre que je réagissais trop vivement, sans prendre le recul nécessaire, et j'ai donc attendu une semaine avant de rédiger la moindre ligne, et trois jours de plus avant de commencer à vous écrire. Tous les matins, j'ai parcouru les environs du château, les prés encore à demi couverts de neige, et j'ai médité. Voyez si je vous obéis.

(Bien entendu, je tiens pour rien les brefs articles parus à l'automne dans la presse générale, qui n'ont donné qu'un bien pauvre aperçu de l'importance de mon exposé. Une caricature piquante montrant le duc de Morny proposant au sauvage blanc de s'engager dans l'expédition du Mexique m'a brièvement fait sourire. Le public ne retiendra-t-il que cette vignette d'un sauvage revêtu d'une grotesque cape de fourrures et d'une coiffe de plumes?)

Ma colère reste entière. Relisez, si vous avez eu la bonté de conserver ma lettre du 3 septembre, ce que je vous en disais. Convoquez vos propres souvenirs. Ou bien nous n'avons pas assisté à la même séance, ou bien le folliculaire de la Revue se moque de moi. Il ne signe que d'initiales, certes pour moi comme pour vous transparentes, ajoutant ainsi la lâcheté à la vilenie.

J'ai d'abord pensé à mettre un terme à mon abonnement. Mais j'aurais été le seul puni, de me priver de cette source irremplaçable d'informations.

Faire un procès? Mais à qui, et sur quelle faute civile? Un ami avocat, consulté, m'en dissuada absolument.

Provoquer l'auteur en duel? Mais pourquoi devrais-je exposer ma vie à son pistolet? Si quelqu'un doit être blessé ou mourir après cette offense, ce ne peut être moi.

Je n'ignore pas que, selon les statuts de notre Société, et notamment l'article 24, le Président du comité de la Revue est indépendant et n'est pas placé sous votre autorité. En m'adressant à vous, je ne cherche pas à vous prendre à témoin ou à vous mettre dans une position fausse : l'ancienneté de nos liens commandait que je vous en informe.

J'adresse donc audit Président une note pour rectifier toutes les erreurs de la chronique non signée du numéro Automne-Hiver 1861. Vous allez sourire et me faire remarquer que ma réponse de dix-neuf pages est bien plus longue que l'articulet qu'elle critique. Mais je ne veux pas choisir entre toutes les sottises imprimées celles que je devrais pourfendre et celles que je laisserais en repos. Le Président du comité publiera toute ma lettre, ou une partie, ou rien du tout. Je saurai pour ma part si j'ai affaire à un honnête homme.

Ma colère ne diminue pas à l'idée que ceux qui n'auront pas pu assister à cette séance ne connaîtront de la tragédie de Narcisse Pelletier que cette caricature d'une baraque de foire où l'on expose à la curiosité des badauds un phénomène habilement maquillé. Cette relation biaisée et ricanante est une offense pour mon malheureux ami, pour moi, et, si l'on y réfléchit, pour vous, qui n'êtes pas directeur de cirque. Mes remarques rétabliront la vérité.

Ce compte rendu fallacieux me blesse plus que je ne saurais le dire. Je vous ai dit ce que j'ai pensé de la séance plénière de la Société. J'avais formé le vœu qu'il contribuerait à restaurer la vérité de cette histoire. Il n'en est rien. Son rédacteur a pris le parti du mensonge, de la calomnie, et pire que tout, de l'ignorance satisfaite d'elle-même.

Savez-vous bien que depuis plus d'un an maintenant tous mes efforts, toute mon énergie, tous mes voyages et — pourquoi ne pas le dire — une partie de ma fortune sont dédiés à l'aventure qu'a vécue Pelletier. Voir ce qui est peut-être la grande aventure de ma vie réduit à... à cette misérable chronique me paraît autant une injustice personnelle qu'une perte pour la Science.

Sa Majesté l'Impératrice aura-t-elle été la seule à en comprendre l'importance ?

Pendant que de petites personnes écrivent dans la Revue, Narcisse Pelletier, garde magasinier de troisième classe au phare des Baleines, fait preuve de plus de courage que bien des membres de notre Société. Vous allez me tancer pour cette remarque acide, mais qui devons-nous admirer davantage ? M. Decouz, qui prend des notes aux séances plénières avant d'aller à l'Opéra, ou Narcisse Pelletier sur une pointe désolée, battue par les vents, mordue par la mer, avec pour tout spectacle d'un côté les salines et de l'autre les tempêtes du grand large ? Le R. P. Leroy, qui conspire plus qu'il ne prie, ou Narcisse Pelletier, apprenant son nouveau métier avec ardeur, toujours souriant et prêt à aider ses camarades ? M. Collet-Hespas, qui a trouvé dans son berceau la fortune et les affaires prospères léguées par un père industrieux, ou Narcisse Pelletier, qui ne possède à peu près que la chemise qu'il a sur le dos et compte sur la cuisine des gardiens du phare pour manger tous les jours ?

Ma colère l'emporte sur la raison et j'ai mauvais caractère. Mais ne suis-je pas l'insulté ?

Je pourrais continuer ainsi pendant des pages

et des pages, au risque de lasser votre bienveillance. Plutôt que de poursuivre sur ce ton acri-
monieux, je préfère vous donner des nouvelles de
Ré, où je suis retourné il y a deux mois.

Le nouveau garde magasinier m'accueillit
comme si nous nous étions quittés la veille, avec
ce sourire et cette égalité d'humeur qui ne le
quittent jamais — profonde sagesse ou masque ?
La concorde paraît régner avec ses camarades,
qui se félicitent de ses heureuses dispositions, et se
déchargent sur lui d'un nombre de tâches subal-
ternes peut-être un peu trop considérables. Mais
Narcisse ne rechigne pas à l'ouvrage et tous s'en
satisfont.

Il a révélé un talent insoupçonné pour la pêche
à pied, qu'il pratique avec un petit harpon de sa
confection. Dès qu'il a un moment de liberté, par
tous les temps sur les grèves, pieds nus, à marée
basse, il fouille les trous d'eau et ne rentre jamais
bredouille. Le chef de station s'est inquiété de le
voir parcourir les plages, même à la tombée de la
nuit et par gros mauvais temps. Narcisse n'a pas
compris ses conseils de prudence, et ils se sont
habitués à ses retours à la nuit noire, trempé
jusqu'aux os, la gibecière remplie de poissons.
Il est également très doué pour ramasser une
grande variété de coquillages, au point d'en lasser
ses camarades qui apprécient aussi la viande.
Lorsqu'ils dédaignent sa récolte, il va au village
et offre son panier à qui en veut.

À ma grande surprise, je continue de découvrir de nouveaux secrets venus d'Australie.

Ainsi, ses camarades du phare m'ont fait remarquer ses « yeux de chat ». Je n'avais jamais eu l'occasion de le constater, puisque le soir becs de gaz ou chandeliers nous éclairent. Ils sont plus rares sur Ré. Dans les appentis les plus sombres, les couloirs dépourvus d'éclairage, Narcisse se déplace sans difficultés et comme en plein jour. Il faut vraiment la nuit la plus noire, l'absence complète de tout rai de lumière, même le plus indirect, pour qu'il devienne hésitant et se heurte aux meubles. Cette capacité de se repérer dans l'obscurité ne peut avoir été développée qu'en Australie, à force de bivouacs à la belle étoile, de veillées et de chasses nocturnes.

Permettez-moi de vous donner un autre exemple. J'accompagnai Narcisse à la plage où il voulait pêcher. Il s'était muni de son harpon, cette sorte d'épieu avec lequel il fait merveille. Je ne lui demandai pas comment il l'avait fabriqué, car je sais que cette question théorique n'aurait pas eu de réponse. Je lui dis seulement :

« Narcisse, je voudrai pêcher aussi. Tu m'en fais un ? »

Sans mot dire, il se mit aussitôt à l'ouvrage. Avisant sur le bord de la plage un buisson ligneux et tortu, il cassa une branche et élagua les branchettes. La forme de l'engin apparut vaguement. Puis il choisit avec soin un caillou — qui pour mon œil novice n'était pas différent des autres — et l'utilisa pour tailler la branche et aiguiser les pointes de la fourche terminale : non pas comme on peut le faire avec un bon couteau, mais avec un grand geste sec de tout le bras droit, qui vient pour ainsi dire caresser le morceau de bois et lui enlever l'exacte épaisseur de copeaux superflus. Le travail fut patient, et d'une parfaite efficacité. Aucun coup ne manqua sa cible ou ne porta à faux, le manche était devenu aussi rond que s'il avait été usiné au tour et poli au papier de verre. J'admirai — j'admirai véritablement son œuvre, mais ce n'était pas encore fini.

Il regarda à nouveau autour de lui, ramassa au creux d'un rocher un amas de lichens et de débris de feuilles, en fit un tas minutieusement rangé entre trois pierres, prépara deux morceaux de bois dur, et à force de les frotter l'un contre l'autre réussit à produire un peu de fumée, qu'il glissa sous les lichens. Une flammèche apparut, une autre, son foyer s'embrasa, il souffla légèrement, ajouta quelques branchettes et en quelques instants nous avions un bon feu. Il prit alors l'épieu taillé, en passa soigneusement les pointes à la flamme pour les durcir. Lorsqu'elles devenaient un peu rouges et prêtes à s'embraser, il allait les tremper dans la mer, alternant le chaud et le froid à plusieurs reprises. Puis il me le présenta, sans exprimer de fierté particulière, comme quelque chose de naturel et d'évident. Je restai bouché bée, puis allai pêcher avec lui sans parvenir à piquer aucun poisson — pendant qu'il remplissait son panier.

L'ingéniosité dont il fait preuve me parut remarquable, et pour vous en convaincre, Monsieur le Président, imaginez de laisser sur une plage de Ré, un soir en hiver, n'importe quel membre de notre Société, et voyez si en moins d'une heure et avec ce qu'il trouvera sur la grève il est capable de tailler un harpon, d'allumer un feu et de pêcher un poisson.

Narcisse ne fait que reproduire le savoir appris des sauvages, me direz-vous. Certes. Mais il y a donc un savoir des sauvages? Quel est-il? Quels autres trésors contient-il?

Je me suis fait le même soir une autre réflexion. Dans la salle commune de l'unique auberge où je suis descendu, j'attendais près du feu l'heure du souper. Quatre villageois buvaient un verre à une table voisine et discutaient de tout et de rien. Dans leurs propos décousus, une phrase me fit dresser l'oreille.

« ... je rentrais chez moi avant-hier à la nuit tombée, et j'ai vu sur la plage de la Conche le fou du phare qui pêchait encore!... »

Le fou du phare, ainsi surnomment-ils le nouveau pensionnaire du phare des Baleines. C'était d'ailleurs dit sans méchanceté, et j'ai moi-même assez noté ses bizarreries pour ne pas m'en formaliser. Cette épithète est moins blessante, vous en conviendrez, que certains propos imprimés.

Et après tout — si ces braves gens avaient raison? Narcisse est-il fou? On sait que l'excès de malheurs et de souffrances peut faire basculer dans la folie les âmes les mieux trempées. Le matelot Pelletier a certainement passé des moments épouvantables, ceux-là mêmes dont il ne parle jamais. Il a jeté sur dix-huit années de sa vie un voile impénétrable, ou seulement à son insu. Est-ce là l'indice de la folie, ou une de ses formes?

Cette méditation me troubla plus que je ne saurais le dire. Fou, Narcisse relevait d'un médecin et ma bienveillance le privait des soins que réclamait son état. Fou, il n'était plus une ressource pour la science — et me faisait perdre mon temps, et le vôtre.

Une partie de moi-même se révoltait contre cette condamnation. Et pour trancher, il faut savoir ce qu'est la folie, et je n'en savais rien.

De retour sur le continent, je me renseignai et pus visiter des asiles. Le Ciel vous préserve toujours, Monsieur le Président, du spectacle de semblables géhennes. Ma plume se refuse à décrire ce que j'ai découvert — ce qu'est la folie, ou plutôt ce que sont les folies — et les méthodes avec lesquelles les fous sont traités, sans jamais être guéris. J'eus aussi de longues discussions avec plusieurs aliénistes remarquables.

Je ne me hasarderai pas à vous proposer une définition générale de la folie. De ce que j'ai vu et compris, et des conférences que j'eus avec les meilleurs spécialistes, j'en retins seulement que Narcisse n'est pas fou : il ne souffre pas et ne fait pas souffrir autrui ; il ne refuse pas le monde où il vit ; il sait qui il est. Son silence sur les années en Australie peut être le signe d'une très profonde et indicible nostalgie, ou les stigmates d'épreuves indicibles, ou — j'ose vous exprimer une idée bien singulière — l'un et l'autre entremêlés. Pour m'appliquer à moi-même la boutade de l'un de ces éminents savants, j'éprouve parfois moi aussi en silence la nostalgie des ciels du Pacifique, et ne suis pas fou pour autant.

Voyez, à travers ces quelques notes jetées au hasard, combien Narcisse apporte à la Science, et combien la Revue a manqué à sa mission en ne publiant que deux pages indigentes et indignes. Je n'oublie pas l'affront que m'a fait la Revue, mais je trouve dans les observations que je fais et les réflexions que je conduis sur Narcisse des satisfactions plus élevées ou, pour tout dire, d'une autre nature.

Croyez, Monsieur le Président...

12

Le jour suivant fut lui aussi tout entier consacré à la marche.

Instruit par les désagréments de la veille, Narcisse prit le soin de retrouver dans les cendres des bouts calcinés d'os et de plumes, de les écraser entre ses mains et de se frotter le corps de cette pâte noirâtre, puis de s'asperger de sable. Qui aurait reconnu, dans ce fantôme nu et barbu, recouvert de sueur et de terre, maculé de coulées de graisse et de suie, portant deux gourdes faites avec une vessie d'animal, le fringant matelot du *Saint-Paul*?

Dès le début, la forêt laissa la place à une sorte de désert. Plus aucun arbre, aucun buisson, à peine quelques touffes d'herbes desséchées. Le sol rouge forme comme une cuirasse, par endroits déchirée et effondrée, laissant apparaître un gravier de la même teinte. Çà et là, des blocs de rochers d'un blanc strié de gris. Le terrain n'est plus plat, mais monte et descend une série de vallons d'une dizaine de mètres de profondeur, aux flancs parfois raides, telle une mer formée et immobile. La crête de chaque vallon ne révèle que le creux et la bosse suivants. Monotone, voire pénible pour qui aurait eu un bon chapeau, de grosses chaussures et un bon repas dans le ventre, cette marche fut harassante pour Narcisse, dont les pieds s'écorchaient sur le sol bouillant. Les enfants aussi avaient du mal à suivre : ils ne pleuraient pas — aucun enfant ne pleurait jamais —, traînaient la jambe, se faisaient porter dans les bras de leur mère.

La direction suivie était toujours la même, plein ouest, pour autant qu'il puisse conserver une estime. Allaient-ils ainsi traverser toute l'Australie ? Et que venaient-ils faire dans ce pays de misère, où manifestement il n'y avait rien à boire ni à manger ?

Vers la fin de la matinée, la tribu s'étirait en une longue colonne, les plus faibles n'arrivaient plus à suivre le rythme des hommes. Ils firent une pause à l'abri d'un énorme rocher isolé, de la taille d'une grange. Ce bloc aux formes irrégulières, dont le sommet débordait sur un côté, offrait une ombre appréciable. La tribu se partagea quelques lézards à peine cuits et les dernières réserves d'eau. Narcisse apprécia de pouvoir boire quelques gorgées, mais s'inquiéta pour la suite. Une quarantaine de personnes, dont des enfants, traversant un désert, désormais sans eau ?

Blottis dans les creux du rocher, ils attendirent que passent les heures les plus chaudes de la journée, puis reprirent la marche. Les hommes pres-

sèrent le pas et disparurent bientôt, laissant Chef
guider le reste de la tribu. Vers le soir, ces éreintantes montées et descentes s'atténuèrent, la
marche se fit plus aisée sur un plateau toujours
aussi rouge. Celui-ci s'arrêta aussi brusquement
qu'il avait commencé, laissant la place à des buissons épars, puis à quelques arbres. Ce fut à leur
pied qu'ils campèrent. La vieille peu après brandissait deux gourdes pleines. Elle repartit — Narcisse était trop épuisé pour penser à la suivre —,
revint, et refit ainsi le plein d'eau.

Au crépuscule, Nez-Cassé arriva, tenant dans
chaque main un quartier de viande, découpé ou
plutôt arraché avec le cuir et les poils. Il annonça
quelque chose à la cantonade et, posant son gibier
à terre, fit demi-tour. Les femmes s'empressèrent
de relancer le feu. Quelques jeunes emboîtèrent le
pas au chasseur, et Waiakh, à force de gestes, finit
par convaincre Narcisse d'y aller avec lui.

À un quart d'heure de marche, Kermarec et
Cicatrice, sans attendre les renforts, avaient commencé à dépecer leur proie. Narcisse se demandait
comment à eux trois et sans armes — ou avec ce
bâton, ces pierres, ces fléchettes... — ils avaient
réussi à tuer un animal plus grand qu'eux. Cette
bête étrange — tête fine, poil roux, pattes arrière
disproportionnées, avec une longue et forte queue
— faisait le poids d'un veau de belle taille. Munis
de cailloux, les chasseurs avaient incisé la peau au
niveau des articulations, tordaient les membres en
tous sens et finissaient par arracher des morceaux

de viande ou dégager des abats encore fumants. Une odeur de sang et de mort flottait au-dessus de cette boucherie, attirant des myriades de mouches avides.

La bête fut assez vite dépecée en quartiers, et chacun repartit vers le camp en portant tout ce qu'il pouvait. Seules l'extrémité des pattes et la colonne vertébrale avec les côtes attenantes furent laissées sur place. Cette abondance était bienvenue après l'éprouvante traversée de ce désert de sable vitrifié. Nez-Cassé portait la tête avec un air de triomphe, qui redoubla lorsqu'il vit les autres groupes de chasse revenus bredouilles.

Avant même de retrouver le camp et le feu, Narcisse sentit l'odeur de la viande en train de cuire et saliva. Bien sûr, il devrait attendre d'être servi après les hommes, mais devant le festin annoncé, même Chemineau ne pourrait lui disputer d'y prétendre.

Toute une journée, ils restèrent au camp et mangèrent tout le temps qu'ils ne dormaient pas.

Puis, dès l'aube suivante, ils repartirent et marchèrent encore une demi-journée, toujours plein ouest. Au milieu de la matinée, Narcisse vit progressivement s'élever sur l'horizon ce qui lui parut d'abord une dune, puis, en approchant, un rocher haut comme une montagne et blanc comme du lait.

Cette montagne a exactement la forme d'un œuf, couché sur le côté et enterré à mi-hauteur.

L'aspect lisse et le blanc rosé de la roche sont ceux d'une coquille. Aucun arbre, aucune herbe n'y pousse, et aucun creux ne permet à la terre de s'accumuler. Un sillon et un seul serpente de la base au sommet et suggère un chemin. Ce roc immense, auquel aucun autre roc à l'horizon ne ressemble, est étranger à la terre sableuse et rouge qui le porte.

Pour un Vendéen, cette montagne semblait très haute : plus de cent mètres, et les bords raides renforcent l'illusion d'être au pied d'une falaise.

Pendant trois jours ils avaient marché vers l'ouest, parcourant au moins dix lieues. La montagne n'est pas visible depuis un navire et ne figure sur aucune carte. Pouvait-il se sentir plus perdu encore que sur les plages ?

Ils n'arrivèrent au pied de la montagne qu'au soir, au centre d'une plaine aride et couverte d'arbustes souffreteux. Dans un léger creux qu'il découvrit au dernier moment, un bosquet d'imposants saules pleureurs — ou leurs cousins australiens — formait un grand ovale, délimitant une prairie d'herbe verte et grasse. Leurs feuilles crissaient d'un murmure métallique au moindre souffle de vent. Ce lieu étrange fut choisi pour le campement. Narcisse remarqua qu'ils parlaient encore moins et à voix encore plus basse que d'habitude. Les enfants en particulier, même un peu grandets comme Waiakh, semblaient impressionnés.

Toute la journée suivante, Chef — pourquoi donc avait-il ainsi surnommé le doyen ? — parla.

Dès le lever du soleil, il s'assit en tailleur et marmonna sans fin, plus récitant qu'improvisateur ou conférencier. Les autres venaient s'asseoir auprès de lui, écoutaient un moment, repartaient, revenaient, sans ordre ni raison. L'aède ne s'arrêta ni pour boire, ni pour manger, ni quand le soleil fut à son zénith, enchaînant les phrases aux phrases pendant douze heures d'affilée sans jamais la moindre hésitation. Il ne manifestait aucune émotion, ni la joie, ni la peur, ni la colère, ni la surprise... Cela pouvait être l'*Iliade* et l'*Odyssée* de la tribu, ou tout autant n'importe quelle liste d'ancêtres, d'événements, de noms de lieux ou d'animaux. Narcisse se souvenait avoir ânonné sur un ton comparable la liste des départements avec les préfectures et sous-préfectures, et les tables de multiplication — mais malgré les coups de règle du maître d'école cela ne durait guère...

Chef s'arrêta soudain, lorsque le soleil passa derrière l'horizon. Et chacun reprit ses occupations d'une soirée ordinaire.

Quand la nuit fut complète, les femmes rassemblèrent les enfants et leur rasèrent la tête avec un soin inhabituel, dans un silence total et comme recueilli. La vieille procéda de même avec Narcisse. Lorsqu'elle eut fini avec lui, il passa ses doigts sur son crâne rasé, en découvrant les bosses et les creux.

Il alla s'asseoir près de Waiakh et, sans réfléchir, prit silencieusement sa main dans la sienne.

À la lumière rougeoyante du foyer, la main de l'enfant dans la main du jeune homme. Ils

restèrent un long moment silencieux et immo-
biles, peut-être l'un et l'autre en paix. Dans la
pénombre, cette main noire dans la sienne.

Le lendemain fut tout entier dédié à la montagne.

LETTRE XII

Vallombrun, le 5 décembre 1862

Monsieur le Président,

Je viens une nouvelle fois prendre sur votre temps précieux pour évoquer mon protégé.

Ainsi que nous en étions convenus, le chef de station du phare des Baleines m'adresse le 1er de chaque mois un bref rapport sur Narcisse Pelletier. En peu de mots, cet excellent homme décrit son comportement. Sur son travail de garde magasinier, rien à dire : il est plus qu'obéissant, zélé; plus que courageux, infatigable; d'humeur égale et bon camarade, il serait l'ouvrier idéal s'il avait retrouvé la capacité de lire et d'écrire.

À l'évidence, Narcisse s'est adapté sans difficultés notables à cette vie à la pointe de Ré. Le principal souci est qu'il ne sait toujours pas ce qu'est la propriété. Il donne son chapeau ou sa veste à qui en a besoin, et prend de même ce qu'il lui faut. Ces emprunts sans malice ne sont pas des larcins, et ses camarades se sont habitués à cette étrangeté. Chaque semaine, Narcisse reçoit sa paye dont le chef de station retient le nécessaire pour le vêtir et le chauffer. Les quelques pièces qui restent lui filent entre les doigts chez l'épicier du village, en babioles colorées, bonbons pour les enfants ou tabac dont il a vu combien ses collègues étaient friands.

A-t-il autant de succès avec les Rétaises qu'avec les Parisiennes ou les Londoniennes? Le chef de station ne m'en dit mot et il ne m'appartient pas d'interpréter ce silence.

Je revins à Ré en août 1862, et trouvai Narcisse sinon heureux — comment pourrais-je l'assurer? —, en tout cas apaisé et accommodé à sa nouvelle existence, en bonne entente avec les cinq autres gardiens, et toujours sous l'œil paternel du chef de station. Je l'avais laissé la peau encore brûlée par le soleil, tout en muscles secs et tendons, je le découvre le teint rose et les joues pleines. À le voir ainsi ragaillardi et raffermi, je croyais terminé le temps des interrogations.

Le rapport pour octobre me dépeignit un Narcisse « un peu triste à cause des gosses ». Cette expression me surprit, il me fallut plusieurs échanges de lettres pour arriver à bien comprendre — car le chef de station me croyait bien mieux informé que je ne le suis.

L'un des gardiens eut la douleur de perdre son fils unique, âgé de trois ans. Au cours de la veillée, Narcisse et ses camarades assistèrent leur collègue et sa femme, et échangèrent les quelques propos que commandent de telles circonstances. Le père endeuillé demanda à Narcisse sans y penser quelque chose comme :

« Et toi, t'as des gosses ?

— Oui, deux.

— Deux garçons ?

— Un garçon et une fille.

— Quel âge ? »

Narcisse ne répondit pas directement, mais, par rapprochement avec d'autres enfants vivant au phare, indiqua que le garçon a environ huit ans et la fille cinq. Le silence de la veillée retomba sur ce bref échange auquel nul ne prêta attention sur le moment.

Les jours suivants, Narcisse parut mélancolique « à cause des gosses ».

Cette nouvelle me frappa comme un coup de tonnerre. Jamais il n'avait fait devant moi la moindre allusion à eux. Son silence sur ce qu'il a vécu en Australie reste toujours aussi entier et insondable. Ses confidences ne naissent que sous le coup d'émotions violentes où il semble ne plus parvenir à conserver le secret absolu qu'il semble s'être juré. L'admiration pour Sa Majesté lui a fait lui chanter une comptine de là-bas. Le malheur ayant frappé son collègue l'amène à évoquer ses propres enfants.

Je m'explique moins encore ma propre cécité. Dans la lettre que je vous adressai de Londres le 2 août de l'année dernière, en méditant sur les documents que vous m'aviez envoyés, j'évoquai la découverte d'enfants métis, comme unique témoignage d'un naufrage oublié. Pourquoi n'ai-je pas testé cette hypothèse sur Narcisse? Il était alors moins impénétrable, et peut-être eussé-je pu lui arracher quelque confidence décisive. L'occasion perdue ne se représentera pas.

Depuis près de deux ans qu'il a embarqué sur le *John Bell*, il n'a eu aucune nouvelle d'eux, ni de leur mère — ou de leurs mères? Il ne s'en est jamais plaint — il ne se plaint jamais —, n'en a jamais évoqué le souvenir. Le chef de station, à ma demande, tenta de lui en parler, d'obtenir ne serait-ce que leurs prénoms, mais en vain. Narcisse sourit, mais ne répond pas. Il ne livra aucune autre information sur le garçonnet et la fillette qu'il avait laissés là-bas.

Bien sûr, je me suis aussitôt préoccupé de les réunir.

J'ai d'abord pensé me rendre à Sydney, et organiser moi-même la recherche des enfants. Ma sœur, avec son habituelle délicatesse, me donna dans l'instant son accord pour supporter une nouvelle absence, et qui pouvait durer des mois. Je dispose de fonds suffisants, d'une santé encore bonne et du temps nécessaire à un tel projet. Rien ne me retient absolument à Vallombrun, et Narcisse n'a plus besoin de moi. Je me renseignai sur les prochains passages vers l'Australie, et me préparai à l'ennui de cette longue traversée en achetant des livres.

Mais là-bas, qu'allais-je faire? Me rendre sur

la plage où le *John Bell* avait trouvé Narcisse et attendre? Attendre, attendre pendant des semaines que les sauvages reparaissent et me présentent les enfants? — alors que peut-être le départ de Narcisse a été compris par eux comme un enlèvement et qu'ils ont désormais peur des Blancs? Non, il fallait, bien sûr sans compter sur le bon vouloir des sauvages, monter une véritable expédition, voire plusieurs : recruter un petit groupe d'hommes décidés, camper sous la tente, explorer et cartographier sans relâche, s'enfoncer dans l'intérieur d'un pays inconnu, patrouiller en tous sens, interroger ceux des sauvages avec qui il sera possible de communiquer... Je ne me reconnais pas dans ces métiers. J'y serai malassuré, sans expérience, et sans doute une charge pour le succès d'une telle équipée. Chacun son rôle et sa fonction. Si ce projet est le mien, je dois me consacrer à l'essentiel et pouvoir le commander à distance, depuis Sydney, voire depuis Vallombrun. Et pour être le général en chef de cette campagne, il me fallait un chef d'état-major à Sydney. Mon ami Harry Wilton-Smith, négociant fort connu de cette colonie, me parut tout indiqué pour cette mission. Il est assurément l'un des hommes les mieux informés d'Australie et a l'habitude de commander à des hommes d'action. Efficace, précis, il saura déterminer les moyens adéquats pour trouver les enfants et les rapatrier.

Je viens donc de lui écrire une longue lettre, accompagnée d'un projet de contrat et d'une lettre de change. Je lui propose — et ne doute pas qu'il acceptera — de lancer pour mon compte des campagnes d'exploration rayonnant en étoile autour de la plage où Narcisse ramassait des coquillages. Il choisira le chef d'expédition et fixera le nombre d'hommes qu'il jugera opportun pour l'accompagner, supervisera toute la logistique, les fera déposer et reprendre autant de fois que nécessaire, et en variant les saisons. Il fera également rechercher toute information, s'enquerra de toute rumeur sur des enfants métis, dont je lui donne le signalement : un garçon et une fille, âgés de huit et cinq ans.

Les consignes pour le chef d'expédition sont simples : trouver les enfants — qui sont, je le soulignais, français par leur père — et les emmener, de bon gré si possible, par la force si nécessaire. La mère sera laissée parmi les siens, même si elle manifeste le souhait de les suivre. Toute violence contre elle devra être évitée, en tout cas à la vue des enfants.

Comment être assuré que les enfants seront ceux de Narcisse ? Le capitaine du *John Bell* avait évoqué sans détour le délassement de ses hommes à terre avec les femmes sauvages, et quelques enfants métis ont pu résulter de telles circonstances. Mais un frère et une sœur métis, de huit et cinq ans ? Je ne crois pas qu'il puisse y avoir erreur ou tromperie.

Dès qu'ils auront été recueillis, les enfants devront être mis dans le premier bateau en partance pour l'Europe. J'insistais pour qu'on s'occupe d'eux le moins possible, et uniquement en anglais. Je veux pouvoir aller les chercher à Londres, et être le premier à leur parler la langue de leur père. L'intérêt supérieur d'une observation véritablement scientifique de l'évolution de ces deux petits métis commande ces précautions.

La Science en effet connaît le banal métissage entre Blancs et Nègres, dont mulâtres et quarterons des Antilles offrent toute la gamme. Entre Blancs et Polynésiens, les exemples ne manquent pas non plus dans le Pacifique. Mais entre Blancs et sauvages d'Australie, si quelques cas sont connus — pour la plupart des malheureux traînant leur misérable existence dans les bas-fonds de Sydney —, aucun n'a été à ma connaissance véritablement examiné. Ces deux enfants seraient ainsi l'occasion d'une étude inédite.

Comme leur père avant eux, ils évolueront lentement vers les bienfaits de la civilisation, renonceront à leurs habitudes alimentaires, à leur idiome, à leurs mœurs, et peu à peu hélas à tous leurs souvenirs ou presque. Fabriquer deux Français de plus — et de la dernière classe — ne m'intéresse pas. Mais quel prodigieux intérêt il y aura à observer jour après jour la transition vers leur nouvelle condition et à consigner ce que balbutiements, erreurs, retours en arrière révéleront de leur état primitif!

Leur père, qui faisait lui vers le monde des Blancs un voyage de retour, ne m'a pas appris autant que je l'avais espéré sur cet autre monde où il a vécu dix-huit ans — je ne lui en veux nullement. Eux, arrivant directement et sans préjugés de leur désert, avec en outre toute l'ignorance de leur âge et toute la joie de retrouver leur père, seront de précieux informateurs.

On peut même rêver qu'après leurs retrouvailles Pelletier se remette à parler avec eux la langue des sauvages et livre enfin ses souvenirs. Le choc du retour de ses enfants peut avoir cet effet salutaire. Et il me semble, pour une raison que je ne parviens pas à cerner, qu'il serait plus heureux et plus libre s'il pouvait évoquer sereinement son histoire. Que ses enfants en soient les premiers auditeurs !

Je n'ai pas oublié, lors de la séance plénière de notre Société du 2 septembre 1861, la question touchant à l'intelligence de Pelletier, qui, assurément peu développée, l'aurait amené à sombrer du côté des sauvages, alors qu'un homme instruit aurait souffert sans doute des mêmes épreuves, mais sans abandonner sa culture. Plus j'y réfléchis, plus cette thèse me semble fausse, et les enfants me permettront de le confirmer.

Pouvez-vous imaginer, Monsieur le Président, une nouvelle séance plénière dans laquelle Pelletier, entouré de son fils et sa fille, répondrait à la curiosité légitime de nos membres et livrerait enfin sur le nord-est de l'Australie tout ce qu'il sait et n'a pas encore dit ? La place à la tribune serait pour lui, assurément !

Vous allez dire que je me laisse emporter par mon imagination et j'en conviens volontiers.

Veuillez agréer, Monsieur le Président...

Post Scriptum :   Vous aurez noté comme moi que la Revue n'a pas publié une ligne de ma réponse dans son numéro Printemps-Été 1862. Je ne peux accepter que seules deux pages plus stupides que narquoises rendent compte de cette histoire. J'ai commencé à mettre en ordre et par écrit les faits d'abord, tous les faits aussi exactement que possible ; et puis mes remarques et réflexions. Je n'ai pas encore déterminé quelle forme pourra prendre ce travail, et j'espère que l'arrivée des enfants en augmentera l'intérêt.

Je me dois aussi de vous signaler que le détestable article de la Revue m'a valu les mois suivants un abondant courrier.

La majeure partie de ces correspondants de toute l'Europe me félicitent : les uns pour Narcisse, les autres pour la Science, d'autres enfin au nom de la morale ou de la religion. J'avoue que ma vanité n'y est pas restée insensible. Hormis Sa Majesté, qui jusqu'alors avait souhaité saluer mon action ? Je me suis si souvent senti seul dans cette aventure que je finissais par douter avoir bien agi. Ces hommages, parfois naïfs, m'ont ému plus que je ne saurais le dire. Quelques-uns étaient accompagnés d'un billet pour le « pauvre matelot ».

Deux ou trois petits esprits, enivrés et non des-soûlés de leurs aigres lectures, s'en prenaient vio-lemment à un « piètre imposteur ». Leurs missives terminèrent sans tarder dans la cheminée.

Le commandant Varot, se souvenant de ses années de navigation dans le Pacifique, prépare un savant mémoire sur les tatouages des Tahi-tiens, Marquisiens, Wallisiens, Maoris. Il me prie de lui faire un relevé complet des tatouages sau-vages du matelot Pelletier, pour mieux cerner les divers styles qu'il a repérés. Ce travail figure bien sûr dans mes carnets, et je lui en envoyai copie.

Le professeur Guarneri, de l'université de Bologne, éminent spécialiste du cerveau, m'a résumé ses travaux et les plus singuliers cas cli-niques qui fondent ses théories. S'étant ainsi pré-senté, il me demande mon accord pour procéder à une expérience pour amener Narcisse à évoquer franchement tous ses souvenirs de son séjour en Australie. Le bénéfice promis est évidemment considérable, mais le moyen proposé ne l'est pas moins. Il souhaite en effet pratiquer une trépana-tion, et inciser de quelques coups de bistouri cer-taine région du lobe cervical droit. Son honnêteté le conduisait à préciser que l'opération n'est pas sans risques pour la survie du patient, ou de son intelligence, et que le succès ne peut être garanti. J'hésitai. Demander son avis à l'intéressé ne m'aurait été d'aucune utilité, car il n'eût compris ni la teneur de l'opération ni son objectif. Sans être son tuteur ou son parent, je dus prendre la décision à sa place. Après une longue réflexion et une discussion avec un ami médecin, je déclinai l'offre.

Vous mesurez ainsi encore mieux quelle occasion a été sottement perdue. Si la Revue avait publié un compte rendu fidèle et loyal, combien d'autres lecteurs auraient pris la plume ! Combien de propositions, combien d'hypothèses fécondes auraient été exprimées ! Combien la Science aurait progressé !

13

Dans le coude que forme la rivière asséchée, à l'ombre de hauts arbres ressemblant vaguement à des chênes, subsistent quelques trous d'eau, dans un chaos rocheux. De nombreuses traces d'animaux marquent les passages pour aller s'abreuver.

Quand ils arrivent en vue de ce petit bois isolé dans la plaine, Narcisse constate qu'une famille assez nombreuse, ou une petite tribu, y campe déjà. Ils lui semblent un peu différents, moins râblés, la peau peut-être un peu plus claire. Aucun des sauvages ne montre la moindre surprise, comme si un rendez-vous avait été convenu. Cinq enfants viennent tourner autour du Blanc, Waiakh les chapitre longuement. Narcisse l'entend à plusieurs reprises dire « Amglo », au milieu d'un magma de sons où il n'arrive toujours pas à distinguer quoi que ce soit.

Les deux groupes se mélangent peu à peu. Les femmes s'assoient toutes ensemble en un large cercle sous les arbres, laissant les enfants jouer en tous sens, et ont une discussion animée.

Depuis la visite de l'ancêtre, Narcisse a compris que ses quarante-sept hôtes ne sont pas seuls dans l'immense Australie. La rencontre avec un autre groupe n'est pas une trop grande surprise. Il erre sans but, va boire là où l'eau lui semble la moins boueuse.

Alors qu'il s'installe dans l'herbe sous une branche basse pour une petite sieste, la vieille lui fait signe, ainsi qu'à un groupe d'enfants, et les conduit derrière un amoncellement de blocs rocheux. Dans leur ombre relative poussent quelques pieds de ce qui ressemble à une oseille malingre et jaunissante. Ils s'affairent à arracher les tiges les plus charnues, celles dont les feuilles sont déjà flétries, et y croquent à pleines dents. Un jus tiède et légèrement sucré coule dans la gorge de Narcisse. Depuis l'abandon, il n'a encore jamais retrouvé le goût du sucre, et le plaisir qu'il en éprouve, violent et immédiat, lui amène les larmes aux yeux.

Un homme d'une trentaine d'années, bien bâti et portant une sagaie, passe devant lui sans lui prêter attention. Narcisse note son air décidé, et qu'à la différence des autres aux cheveux coupés court, celui-là s'est laissé pousser une natte sur la nuque. Cette natte est tenue par une fine liane tressée et par quelque chose d'autre. Intrigué, Narcisse se met debout et s'approche d'aussi près qu'il se le permet. Oui, enroulée dans les cheveux, une mince bande de cotonnade à carreaux qui avait dû être rose, désormais grise et éteinte.

C'est la première fois qu'il voit un objet manu-facturé. Il ne saura jamais comment ce tissu a quitté le monde des Blancs pour devenir orne-ment de coiffure, combien de temps a duré ce voyage, en combien d'étapes, en échanges ami-caux, au hasard d'une perte ou par la violence et la rapine. D'un coup, Narcisse tremble de désir à l'idée de faire le voyage inverse. Sans réfléchir, il se plante devant l'homme et l'apostrophe en mon-trant le bout de cotonnade, en faisant de grands gestes. Personne, bien sûr, ne comprend ce qu'il dit, mais peut-être fera-t-il le rapprochement entre son colifichet et ce Blanc, tous deux étran-gers à son univers ? Peut-être devinera-t-il ? Peut-être espérera-t-il que le retour du Blanc vers les siens lui vaudra en récompense d'autres babioles pour s'en décorer ?

Narcisse ne peut se retenir d'esquisser un geste en direction du morceau de tissu, presque une caresse, non pas pour s'en saisir vraiment mais pour souligner sa demande. L'étoffe défraîchie lui paraît soudain renfermer toutes ses espérances. S'il peut la toucher, implorant, en faire son talis-man, son guide sur le chemin du retour...

L'homme recule d'un pas, plus étonné qu'apeuré de cette main blanche qui se dirige vers sa nuque. A-t-il oublié qu'il a accroché cette guenille à sa natte ? Pourra-t-il accepter de s'en défaire ?

La vieille surgit alors comme par magie et se met entre les deux hommes, comme s'ils allaient en venir aux mains et qu'il soit nécessaire de les séparer. Elle se lance dans un grand discours, s'adressant à l'un puis à l'autre en petites phrases sèches et comminatoires. Puis elle prend Narcisse par le coude et l'entraîne à distance.

Jamais elle ne s'était comportée ainsi. Il n'oppose pas de résistance et la suit. Il n'obtiendra rien de plus dans l'immédiat que cette preuve de contact. L'importance de cette découverte le bouleverse, comme un prisonnier qui reçoit un message au fond de sa cellule, alors même qu'il n'imagine pas encore à quoi il pourra lui servir.

Il retourne s'asseoir sous l'arbre, le cœur battant. L'homme à la natte est parti chasser, et bientôt il le perd de vue dans les buissons. Les autres membres de sa famille se sont mêlés à la tribu ou dorment. Peut-être eux aussi...? Il lui faut en avoir le cœur net. Narcisse se relève, déambule au milieu des groupes pour repérer les visages nouveaux, et examiner leurs coiffures, leurs poignets, leurs armes, leurs paniers. Mais rien, point de verroterie, de métal, d'étoffe, rien qui vienne du monde des Blancs.

L'espoir qu'a fait naître la guenille aux couleurs passées reflue. Mais quoi? Qu'aurait démontré un deuxième indice? La cotonnade nouant la natte suffit.

Vraiment? À quoi suffit-elle? Il ne sait plus ce qu'il doit espérer, tout est trop compliqué. Chacun de ses raisonnements est infiniment fragile, mais peut-il s'empêcher de réfléchir? Pour s'en sortir vivant, comme il se l'est promis, il ne doit rien négliger.

Si l'homme à la natte a été en contact, même de la manière la plus indirecte, avec des porteurs de cotonnades, il retournera bien un jour dans leurs parages. Ne faut-il pas que Narcisse reste avec lui plutôt qu'avec la tribu ? Mais la tribu fréquente les plages, où les secours vont venir. Comment savoir ? Comment choisir ?

Après la sieste, l'homme à la natte est assis en grande discussion avec Kermarec. Narcisse va vers lui et, gardant ses distances pour éviter que la vieille ne s'en mêle, lui dit avec insistance et à trois reprises :

« Je suis Narcisse Pelletier, de la goélette *Saint-Paul.* »

La couleur de sa peau, sa taille, le son de cette langue si différente, son apparition un jour sur la plage que les autres lui ont sûrement racontée... Ne comprend-il pas ? Comment peut-il ne pas comprendre ? Narcisse passe ensuite longuement la main sur sa propre nuque, pour suggérer que son bout de tissu et lui sont en quelque sorte parents. L'homme à la natte et Kermarec le regardent attentivement, sans manifester aucune réaction, puis, lorsque Narcisse découragé tourne les talons, reprennent leur discussion.

En fin d'après-midi, la vingtaine de jeunes des deux groupes se sont rassemblés. Ils se passent de main en main des cailloux dans un ordre que Narcisse devine complexe et rigoureux, en chantonnant un petit refrain. De temps en temps la circulation des cailloux s'interrompt, et celui qui en tient un a l'air dépité de qui a perdu. Narcisse n'essaye même pas d'imaginer les règles du jeu, si c'est bien un jeu. Il aurait aimé y participer. Enfin une distraction ! Il prend conscience à cet instant de cet ennui qui l'accable et auquel le condamne son incompréhension de leur langue. Peut-il s'asseoir parmi eux, recevoir un caillou et le passer à son voisin, imitant comme un singe ce qu'il voit faire, sans comprendre, sans stratégie, sans bavardages, sans plaisir... À quoi bon...

Chemineau rejoint le groupe des jeunes, et s'adresse à l'une des filles d'un ton solennel et autoritaire, afin que nul n'en ignore, à très haute voix. Après son annonce, ou son avertissement, peu à peu tous les jeunes interrompent le jeu, s'écartent en silence et en traînant les pieds, le laissant seul face à celle qu'il a interpellée. Comme elle veut s'en aller aussi, en marche arrière et sans le quitter des yeux, il la rattrape, lui saisit rudement le poignet, et l'oblige à se tourner vers lui. Ses intentions ne sont que trop évidentes.

Narcisse a déjà vu des minauderies entre adolescents, des fuites, des esquives, mais jamais de gestes aussi clairs et aussi brutaux. La jeune fille dit quelque chose, Chemineau la frappe au visage et la fait tomber sur le sable. Elle veut se relever, il se jette sur elle, la bascule sur le dos. Comme elle ne se laisse pas faire, il la gifle à nouveau. Elle parvient à lui échapper en roulant sur le côté, il la rattrape et l'écrase au sol de tout son poids, et la frappe encore. Du bras droit il bloque ses mains au-dessus de sa tête. Elle ne crie pas, ne proteste pas, mais tente toujours de se dégager de son agresseur. De la main gauche et du genou Chemineau lui écarte fermement les cuisses, s'allonge sur elle et la viole.

Le premier mouvement de Narcisse est de se porter au secours de la victime. Comment ne pas réagir à un crime qui se commet sous ses yeux, à vingt pas de lui? Et l'idée d'en découdre enfin avec Chemineau n'est pas pour lui déplaire.

Avant de bondir, il regarde autour de lui. Les femmes continuent à bavarder. Les hommes ont arrêté leurs activités et contemplent la scène sans bouger, sans manifester aucune réprobation. Tel ou tel émet de brefs commentaires qui font sourire les autres. Narcisse croit voir un groupe de paysans commentant l'assaut d'un taurillon sur une génisse. Parmi eux, Quartier-Maître est le plus attentif et sourit en hochant la tête, personnellement fier de ce qu'il voit. Se peut-il qu'il approuve le viol? et que Chemineau soit son fils?

Narcisse ne bouge pas. Chemineau finit assez vite en poussant une série de petits cris étouffés, se retourne et s'allonge sur le sable, sans chercher à retenir la jeune fille qui s'enfuit.

LETTRE XIII

Vallombrun, le 13 février 1867

Monsieur le Président,

Comment pourrais-je vous remercier de m'avoir fait l'honneur de penser à moi comme vice-président pour le Pacifique de notre Société ?

Je ne mérite pas cette distinction. Ne voyez pas dans cette expression une banale politesse. Indépendamment des mérites que vous croyez pouvoir me trouver, je ne peux accepter votre offre. Tout d'abord, elle exigerait de trop nombreux voyages à Paris, et ma santé n'est plus aussi bonne que par le passé. Ensuite, je ne souhaite pas retrouver en face de moi — à tous les sens du terme — et à chaque séance le R. P. Leroy, ni le Président du comité de la Revue qui n'a jamais répondu ni donné suite à ma lettre de 1862. Enfin, mes connaissances sont minces et mes voyages déjà anciens. Sans doute se réunit à Vallombrun ce que vous appelez plaisamment « l'Académie du Pacifique », ces dîners où tous les premiers lundis de

chaque trimestre se retrouvent à ma table missionnaires, officiers, savants, négociants, poètes,
partant pour le grand Océan ou en revenant. Je
n'en suis que l'amphitryon...

Au surplus, je ne suis membre à part entière
de la Société que depuis septembre 1861 et certaine séance mémorable, et n'ai donc pas les
dix ans que requiert un usage établi pour entrer
au bureau. Présenter ma candidature dans ces
conditions affaiblirait votre position et pourrait
déboucher sur un échec, dont se réjouiraient
mes adversaires. Je ne veux pas leur offrir cette
médiocre satisfaction.

Le silence et le calme de mes montagnes
conviennent mieux à mon caractère.

Je devine que vous allez répondre et balayer un
par un tous ces arguments, m'expliquer que les
réunions sont peu nombreuses, que Paris n'est
plus si loin et sur le chemin de Ré, que vous avez
fait le décompte des voix, patronnerez ma campagne et garantissez le succès.

Je rends les armes à l'avance, mais dois néanmoins décliner. Je suis en effet trop pris par un
projet plus ambitieux.

Vous vous souvenez de ce Narcisse Pelletier
dont je vous ai trop entretenu il y a quelques
années. Permettez-moi de vous donner des
nouvelles de ce garçon, et vous verrez jusqu'où
m'amène cette aventure. Ainsi éclairé, vous
conviendrez que la vice-présidence pour le Paci-

fique devra être proposée à plus méritant que moi.

Pelletier est toujours garde magasinier au phare des Baleines et ne forge aucun projet pour son avenir. Il n'habite plus au phare, mais dans une maisonnette de pêcheur, et s'est mis en ménage avec une femme séparée de son mari, un boucher de La Rochelle qui la battait trop durement. On me l'avait décrite comme de mauvais genre, et intéressée surtout par la paye de son amant. Il est vrai qu'elle n'est ni jolie ni aimable, ni jeune ni vieille, ni blonde ni brune. Dans ce couple où chacun est à sa façon naufragé, je ne vois pas de manœuvres ou de calcul. Elle s'occupe de lui et il n'est plus seul. Elle va vendre les poissons et coquillages qu'il continue de pêcher avec succès, entretient leur modeste intérieur, et cultive un potager agrémenté de quelques buissons fleuris. La présence d'une compagne ne l'a pas rendu plus bavard. Il m'a paru grossi et, à ma grande surprise, m'a proposé d'ouvrir une bouteille de vin, à laquelle il fit honneur plus qu'elle, et elle plus que moi.

Je n'apprends rien de neuf, et espace mes voyages à Ré.

M. Wilton-Smith a lancé les recherches que je demandais avec l'efficacité et l'énergie qui le caractérisent. Le chef d'expédition qu'il a choisi est un ancien de l'armée des Indes au caractère

bien trempé, qui fut chercheur d'or et un peu tra-
fiquant de santal.

Narcisse a été découvert le 3 février 1861. C'est
donc le 1er février 1864 qu'arriva l'expédition
que je finançai, sur un sloop nolisé pour mon
compte, à la « Pelletier Beach ». On peut en effet
espérer que les sauvages nomadisent selon un
cycle annuel, et ce point de départ semble tomber
sous le sens. Personne en vue.

Les jours suivants, des reconnaissances ont
été lancées dans toutes les directions, par un
groupe de six hommes vigoureux, décidés, et bien
armés. La principale difficulté — outre la chaleur
constante et les insectes, auxquels les Australiens
sont habitués — est le manque, que dis-je, l'absence totale d'eau. Aucune rivière, aucune mare
ne fut découverte. Chaque homme doit porter
depuis le bord ses réserves, et ce poids limite à
quatre jours la durée de toute incursion. Des
cartes de plus en plus précises ont été dressées. Un
dépôt de vivres, signalé par un fanion, fut installé
et agrémenté de quelques verroteries — mais toujours point de sauvages. Au bout d'un mois,
comme convenu, les explorateurs rentrèrent à
Sydney. M. Wilton-Smith m'adressa un bref rapport, et trois semaines plus tard un compte rendu
détaillé et un minutieux état des dépenses. Il avait
également promis sur sa caisse personnelle une
importante récompense pour toute information
utile. Cette délicate attention lui amena beaucoup
d'escrocs et requit de fastidieux travaux de recou-
pement, mais sans aucun résultat.

En octobre 1864, août 1865 et février 1866, de nouvelles tentatives eurent lieu, soit au départ de « Pelletier Beach », soit d'autres points d'accostage situés au nord ou au sud. La région entière est maintenant assez bien connue, sur une cinquantaine de lieues de plages et une quinzaine de lieues de profondeur. Ce secteur aride de dunes et de forêts, avec quelques taches de mangrove, jusque-là presque inconnu sauf le trait de côte, ne recèle plus aucun mystère. De médiocres gisements de charbon et quelques espérances touchant à du minerai de fer ont été repérés. Il me semble que ces travaux méthodiques qualifient mon ami Wilton-Smith pour être reçu comme membre associé de notre Société, et je crois savoir que cette distinction l'honorerait particulièrement.

Quelques tribus ont été aperçues, et interrogées par le truchement d'un sauvage du Nord parlant un peu anglais dont le chef d'expédition avait souhaité la présence. Aucune information sur un sauvage blanc, ni sur des enfants métis — encore que Wilton-Smith lui-même émette des réserves sur la compétence, voire sur la loyauté de l'interprète.

Cette absence de résultats ne me décourage pas et ne peut être regardée comme un échec. Je persévère. Ces enfants sont bien quelque part dans le désert australien. Ils ont maintenant treize et dix ans. Nous finirons par les trouver.

L'indifférence du père ne m'étonne pas davantage. J'ai expliqué à plusieurs reprises à Narcisse le sens des efforts que je consens pour lui, et les vœux que je forme pour qu'il puisse retrouver son fils et sa fille. Il me regarde, sourit et ne répond pas. Je le connais trop bien pour me laisser prendre à cette indifférence. L'Australie le rend muet, c'est ainsi. Mais si j'arrivais sur Ré avec les enfants, s'il pouvait les serrer dans ses bras, à quelles conversations étonnantes pourrais-je assister ! Et combien les progrès des petits métis en diraient long sur le même chemin parcouru avant eux par leur père !

Pourtant, malgré tout mon intérêt et tous mes efforts à leur égard, les enfants de Narcisse Pelletier restaient pour moi indistincts, flous, sans visage, comme perdus dans une brume de sable. Je finis par comprendre qu'il leur manquait un nom — ces noms que leur père leur avait donnés dans la langue des sauvages et me taisait absolument. Il me fallut donc, là encore, agir à sa place et, sinon les baptiser, du moins leur donner une identité.

Pour la fillette, ce serait Eugénie : le choix s'imposa de lui-même. J'hésitai pour le garçon, avant que Charles — en hommage à Charles Darwin, un savant anglais dont je viens de découvrir les thèses révolutionnaires — ne se présente de lui-même. Le second prénom sera celui de mes chers frère et sœur, en préfiguration des parrain et marraine qu'ils deviendront peut-être.

Il leur fallait une date de naissance. Narcisse avait suggéré des âges, sans doute figés dans son souvenir au moment de la séparation. J'en déduisis les années 1853 et 1857. Le jour de naissance fut choisi arbitrairement. Pour Charles-Louis — et pour compenser ce que ce prénom doublement royal pouvait susciter comme ambiguïtés politiques — ce sera le 2 décembre. Pour sa sœur je choisis le jour de ma première rencontre avec son père, à Sydney, le 1er mars 1861.

Charles-Louis Pelletier, né dans l'Australie du Nord-Est le 2 décembre 1853, et Eugénie-Charlotte Pelletier, née aux mêmes rivages le 1er mars 1857, sont les enfants de Narcisse Pelletier, né à Saint-Gilles-sur-Vie le 13 mai 1825, et d'une femme sauvage. Leur père signa d'une croix la lettre préparée par mes soins pour le Procureur impérial à La Rochelle, afin d'obtenir l'inscription à l'état civil de ses deux enfants.

Narcisse Pelletier a retrouvé le monde des Blancs depuis six années, et depuis lors pas une journée ne s'est écoulée où je n'ai réfléchi à cette histoire. Désormais il n'inspire plus la pitié, encore que la compassion que j'éprouvais pour lui n'a pas disparu. Les épreuves qu'il a traversées sont sans doute terribles, mais un scientifique ne peut s'arrêter à un simple sentiment d'effroi et de sympathie.

J'espère qu'il est heureux désormais. En formulant ce souhait, je confesse qu'il n'a pas dû l'être souvent depuis son retour. Avait-il réussi à trouver le bonheur parmi les sauvages, malgré les privations et les souffrances ? Je peux aujourd'hui en faire l'étonnante hypothèse.

Nous ne saurons jamais comment le matelot Narcisse Pelletier, alors âgé de dix-huit ans, est devenu sauvage. J'ai tenté de comprendre comment Narcisse Pelletier, âgé de trente-six ans, sauvage, est redevenu blanc : comment il a réappris ou retrouvé notre langue et nos usages ; comment différents éléments se sont à nouveau agencés pour composer sa présente personnalité ; pourquoi il n'évoque quasiment jamais sa vie en Australie.

Longtemps, ces réflexions n'ont pas abouti. Je ne parvenais pas à mettre de l'ordre et à donner du sens à ses réactions. N'avais-je donc le choix qu'entre l'anecdote et le chaos ?

Peu à peu, je devinais qu'il me fallait m'éloigner de Narcisse Pelletier pour mieux y revenir. Et puisque la Science ne me fournit aucun outil pour comprendre cette histoire, il fallait les construire moi-même — quitte à jeter les bases d'une science nouvelle.

J'imagine votre surprise à lire cette proclamation prométhéenne, et je vous supplie de m'accorder encore un peu de votre temps.

Seule en effet une science globale peut réunir toutes les connaissances éparses qui nous renseignent sur l'Homme. De nouveaux termes sont apparus récemment : sociologie ; ethnologie ; psychologie; anthropologie. Ces savoirs sont précieux et promis à un grand avenir. Ils viennent compléter utilement ce que nous apprennent la géographie, la morale, la pédagogie, la grammaire, la politique, voire la médecine. Toutes ces sciences nous parlent de l'homme au milieu de ses semblables. Mais chacune reste isolée de toutes les autres, ne s'en soucie pas, ne les écoute pas et refuse de rien en apprendre.

Je les vois maintenant comme autant de chapelles, qui forment ensemble une immense cathédrale dont je pressens l'architecture. Après une longue méditation, je choisis un nom pour cette science globale de l'homme et de tous les hommes : Adamologie.

J'esquisse aujourd'hui le théorème suivant : toutes les sciences ayant l'homme pour objet d'étude obéissent aux mêmes principes premiers et sont structurées d'identique façon. Il faut constater et cultiver ces convergences, afin qu'elles fusionnent en un ensemble harmonieux. Ce que l'on pourrait appeler le théorème de Vallombrun m'est apparu peu à peu pendant ce long hiver de 1866. Comme Pythagore, Thalès ou Fermat, je ne veux d'autre gloire que de laisser mon nom à une règle fondatrice.

Permettez-moi d'éclairer mon propos de comparaisons. Depuis l'Antiquité, chacun voit les liens entre la médecine et la zoologie, ou entre celles-ci et la botanique. Chacune de ces sciences a son propre champ, mais obéit aux mêmes fondamentaux, qui sont ceux de la Biologie générale. De même, depuis Newton, l'astronomie et la mécanique se sont découvertes sœurs, et l'optique et l'électricité leurs cousines forment avec elles la Physique générale. L'Adamologie générale prétendrait à la même dignité.

Ces sciences qui en forment les branches ne sont pas des connaissances rangées les unes à côté des autres, comme des livres sur les rayonnages d'une bibliothèque infinie; mais des savoirs qui dialoguent et s'enrichissent mutuellement, parce qu'ils découlent des mêmes principes et appartiennent à une famille plus vaste et régie par les mêmes lois.

Là en effet est la limite avec les comparaisons qui précèdent. Si une herbe et une vache obéissent pour partie aux mêmes règles, on peut étudier l'une et ignorer l'autre. Toutes les branches de l'Adamologie ont pour lieu unique le cerveau humain, où quoi qu'on fasse et de toute façon elles se mélangent ou en tout cas s'influencent. Qui pourrait nier les liens entre l'éducation et la grammaire? entre la sociologie et la morale? entre l'ethnologie et la politique? Comment refuser désormais de rechercher de manière systématique ces résonances multiples? Comment ne pas deviner que ces échos sont plus importants que les savoirs qu'ils relient?

Vous percevez, je l'espère, où se situera l'apport de l'Adamologie — et l'ampleur du chantier qui se dessine devant moi. J'en mesure l'ambition, et ne sais si j'aurai la force de conduire pareil projet. Je préfère les voyages aux bibliothèques, et redoute de devoir m'enfermer à Vallombrun pendant des années pour asseoir cette théorie.

Vous comprenez pourquoi cette ambition m'interdit absolument d'accepter la vice-présidence de la Société de Géographie.

Cette cathédrale que je vous ai décrite a son architecte, mais ses plans ne sont qu'esquissés. Je devrai la doter de fondations solides. Je rêve en effet d'un système inédit d'annotations systématiques, d'abréviations, de signes convenus, tout un codage afin que chaque idée de chaque branche puisse renvoyer à d'autres parties d'autres savoirs. Les ouvrages d'Adamologie seront imprimés sur deux colonnes, l'une pour le texte, l'autre pour ces étoiles, ces triangles, ces capitales agrémentées de points, ces barres inclinées, ces hiéroglyphes modernes combinés entre eux, que l'imprimeur confectionnera pour l'occasion.

La partition d'une mélodie contient à l'horizontale trois portées pour la voix et le piano, et une ligne pour le texte. Enlevez ne serait-ce qu'un seul de ces éléments, et l'œuvre perd tout son sens. De même, l'Adamologie présentera, verticalement, l'exposé linéaire d'un savoir, et sur l'autre colonne tout ce que ce savoir suscite dans les autres branches. Mon apport ne sera pas dans l'exposé des connaissances, mais dans ce système de renvois, de correspondances, de parallèles, d'échos — qui eux-mêmes rebondissent vers d'autres données. Cette structure, la seule qui permette de rendre compte de la richesse du propos, n'est-elle pas exactement à l'image du fonctionnement de notre cerveau?

Ce qui a commencé sur une plage déserte d'Australie oblige à penser autrement l'Homme.

Veuillez agréer, Monsieur le Président...

14

Depuis deux jours, Narcisse songe à la mort.

Cela avait commencé quand la vieille avait tué
un serpent. Elle l'avait attrapé par la queue, sous
la pierre où il somnolait à deux pas du camp, et
le tint bras tendu, le temps de l'assommer d'un
coup de bâton, puis de lui écraser la tête avec un
caillou. L'animal, qui l'instant d'avant se tordait
en tous sens, crachait, voulait mordre, cherchait
à s'échapper, n'était plus qu'une chose inerte,
jetée dans un coin en attendant de figurer au repas
du soir. Son histoire, quelle qu'elle ait été dans le
monde muet des reptiles, s'arrêtait exactement là,
tête broyée. C'était fini.

Narcisse avait repensé au mousse, le gamin de
Quimper qui avait agonisé dans la bonace pendant une semaine. Le petit avait souffert, vomi,
pleuré, prié, gémi, allongé au pied du grand mât,
au milieu de l'océan Indien déserté de tous les
vents. Un dimanche à midi, il avait cessé de respirer et voilà tout. Son corps fut jeté à la mer

deux heures après avec une oraison vite expédiée, et nul n'en avait plus jamais parlé. Que dire, au demeurant ? Fallait-il regretter que ses tourments n'aient pas duré davantage, que les poudres du second n'aient pas en vain prolongé ses tortures ? Il n'aurait pas tenu jusqu'à l'Australie.

Entre le mousse de Quimper et le matelot de Saint-Gilles, lequel devait s'estimer le plus heureux ? Leurs parents ne recevront-ils pas la même lettre et ne partageront-ils pas le même chagrin ? Tant que Narcisse n'a pas réussi à revenir vers le monde des Blancs, il est enseveli dans les sables du désert tout autant que le mousse dans les profondeurs de l'océan. Lui est resté vivant, mais d'une certaine façon qu'il n'arrive pas à comprendre, il sait qu'il est mort. Et la mort ne lui est plus ni étrangère ni autant effrayante.

Il est mort aussi lorsque à la nouvelle lune, après d'interminables lamentations et fumigations conduites par Chef et la vieille, Quartier-Maître et Cicatrice lui font signe de les suivre vers le foyer. Devant toute la tribu attentive, Cicatrice prend une longue épine, passée au feu et enduite d'une substance noirâtre. La voix de Quartier-Maître s'élève dans la nuit pour une mélopée chantée à trois reprises, puis il désigne l'épaule gauche. Cicatrice y pique son épine à plusieurs reprises, en points alignés.

Il serre les dents et se tait. La douleur est supportable, comme la fumée que la vieille lui souffle dans le nez. Son tatouage n'est qu'un simple motif, comme ceux de Waiakh et des autres enfants. Pour les jeunes gars, les tatouages recouvrent bras et cuisses. Les hommes en sont presque entièrement recouverts.

Il lui paraît normal d'être tatoué à son tour. Non pas le tatouage des marins. Il sait qu'il est mort, que ces piqûres ne s'adressent pas à lui, qu'il est hors d'atteinte de Quartier-Maître, de Cicatrice, de tous ces sauvages. Comment ne pas mourir d'être assis là parmi eux, dans la poussière et le sable, dans cette forêt sans limite ?

Il pense à la mort le soir, lorsqu'il voit le soleil disparaître derrière les arbres, tomber à cette vitesse que l'on ne voit que sous les tropiques. Ce soleil dont il porte le nom dans leur langue s'évanouit et laisse la place au néant et à la peur. Le maître de manœuvre lui a expliqué, il ne se rappelle plus très bien, que lorsque le soleil se couche de ce côté du monde il se lève au même moment à Saint-Gilles, mais faute de pouvoir attacher une nacelle au soleil et faire le trajet avec lui, il ne peut que contempler cette descente brutale qui chaque jour le met mal à l'aise. L'idée que l'aube arrivera tout aussi inexorablement ne le console pas. Les couleurs vont disparaître à leur tour, seul le foyer mettra un rouge absurde au milieu des ombres. Dans la mort, quel fanal subsiste ?

Il pense à la mort à midi, lorsque tout se brouille et se dilue dans la chaleur accablante qui tombe du zénith. Ces arbres flous, ces silhouettes qui tremblent dans l'air chaud, cette difficulté à respirer, ces pensées molles qui vont et viennent sans ordre et sans vitesse, ce poids oppressant d'un corps inutile et gisant, n'est-ce pas ce que l'on ressent dans le monde d'après? ou plutôt, dans les derniers instants, pour prendre congé, quand tout s'efface peu à peu et que les sens se referment les uns après les autres comme les sabords d'un navire de ligne ayant rentré ses canons.

Il pense à la mort la nuit, longuement, lorsque recroquevillé dans un creux de sable il ne bouge plus.

Il pense à la mort le matin lorsqu'une nouvelle journée infiniment vide et solitaire, toujours semblable à la précédente, le menace et le broie. Quel sens y a-t-il à tenir? À quoi bon supporter le quotidien?

Et de nouveau à midi. Et de nouveau le soir.

Et si la mort s'obstine à lui envoyer des signes amicaux mais à ne pas venir, faut-il qu'il aille la chercher? Il ne sait pas s'il a la force d'aller la retrouver, ni comment. S'arrêter de manger ou de boire requiert un courage qu'il n'a pas. Il rêve d'un voyage rapide et sans appel.

Il pourrait monter au sommet d'un arbre ou d'un rocher, et s'il les choisit assez hauts, se jeter dans le vide la tête la première. Oui, il voit la scène, il esquisse comme un pas de danse avant de lâcher prise et d'aller embrasser le ciel de ses bras étendus. Que la vieille essaie avec ses potions de recoller les morceaux, qu'elle comprenne le sourire sur son cadavre, et s'étonne de ses yeux grands ouverts, désormais rieurs et qui ne la verront plus jamais.

Et s'il se trompe? Si la hauteur insuffisante ou le sol trop mou le trahissent, et qu'il doive pour le restant de ses jours misérables se traîner estropié, claudiquant derrière la tribu?

Non, il lui faut réussir. Une plante au suc empoisonné, un coquillage au dard venimeux? Il ne les connaît pas encore, mais apprendra, à force, à identifier ceux que l'on enlève aux enfants imprudents et dont il fera le moment venu le plus suave des desserts.

Pourquoi tant attendre?... S'asseoir sous un arbre, se couper les veines des poignets avec la petite moule bleutée qu'il a appris à utiliser pour fendre la peau des poissons. Une légère incision à la base de la paume, sous la main droite, sous la main gauche, et la vie s'écoulerait lentement dans le sable. Il s'endormirait, il aurait peut-être un peu froid, et voilà tout. Si aucun sauvage ne le découvre au tout début, ils ne pourront rien faire sauf constater qu'il s'est enfui.

Ou plutôt, pour lui destiné à mourir en mer... entrer dans la mer comme les autres jours, faire un signe amical à Waiakh, avancer jusqu'à ne plus avoir pied, remuer bras et jambes comme un

340

petit chien en direction du large, sentir une vague puis une autre lui passer par-dessus la tête, continuer fièrement, vers cette silhouette indistincte de goélette dont les deux mâts apparaîtront à peine à l'orée de la baie.

LETTRE XIV

La Rochelle, le 13 décembre 1867

Monsieur le Président,

Quelle force d'âme faut-il avoir, pour constater que dix années de ma vie ne débouchent que sur l'amère certitude de l'échec? et la vanité de tous mes voyages?

J'ai tenté de mettre en ordre mes réflexions sur ce que j'ai dénommé l'Adamologie et dont je vous ai annoncé la naissance avec autant de naïveté que d'imprudence. J'ai beaucoup lu, beaucoup écrit, beaucoup jeté au feu. Mille difficultés théoriques et pratiques se sont opposées à mon dessein. J'ai le sentiment d'avoir voulu gravir une trop haute montagne, alors que torrents furieux et glaciers infranchissables m'en barraient la route.

Des sommets inviolés ferment l'horizon que je contemple depuis la terrasse de Vallombrun. L'Adamologie me paraît à la même distance.

Je me suis d'abord trompé sur moi-même. Je ne suis pas homme de système. Je ne parviens pas à transmuter mes intuitions et mes enthousiasmes en certitudes scientifiques solidement étayées. D'autres que moi, je l'espère, reprendront ce chemin et trouveront les voies de la conquête et du succès.

Resterai-je au moins comme celui qui a élucidé le mystère Pelletier ? Rien de tel, hélas.

Prolongeant les recherches que vous aviez fait entreprendre sur des cas analogues, j'ai découvert quelques autres drames oubliés, non pas suite à des naufrages, pour lesquels votre recension s'est avérée très complète, mais sur la terre ferme, suite à des rapts ou des raids. Dans les grandes plaines américaines comme en Patagonie, des Blancs ont été enlevés et ont vécu dans des tribus. Quelques très jeunes enfants sont devenus complètement indiens et ont perdu toute mémoire de leur vie auprès de leurs parents. Les autres ont toujours conservé dans les douleurs de la captivité le souvenir de notre civilisation, jusqu'au jour tant attendu de leur délivrance.

Aucun n'a comme Narcisse Pelletier effectué deux fois ce voyage d'un monde à l'autre.

J'ai beaucoup observé, je n'y ai sans doute rien compris. Cette énigme demeure impénétrable, comme au premier jour. Ce qui a commencé à Sydney vient de se terminer à La Rochelle. Là-bas comme ici, aurais-je dû trouver d'autres mots ? Et que pesaient mes phrases face aux silences de Narcisse ?

Je vous dois pour terminer le récit de notre ultime rencontre.

La synthèse des quatre expéditions conduites en Australie par M. Wilton-Smith pour trouver Charles et Eugénie Pelletier — synthèse dont j'ai adressé une copie aux Archives de notre Société — me suggéra l'idée de la confronter aux souvenirs du principal intéressé.

Pour m'éviter l'ennui des tempêtes d'hiver à la pointe de Ré, l'ingénieur subdivisionnaire eut la bonté de convoquer à La Rochelle son garde magasinier de troisième classe. Logé au dépôt des marins, il se présenta comme convenu à mon hôtel. Je lui montrai les cartes et les plans, je lui racontai les anecdotes des explorateurs dans leur quête. L'évocation des paysages, des mangroves, des dunes de sable, des îlots bordant la côte, des vastes forêts plates et monotones allait-elle l'amener à des confidences ? Les récits des rencontres avec les sauvages, des bivouacs, des quelques échanges avec eux susciteraient-ils quelque émotion ? Hélas non. Il m'écouta poliment, ne fit aucune réponse et je n'en fus, je l'avoue, guère surpris.

Le silence de Narcisse Pelletier sur ce qu'il a vécu en Australie est total et absolu, ce jour-là tout autant que lorsque nous faisions connaissance en 1861 à Sydney.

Le lendemain, je le fis venir à nouveau. J'avais avec moi mes carnets australiens et tentai une autre approche. Et je lui racontai son histoire.

« Tu étais dans le jardin du gouverneur, vêtu d'un pagne, gardé par deux soldats. Un groupe de messieurs est venu t'observer et te parler dans différentes langues... »

Ce récit, que je vous ai narré en son temps, avec tous les détails dont je me souvenais, le sidéra. Il m'écoutait avec une attention impossible à rendre, presque effrayante, immobile, un peu de sueur perlant à son front. Je terminai le récit de cette première journée et poursuivis :

« Avant cela. Tu étais sur le *John Bell*, terrorisé, accroupi pendant dix jours contre la rambarde, refusant toute nourriture... »

Je bénis ce méchant capitaine Rowland qui, par son récit dans le bureau du gouverneur des Nouvelles-Galles du Sud, me permettait de lui raconter cette traversée initiatique.

« Avant cela. Tu étais assis dans la chaloupe. La chaloupe a nagé jusqu'au navire, où tu es monté par l'échelle de corde... »

Narcisse s'était mis à pleurer et me regardait suppliant. Je continuais, impitoyable.

« Avant cela. Tu ramassais des coquillages sur la plage avec la tribu, une journée comme une autre. Tes enfants étaient auprès de toi. Vous avez vu le *John Bell* entrer dans la baie. Les marins sont venus vers vous et vous n'avez pas eu peur... »

Narcisse était au dernier degré de l'abattement et de la confusion. Il fallait un cœur de tigre pour ne pas être ému par ses larmes et sa peine. J'eus ce cœur de tigre.

« Avant cela, Narcisse ? »

Ma question le terrorisa visiblement. Que se passait-il donc dans son crâne ? Il ne chercha pas à quitter la pièce et m'implorait silencieusement de mettre un terme à cette torture. Je l'aggravai pourtant. Il serait toujours temps plus tard de le consoler.

« Avant cela, Narcisse ?... Que s'est-il passé ? »

Narcisse était blême et se tordait les mains. Mon regard impérieux soutenait la question, comme si toutes nos conversations antérieures et tous mes échecs à le faire parler trouvaient à cet instant leur aboutissement.

« Avant... Avant ce n'était pas Narcisse... », murmura-t-il d'une voix déchirante. Cette étrange confidence pouvait s'entendre de plusieurs façons. Pour en avoir le cœur net, je revins au 5 novembre 1843.

« Avant ce n'était pas Narcisse ? Alors raconte-moi ce qui s'est passé le jour où le capitaine Porteret vous avait envoyés chercher une aiguade, lorsque tu t'es perdu et que tu n'as plus revu le *Saint-Paul* ? Que s'est-il passé après ? »

Cette nouvelle torture le fit trembler de tout son être et je crus qu'il allait perdre connaissance.

« Après cela... tu étais seul sur la plage... le navire était parti et tu ne savais pas s'il reviendrait...

« — Après... après... ce n'était pas Narcisse »,
parvint-il à dire en un souffle.

Je respirai profondément pour trouver la force
de poursuivre, et découvrir dans la constance de
son refus la faille la plus infime par où atteindre
la vérité.

« Après ce n'était pas Narcisse... Avant ce
n'était pas Narcisse... Mais entre les deux ? Quand
tu étais là-bas ? Pendant toutes ces années ? Qui
étais-tu ? »

Comme pour demander grâce, comme un prisonnier soumis à la question et qui laisse échapper le secret qui le tue, il prononça un mot, sans
doute de deux syllabes mais sans émettre aucun
son. Je crus entendre quelque chose comme
« Ango ».

« Que dis-tu ? »

Il ne répéta pas sa confidence ou sa confession,
mais s'effondra la tête dans les mains. Je ne lâchai
pas prise.

« Entre les deux, qui étais-tu ? »

Il releva son visage brisé, noyé de larmes silen-
cieuses et finit par dire, d'une voix agonisante :

« Parler, c'est comme mourir. »

Je le harcelai — j'eus la cruauté de le harceler
pendant encore de longues minutes et n'obtins
rien de plus, qu'il se taise, qu'il pleure ou qu'il
répète cette mystérieuse formule : « Parler, c'est
comme mourir. »

La pitié finit par prévaloir. Ne sachant comment le réconforter, j'allai lui chercher un verre
d'eau, pour l'amadouer et le prier de pardonner

la dureté dont j'avais fait preuve au nom de la Science.

Quand je revins dans la pièce, il n'y était plus. Je compris qu'il avait besoin de solitude et le laissai tranquille pour le reste de la journée. J'eus tort.

Le lendemain, il ne se présenta pas à notre rendez-vous convenu. Je le fis chercher au dépôt des marins, on m'apprit qu'il n'y était pas reparu. Il me fuyait. Il fuyait. Je télégraphiai au phare des Baleines, où il n'était point retourné, ni dans la petite maison où il s'était mis en ménage.

De plus en plus inquiet, j'étendis mes recherches à l'hôpital, à la prison, à la morgue. Aucune trace de Narcisse Pelletier. Il avait disparu avec pour tout bagage les vêtements qu'il avait sur lui. Dans quelles directions chercher?

Je signalai sa disparition à la police, où je dus justifier de ma qualité à son égard. Ami de la famille me parut la rubrique la moins fausse. Le commissaire écouta mes explications et m'assura que des recherches seraient conduites. Je mis en alerte le maire de Saint-Gilles.

Je n'ai aucune piste à suivre. Et d'ailleurs, pourquoi le poursuivre? Pour obtenir son pardon? Pour l'interroger encore? Pour le garder sous ma coupe? Pour la Science?

Une semaine s'est écoulée depuis sa disparition. Étrangement, je ne redoute pas qu'il ait mis fin à ses jours. Je sais qu'il est quelque part sur les routes, ni sauvage blanc ni garde magasinier des

Phares et Balises, hors d'atteinte de tout questionnement, un simple chemineau parmi d'autres, sans passé ni avenir.

Avant de quitter La Rochelle pour Vallombrun, et dans l'attente de nouvelles qui ne vinrent pas, je méditais sur son attitude.

Il avait paru souffrir dès que je l'avais interrogé sur ces deux moments où il avait été contre son gré projeté d'un monde vers l'autre — et plus mes questions se rapprochaient de ce basculement, plus il semblait éprouvé, déchiré, anéanti. Sa mémoire, son corps tout entier refusaient ardemment de se souvenir. Sa volonté consciente n'était pas en jeu. Quelque force inconnue le terrorisait — ce que j'avais déjà constaté en 1861 en Australie, et comparé dans une de mes lettres au combat de deux personnages en lui : un matelot au cachot dont la porte s'entrouvre, et un diablotin qui veut l'empêcher de sortir. Le diablotin, ou plutôt une puissance obscure et souveraine, a gagné la dernière manche.

Ses larmes témoignent de la violence de ce combat. Ses larmes de Londres, lorsque je lui avais opposé cette évidence, qu'il ne pouvait pas être issu du ventre d'une négresse australienne, venaient de la même source. Reconnaissons Narcisse comme un champ de bataille. La fumée des canons s'est dissipée, les armées ont fait mouvement, ne reste qu'une plaine boueuse aux arbres déchiquetés, désormais impropre aux labours. L'âme de Narcisse.

Pour comprendre, je n'ai que son aphorisme — son cadeau d'adieu? « Parler, c'est comme mourir. »

Parler, c'est parler de l'indicible de ces journées là-bas, c'est raconter, c'est mettre en mots ses souvenirs que je sollicitais sans cesse et à jamais frappés d'interdit. S'il répondait à mes questions, il se mettait dans le danger le plus extrême. Mourir, non pas de mort clinique, mais mourir à lui-même et à tous les autres. Mourir de ne pas pouvoir penser à la fois ces deux mondes. Mourir de ne pas pouvoir être en même temps blanc et sauvage.

Deux fois il a franchi ce passage impossible d'un monde à l'autre. Pour vivre avec les sauvages, il avait dû tout oublier de sa vie de matelot — qui saura jamais au prix de quels efforts! Revenu parmi les Blancs, et se refusant d'instinct à endurer à nouveau pareille ordalie, il s'était réfugié dans l'amnésie volontaire. Répondre lui était impossible, sauf à abaisser le pont-levis de sa forteresse et laisser le matelot et le diablotin s'affronter en un combat mortel. Sa raison n'y eût pas survécu.

Sa Majesté avait pu entrouvrir une poterne et apercevoir l'autre côté, sans doute parce qu'elle lui a semblé irréelle à raison de son pouvoir et de son statut. La compassion qu'il a éprouvée pour son camarade en deuil de son enfant l'a aussi amené à un instant sans contrôle, à laisser échapper une part de son histoire australienne, ses deux enfants. Mais il a fallu l'une ou l'autre de ces émotions très fortes pour qu'il se laisse aller à une forme de confidence. Depuis six ans que je l'interroge, je n'en ai recueilli aucune. Le silence, clef de sa survie.

Je me demande d'ailleurs, seulement maintenant, ce qu'il serait advenu de lui si les expéditions de Wilton-Smith lui avaient ramené ses enfants. La joie des retrouvailles l'aurait-elle emporté ? Eût-il été terrassé par cette irruption de son passé australien dans sa vie présente ? À quels dangers insoupçonnés ma naïve envie de bien faire l'aurait-elle exposé ? À eux, pouvait-il dire, et en quelle langue... : « Parler c'est comme mourir » ?

Il ne pouvait pas me répondre. Il ne pouvait pas ne pas me répondre. Il s'est enfui.

J'ai l'intuition que nous ne nous reverrons plus.

La police n'a eu aucune nouvelle, ni le maire de Saint-Gilles, ni personne. Très affecté par ce drame, je retourne à Vallombrun. J'espère y confirmer ce que je crois comprendre.

Parmi toutes les questions auxquelles je sais désormais qu'il ne répondra jamais, l'une provoque en moi une souffrance particulière. Envers moi, il a toujours eu cette attitude à la fois réservée et souriante, sans rien révéler de ses sentiments profonds. Qu'aurai-je été pour lui pendant toutes ces années ? un ami ? un grand frère, alors que je n'ai que quatre ans de plus que lui ? un mentor? un persécuteur? l'absurde instrument du destin? tout cela à la fois?

Je ne puis maintenant que prier pour que Narcisse Pelletier trouve à sa façon la paix et le repos, au terme de ses tribulations. Que jamais plus, jamais plus, il n'ait à prononcer cette formule terrible : « Parler, c'est comme mourir » !

Que Dieu lui vienne en aide.

Croyez, Monsieur le Président...

15

Narcisse ne se souvenait plus très bien de son oncle et parrain, mort quand il avait huit ans. L'ancien grenadier habitait une petite maison au bout du village, et cette brève promenade pour aller le voir ouvrait la porte à toutes les aventures. Sa fenêtre ne donnait pas sur les champs labourés, mais sur des forêts allemandes et des champs de bataille. Il aimait raconter ses campagnes, et l'enfant écoutait sans ciller les récits des marches pour prendre l'adversaire à rebours, les passages de fleuves, les entrées victorieuses dans des villes aux noms inconnus, les revues des troupes par de jeunes généraux, l'ivresse des combats, les sourires des cantinières, la camaraderie des camps, si loin de Saint-Gilles.

Le père de Narcisse n'avait jamais voyagé, ni sa mère, ni aucun autre de ses parents.

Alors, le pillage d'un palais ducal en Poméranie, les blessés amenés au chirurgien sous les ors baroques d'un monastère bavarois, les sombres montagnes traversées pendant des jours sous la neige, les bivouacs devant une ville en flammes et qui tomberait le lendemain, les canons pris à l'ennemi, le rêve toujours repoussé d'envahir enfin l'Angleterre, les clochers arrondis bleu et or comme au paradis, les trompettes et les fifres sonnant la charge, l'odeur de la poudre et la fureur des corps à corps — et puis la blessure, le coup de sabre d'un uhlan qui lui avait profondément entaillé le bras droit, qui depuis pendait inutile... Il disait ne rien regretter. Parfois il montrait ses chaussures pour en faire l'éloge, comme si c'était avec une seule et même paire qu'il avait traversé la moitié de l'Europe et porté les armes de l'Empire pendant cinq années — l'enfant le croyait.

Narcisse ne savait pas encore comment, mais lui aussi un jour il partirait et verrait ce qu'aucun autre n'avait vu.

Le souvenir favori du grenadier Pelletier était celui d'une reconnaissance en Bohême avec trois camarades. En coupant par les bois, au coude d'un chemin creux, ils tombèrent nez à nez avec une calèche tirée par quatre chevaux. Le grenadier eut la présence d'esprit de mettre en joue le postillon, qui croyant sa dernière heure arrivée arrêta son équipage et s'enfuit dans la forêt. À la fenêtre apparut une jeune femme terrorisée, enveloppée dans un grand manteau bleu et qui les supplia dans une langue qu'ils ne comprenaient pas. Un garçon de dix ans, son frère sans doute, se montra, pour courageusement faire voir qu'elle n'était pas seule. Les soldats n'avaient pas de consigne pour une telle rencontre, aussi ils décidèrent de ramener leur prise au camp. Pelletier s'installa à la place du postillon et ne laissa personne monter avec ses prisonniers, qu'il conduisit à deux lieues de là. Son colonel, qui dînait sous sa tente, sortit en entendant le brouhaha précédant la calèche. Il offrit galamment la main à la jeune femme et, avant de l'inviter avec son frère à souper, félicita publiquement Pelletier pour son audace.

« Tu te rends compte, gamin ! Elle s'enfuyait, je l'ai arrêtée. La vie d'une comtesse qui change, à cause d'un p'tit gars de Saint-Gilles-sur-Vie ! »

Pendant ce temps, son père maugréait des faibles récoltes et du peu de pratique de son atelier.

Narcisse avait toujours su qu'il voyagerait. Son père avait refusé qu'il parte comme mousse à douze ans, à treize, à quatorze. À quinze ans, Narcisse l'avait convaincu. Depuis lors, il avait vu Nantes et la Chine, Aden et Bristol, Ceylan et Barcelone, Le Cap et Bordeaux. Plus de terres et plus de mers que son oncle n'en avait jamais rêvés.

S'il n'y avait pas eu une comtesse en Bohême un soir d'automne dans un chemin creux, un manteau bleu, une femme apeurée qui demande grâce à des soldats de Napoléon dans une langue inconnue... Narcisse avait tant de fois entendu raconter cette histoire qu'il lui semblait y avoir assisté, avoir été l'un des grenadiers accompagnant son oncle, ou ce visage entr'aperçu, effrayé mais résolu à ne pas le montrer et à protéger sa sœur...

Que savait-il de ce soir de Bohême? Il savait tout. Il connaissait l'odeur des chevaux, la couardise du valet, les boucles blondes et les cheveux défaits et le parfum et le crissement de la robe de soie de la comtesse, les ricanements des Français ne sachant pas trop quoi faire, les uniformes tachés de boue, le regard fier du jeune garçon, la couleur des feuilles mortes, le tintement d'une cloche de quelque village non loin, et cette voix angoissée qui implorait qu'on ne les tue pas...

Qui aurait pu croire qu'un chemin creux de Bohême conduisait au fin fond de ce désert?

Il avait choisi les voyages. L'Australie immense l'effrayait, mais quoi? Il n'y avait perdu que le bout d'une oreille, quand son oncle dans ses campagnes avait laissé un bras. Il avait marché, certes sans chaussures, moins que de Saint-Gilles à Nantes. Le grenadier Pelletier avait parcouru l'Europe pendant cinq ans, et personne ne pouvait croire qu'il avait eu tous les jours un bon lit et trois bons repas.

Serait-il un jour un vieillard de Saint-Gilles, racontant ses voyages? Et que dirait-il du temps présent? Avouerait-il qu'il avait eu peur tous les jours, tous les instants, en espérant que les enfants ne le croient pas? Trouverait-il quelque chose de comique — « Tout nu? Oui, tout nu tout le temps ! » — à ces journées et ces nuits ? Ou cacherait-il à jamais ce qu'il aurait traversé, enfoui dans un abîme d'angoisse et de terreur où il ne voudrait jamais redescendre ?

Enfant, il n'avait jamais pensé demander à son oncle ce qu'était devenue la comtesse — et d'ailleurs comment avait-il su son titre de noblesse ? Dans le récit, elle disparaissait au crépuscule au bras du colonel dans sa tente, avec son jeune frère comme témoin de moralité. Le lendemain, le grenadier Pelletier était-il reparti traverser l'Elbe ou le Danube ? Le colonel avait-il renvoyé l'inconnue dans sa calèche pour quelque mission secrète, ou pour une infâme prison ? Selon son humeur du jour, l'enfant imaginait telle ou telle suite au récit de son oncle.

La comtesse apparaît à la fenêtre de sa calèche, dans son manteau bleu, et regarde le grenadier qui a mis en joue son postillon et n'a pas tiré quand ce lâche avait filé. Elle regarde intensément le soldat français et malgré sa peur, bien qu'elle devine qu'il ne la comprend pas, s'adresse à lui pour implorer sa pitié.

Et ce chemin creux de Bohême reste le plus beau jour de sa vie.

Narcisse écoute.

Waiakh interrompt sa rêverie et lui tend une pile de branchettes. Ensemble ils les écorcent, puis

Narcisse les taille en pointe avec un caillou aiguisé. Ils se reposent de la chasse aux lézards qui les a occupés toute la matinée, pour un bien maigre butin : deux pour Waiakh, aucun pour lui.

La Bohême est repartie dans les songes. Il essaie de convoquer un autre souvenir agréable, celui de la putain du Cap. Mais il n'y parvient pas. Il ne se souvient plus de son visage, de sa chaleur, du plaisir qu'il en a reçu.

Peut-il avoir tout oublié ? Il tente de retrouver les noms de ses camarades du *Saint-Paul*, mais sa mémoire s'y refuse. Au moins les bâbordais ? Il y avait un Pierre... un Yvon... et l'autre, le petit blond qui chantait bien ? Il ne sait plus. Combien étaient-ils ?

Il ne se rappelle plus les marins du *Saint-Paul* ni la putain du Cap. La comtesse en Bohême est encore vaguement présente. Dans les souvenirs de son oncle ou dans les siens ? Une même brume les enveloppe. Il abandonne.

Sa mémoire emmêle, efface, dissout, embrouille son passé. Elle lui fait défaut. Il n'a pas l'envie, pas la force de lutter. Cet oubli qui monte, comme une marée d'amplitude inconnue à l'extrémité d'une baie profonde, escarpée et accore, ne l'angoisse même pas. L'indifférence prévaut. À quoi bon se souvenir de l'entrepont, du Cap, de Saint-Gilles ou de la Bohême ? Ces légendes anciennes se mêlent et deviennent indistinctes, à peine présentes dans les grises nappes de brouillard d'où naissent les rêves.

Une comtesse en manteau bleu à la fenêtre de sa calèche.

Une jeune fille assise sur un bloc de corail dessinant d'un doigt trempé dans de l'argile rouge des demi-cercles sur son visage et sa gorge.

Un coquillage orangé sur le sable.

LETTRE XV

Charlotte de Vallombrun

Vallombrun, le 7 mars 1868

Monsieur le Président,

J'ai le bien triste et douloureux devoir de vous apprendre le rappel à Dieu de mon frère bien-aimé, Octave de Vallombrun.

De son dernier voyage à La Rochelle il était revenu directement à Grenoble chez notre frère Louis, où nous avons passé les fêtes de Noël. De retour à Vallombrun, le mauvais temps et les averses mêlées de neige de janvier ne l'ont pas dissuadé de faire les longues marches qu'il aimait tant. Au retour de l'une d'elles, une fluxion de poitrine s'est déclarée. La fièvre s'installait le lendemain. Il a lutté vaillamment pendant trois jours, reçu les consolations de la religion, et remis son âme à Dieu le 20 janvier.

Il repose au caveau familial du cimetière de Vallombrun.

Je suis témoin de l'admiration et du respect qu'il vous portait, depuis plus de dix années, dès avant son séjour en Islande. Vos échanges épistolaires, dont il s'enorgueillissait légitimement, ne se sont jamais interrompus, et il invoquait souvent, dans nos conversations, votre figure bienveillante et sage. Son titre de membre de la Société de Géographie était celui dont il était le plus fier.

Me Vion, notaire à Grenoble, a procédé à l'ouverture de son testament. Ne sachant pas s'il a déjà pris contact avec vous, je vous joins une copie des dernières volontés d'Octave et vous prie d'en prendre connaissance avant que de continuer à me lire.

TESTAMENT

Je soussigné, Octave de Vallombrun, sain de corps et d'esprit, en présence de MM. Pouillier et Dufourg, propriétaires, déclare coucher ici mes volontés dernières et révoquer tout autre document précédent pouvant avoir le même objet.

Je lègue :

1°) à mon cocher, Firmin Delessert, la somme de vingt francs, ainsi que mes vêtements usagés. Ce legs est consenti sous la condition expresse qu'au jour de mon décès ledit Firmin soit encore à mon service.

*2°) à Félicie Sorel, qui bien plus qu'une cuisi-
nière fut l'âme du château depuis plus d'un demi-
siècle, et sans conditions, la somme de soixante
francs.*

3°) au curé de la paroisse de Vallombrun :
*— la somme de cinquante francs pour fonder
une messe perpétuelle, chantée, avec les enfants
de chœur, au jour anniversaire de mon décès pour le
pardon de mes péchés, et pour s'il plaît à Dieu le
repos de mon âme malheureuse.*
*— la somme de cinquante francs pour l'entre-
tien de l'église et du presbytère*
*— la somme de cinquante francs pour secourir
les pauvres de la paroisse, selon ce qui lui paraîtra
le plus approprié ; aucun secours à la même famille
ne pourra dépasser cinq francs.*

*4°) une somme de cent francs servira à doter
quatre ou cinq jeunes filles pauvres et vertueuses de
la paroisse. Cette somme sera versée entre les mains
dudit curé, à charge pour lui de choisir d'accord
avec le maire les lauréates.*

*5°) à M. Narcisse Pelletier, garde magasinier
au phare des Baleines à l'île de Ré (Charente-Inférieure) la somme de huit cents francs. Cette somme
sera versée entre les mains du chef de station dudit
Phare, à charge pour lui de servir à l'intéressé telle
rente qui lui paraîtra appropriée, compte tenu de ses
besoins et de ses autres revenus.*
*Si M. Pelletier, qu'il décède avant ou après moi,
laisse des héritiers, ce qui subsistera de la somme en*

cause à son décès sera réparti en capital entre lesdits enfants à leur majorité.

6°) à Charles-Louis et Eugénie-Charlotte Pelletier, la somme de deux mille cinq cents francs. Cette somme sera versée par dixièmes annuels entre les mains de M. Wilton-Smith, négociant à Sydney (Australie), à charge pour lui de les faire rechercher et le cas échéant rapatrier en France. M. Wilton-Smith sera tenu de présenter annuellement un compte de gestion de l'emploi de ces fonds.

Si la somme prévue n'a pas été dépensée en totalité (parce que M. Wilton-Smith serait décédé ou refuserait la mission ici décrite, ou pour toute autre cause privant d'objet ce seul point), le solde en serait affecté comme il est dit au 5°.

Après que les enfants auront été retrouvés, les fonds restants seront confiés à mon frère Louis, à charge pour lui de pourvoir aux besoins et à l'éducation de ces enfants, jusqu'à leur majorité. Le capital restant servira pour moitié à établir Charles-Louis dans quelque métier qu'il aura choisi et pour l'autre moitié à doter Eugénie-Charlotte.

7°) à la Société de Géographie de Paris, la somme de deux mille deux cents francs, à charge pour celle-ci, dans un délai de dix ans, de susciter et financer une ou plusieurs expéditions de découvertes dans l'Australie du Nord-Est, dans les limites géographiques fixées sur la carte ci-jointe. Condition expresse à ce legs, des comptes rendus rédigés par les chefs d'expédition devront être publiés, selon *leur longueur, soit comme article dans la Revue de la Société, soit dans un ouvrage.*

8°) Aristide Vernes, membre associé de la Société de Géographie, a réalisé mon portrait ce printemps. La toile, accrochée dans la bibliothèque, me représente en buste, de trois quarts, tenant à la main une flûte des sauvages à six trous, devant un paysage rocheux dans les tons de rouge évoquant l'Australie. Ce tableau est légué à M. Wilton-Smith, négociant à Sydney (Australie), à moins que ma sœur Charlotte n'exerce sur ce legs un droit d'option à l'ouverture du testament.

9°) le reste de mes biens mobiliers et immobiliers sera partagé en parts égales entre mon frère Louis et ma sœur Charlotte, également chers à mon cœur.

Toutefois, le château de Vallombrun, avec toutes les pièces de terre attenantes et tout son mobilier tel qu'au jour de mon décès, devra être dans le lot de Charlotte. Il en ira de même de la bague que j'ai eu l'insigne honneur de recevoir des mains de Sa Majesté.

S'il advenait que de ce seul fait la part de Charlotte soit plus importante que celle de Louis, qu'il en soit ainsi. Aucune soulte ne serait due.

Enfin, je veux que soit inscrite sur ma tombe, avec les dates qui borneront ma vie, cette unique mention : « Octave de Vallombrun, voyageur ».

Que Dieu me prenne en pitié

Fait au château de Vallombrun, le 22 février 1864

Octave de Vallombrun
(Contresigné par MM. Pouillier et Dufourg)

Mon frère le vicomte Louis, qui s'associe en tout point à la présente lettre, et moi avons été fort surpris de ces dispositions.

Les points 5 et 6, relatifs à M. Pelletier et à la recherche d'hypothétiques enfants, pour des sommes plus que conséquentes, ne sont pas raisonnables.

Mon frère avait fait preuve de beaucoup de grandeur d'âme en recueillant ce garçon et en le ramenant en France. Non content de ce beau geste, il a obtenu pour lui par faveur impériale une place dans l'Administration — certes fort subalterne, mais très au-dessus des seuls mérites de l'impétrant. Ayant ainsi assuré son avenir, il a en outre entièrement financé quatre expéditions en Australie, à fonds perdus, à tous les sens du terme.

Ce matelot a passé presque un mois à Vallombrun fin 1861. D'une figure peu intelligente, d'un tempérament débauché, il parle peu et ne raconte rien. Comme si tout lui était dû, il ne manifeste aucune reconnaissance et ne sait pas rester à sa place. Est-il seulement stupide, ou faisait-il fonds sur l'extrême bonté d'Octave? Faisait-il le Jacques par bêtise ou par calcul? Je préférerais l'excès de naïveté à l'excès de ruse, mais j'eus hélas plusieurs fois l'occasion de vérifier son caractère sournois et manipulateur.

S'il n'a épuisé ni la générosité ni la patience de feu mon frère, il a assurément lassé celles du vicomte Louis et la mienne. L'aimable caprice d'Octave de son vivant ne doit pas se poursuivre en vains gaspillages. Dois-je ajouter que sa bienveillance envers cet homme de peu a donné naissance aux rumeurs les plus infâmes sur la nature de l'intérêt qu'il lui portait ? Pelletier a ainsi porté atteinte tout autant à la fortune qu'à la réputation de feu mon frère.

Aussi, nous sommes dans l'idée d'attaquer et de faire annuler ce testament. Nous invoquerons le tempérament parfois exalté et fantasque du défunt, et ne doutons pas du résultat. Tout est entre les mains d'un avocat, et nous marcherons selon ses conseils. Pourtant, rien ne serait plus gênant — rien ne serait plus contraire aux volontés de feu mon frère — que de devoir vous affronter à la barre. Au son de la voix du greffier appelant l'affaire « Consorts de Vallombrun contre Société de Géographie », l'éternelle paix du sommeil d'Octave serait odieusement troublée.

C'est pourquoi il nous semble préférable de vous proposer de convenir d'un arrangement. En effet, le legs que vous faisait Octave est grevé de conditions telles que vous n'en avez pas la libre jouissance : seulement l'extravagante obligation de financer de nouvelles expéditions au nord-est de l'Australie, déjà parcouru quatre fois en tous sens et en vain de son vivant. Trop de temps, d'argent et d'énergie ont déjà été dilapidés... En outre, la nécessité de publier les résultats — ou plutôt leur absence — ne pourra que desservir l'image de votre Société.

Octave était comme envoûté par cette histoire, et nous l'aimions trop pour le lui dire. Il est temps désormais, hélas, de briser le charme.

Plutôt que ces patrouilles absurdes, il nous semblerait plus utile, et plus fidèle à la mémoire de feu mon frère, de verser à votre Société une somme, certes moins conséquente, mais entièrement libre d'emploi, à charge pour vous, Monsieur le Président, d'en déterminer le meilleur usage : des expéditions au fond de la pampa argentine ou du Kamtchatka? l'acquisition de collections, de livres? des travaux en votre siège? Nul mieux que vous ne saura le dire.

Nous voulons donc vous proposer de renoncer au bénéfice du legs de feu mon frère. Louis de Vallombrun et moi-même ferions un don à la Société sans conditions aucunes, d'une somme de cinq cents francs par exemple. Notre accord sur ces points serait constaté devant notaire.

(Oserai-je ajouter, non pas une condition, mais un humble souhait? que le nom d'Octave demeure en vos murs, sous la forme d'une plaque apposée en tel endroit qui vous agréerait. Tous les frais afférents seraient à notre charge.)

Les mêmes propositions ont été faites et bien

accueillies par M. le curé de Vallombrun, M. le maire de Vallombrun, M. Firmin Delessert et Mme Félicie Sorel, autres légataires. J'ai exercé mon droit d'option sur le portrait d'Octave. Je précise que MM. Pouillier et Dufourg, témoins du testament olographe, sont disposés à témoigner en justice de l'état d'esprit exagérément romantique de feu mon frère en ce mois de février 1864, date de la première expédition.

Si ces accords sont conclus, seul Pelletier serait en défense du testament, et l'annulation est certaine. J'ajoute au surplus que ce Pelletier semble avoir brutalement disparu, suite à sa dernière conversation avec mon frère à La Rochelle. Son inexplicable désertion avait vivement affecté Octave. Si nul ne sait où se trouve Pelletier, la procédure contre lui en sera bien entendu facilitée.

Dois-je souligner que le testament date de 1864? Comment être assuré que ces dernières volontés auraient toujours été celles d'Octave, après que Pelletier se fut comporté d'une façon aussi indigne et cavalière envers son protecteur? Eût-il vécu quelques semaines de plus, n'aurait-il pas sanctionné d'un trait de plume rageur et mérité les bienfaits dont il avait entendu combler cet ingrat?

Voilà toutes les raisons qui nous amènent à vous proposer ce compromis simple, rapide d'exécution et mutuellement avantageux. De votre réponse dépend notre tranquillité : un procès rapide et victorieux contre Pelletier ou, ce qu'à Dieu ne plaise, une procédure longue et pénible contre votre Société.

Si je puis encore abuser de votre bienveillance, Monsieur le Président, je voudrais également vous entretenir des papiers d'Octave.

J'eus la triste tâche de ranger et classer ses affaires. Je n'entrais jamais dans le bureau d'Octave de son vivant, mais je sais combien il était méticuleux. Je n'eus donc aucun mal à inventorier les différents tiroirs et armoires.

Pour ce qui concerne la Géographie, je sollicite votre sentiment sur deux types de papiers.

D'une part, trois cahiers de notes sur Pelletier, prises sur le vif, au jour le jour dès leur singulier tête-à-tête à Sydney dans les jardins du gouverneur, le 1er mars 1861, et poursuivies au fil des rencontres ou des méditations solitaires de feu mon frère. Rien de définitif, rien de mis en forme pour une publication : plutôt une sorte de journal intime de ses réflexions à ce sujet.

D'autre part, un carton portant la mention « ADMLG ». Je ne sais ce que veut dire ce titre. Aucune confidence de sa part ne me permet de le deviner. À l'intérieur, vingt-cinq chemises, avec pour titres « Introduction I, II et III », et « Tomes 1 à 22 ». Chaque chemise contient entre trois et dix feuillets. Chaque page comporte entre trois et cinq lignes, parfois un seul mot, ainsi que des formes géométriques, losanges, étoiles, carrés.

Son écriture y est différente, plus petite, comme étirée, et pour moi définitivement illisible.

Depuis deux ou trois ans il évoquait parfois son grand œuvre, au début avec ironie, puis parfois avec amertume, doutant de parvenir à le mener à bien. J'ai cru comprendre, à travers une ou deux allusions, que ce travail pouvait être pour partie en rapport avec la Géographie. Il disait pourtant s'être éloigné, et de votre Société, et de la Géographie, et en éprouvait le visible regret.

Vous le devinez, nous n'avons l'usage ni de ces cahiers de notes ni de ce carton d'esquisses. Ces travaux, soigneusement rangés au grenier, sont à votre disposition — quelle que soit votre décision relativement au testament.

Je vous remercie par avance de l'attention que vous porterez à notre démarche, en souvenir de notre frère Octave de Vallombrun.

Mon frère Louis vous présente ses respects et je suis, Monsieur le Président, votre humble et dévouée servante.

Ch. de Vallombrun

16

Les pluies ont cessé, le sol s'est couvert d'un tapis d'herbe grasse piquetée de fleurs blanches. Les arbres aussi inclinent vers une couleur plus douce, un vert moins métallique. Une impalpable odeur de miel flotte dans l'air.

Pour la millième fois de la journée, il chasse les mouches de son bras droit. Et, peut-être en raison du regard étonné que lui jette à chaque fois Waiakh, il prend alors conscience de l'inanité de ce geste. Qu'il les chasse ou les laisse tranquilles, les mouches reviendront. Il les regarde zonzonner autour de lui et se poser à nouveau. Il choisit de ne pas bouger, de retenir ce réflexe qu'il avait jusqu'alors, et accepte leur présence. Elles déambulent sur sa peau, repartent, reviennent. Il est désormais indifférent à leur présence.

Les chasseurs ont fait plusieurs bonnes sorties, et chacun a pu manger à sa faim, et plus encore. Le soir les hommes se rapprochent de leurs femmes et les jeunes se font entreprenants.

Les enfants jouent, courent partout, se hous-
pillent, se provoquent dans des luttes sans motif
et les arrêtent sans vainqueurs ni vaincus.

Il ne participe pas à toutes ces activités, mais lui
aussi se sent plus léger, presque serein.

Après la sieste, il monte au sommet d'une petite
colline dominant le campement, pour profiter
d'un semblant de brise. La plaine grise ponctuée
de bouquets d'arbres s'étend à perte de vue de
tous côtés.

Entre deux roches, il remarque un affleurement
de terre jaune, grasse, grumeleuse. Il y met le
doigt, le passe sur sa cuisse : un trait net, comme
fait au fusain, y apparaît. Sur sa peau bronzée,
une ligne orangée.

Il s'assied et recommence. Avec l'index, il trace
sur sa poitrine un cercle sous son sein droit, puis
un autre à gauche. Il retrempe son doigt pour
réaliser un cercle sous le nombril et un au-dessus,
et un dernier sous l'épaule gauche. Se décorer
ainsi à sa fantaisie lui procure un plaisir subtil
et indéfinissable. À nouveau il prend de la terre
jaune sur son doigt et trace lentement sur ses
cuisses une série de lignes brisées. Le contraste
entre ses bras nus et sa poitrine et ses cuisses
peintes lui semble approprié.

Puis il redescend vers la tribu.

« Amglo ! »

La vieille crie son nom et tend son bras vers
lui. Elle répète à plusieurs reprises une petite

phrase à voix très haute, comme un appel à la tribu.

Il est aussitôt en alerte, ne sachant quelle règle il a enfreint. Il sait d'instinct que ses peintures sont la cause de cet émoi.

Ils accourent tous, faisant cercle autour de lui, regardant ce qu'il ne peut dissimuler.

La vieille dit encore quelques mots. Puis elle n'arrive plus à parler, hoquette, ses épaules tressautent, laissant échapper des sons inarticulés — oui, la vieille rit, rit à en perdre le souffle, rit aux larmes.

Les femmes se mettent à rire aussi, puis les enfants, puis les hommes. Ils rient tous à gorge déployée, lancent des plaisanteries, se tapent sur les cuisses, se frottent les yeux et repartent pour une nouvelle explosion de rires.

Il se serait attendu à une mauvaise surprise, des injures, des coups. Cette débauche de bonne humeur le laisse décontenancé : jamais il n'avait vu de tels moments d'allégresse partagée. Il ne comprend pas ce que ses peintures peuvent avoir de drôle à ce point.

Que faire ? Il inspire profondément, écarte les bras, et improvise quelques pas de danse, une sorte de gigue pour faire jouer ses muscles et mettre en valeur son corps ainsi orné. Il se trémousse et attend la réaction de la tribu.

Une nouvelle explosion de rires secoue le groupe. Les enfants se laissent tomber par terre en secouant les jambes en tous sens, les femmes pleurent de rire et en perdent la respiration, les hommes battent des mains et poussent des cris de joie. Cette hilarité générale ne semble jamais devoir s'arrêter, chaque fois qu'une pause semble naître une nouvelle plaisanterie relance le rire du groupe — Waiakh n'est pas le dernier à y aller de sa boutade.

Au bout de quelques instants, il se met à sourire, puis à rire franchement avec eux. Il ne sait pas pourquoi ni de quoi il rit, de ses malheurs, de les voir rire, d'être ainsi exposé — il rit aussi, et c'est comme une drogue qui se répand en lui, une chaleur bienfaisante, une évasion vers d'indistincts moments heureux, un moyen de partager l'humeur de la tribu.

Il pose la main sur sa poitrine peinte, dit fièrement : « Amglo ! » et se remet à rire.

LETTRE XVI

Charlotte de Vallombrun

Vallombrun, le 8 avril 1868

Monsieur le Président,

Le vicomte Louis et moi-même vous exprimons toute notre gratitude pour les paroles de réconfort que vous avez su trouver dans votre lettre du 25 mars. Elles contribuent à ramener le repos dans nos âmes attristées par la disparition prématurée de notre frère Octave.

Vous avez eu la délicatesse de nous soumettre avant publication l'In Memoriam que doit publier la Revue de la Société de Géographie, et nous vous en remercions. L'élogieux portrait que vous tracez du défunt et de ses travaux est en tout point conforme à ce qu'il fut et au souvenir que nous conserverons toujours de lui. Nous souhaiterions seulement que vous en retranchiez le paragraphe consacré au sauvage blanc. Cette affaire Pelletier ne relève en effet que de la charité privée et ne s'est révélée d'aucun bénéfice pour la Géographie.

Nous avons également bien noté que le Conseil d'Administration délibérerait prochainement, et sur votre rapport favorable, sur notre proposition d'accord quant aux suites à donner au testament. Nous attendons avec confiance le moment de pouvoir signer avec vous l'acte notarié.

Il y a deux ans, Octave avait fait don au musée de Grenoble de la plupart des objets rapportés de ses voyages. Restent toutefois au grenier deux malles dont l'inventaire a été fait par ses soins. Si tout ou partie de ses objets intéressent la Société de Géographie, je me ferai un plaisir de vous les remettre.

La première malle est un coffre de marin en cuir clouté. Elle contient tout un lot de vêtements, gants, bonnets, écharpes adaptés au froid et à la pluie, en laine écrue, et pour la plupart usés, rapiécés aux coudes et aux genoux ; une bible en islandais, avec une dédicace en allemand du pasteur qui l'hébergea ; des couteaux, des aiguilles de toutes tailles, des pièces d'échecs, tous sculptés dans l'ivoire de dents de je ne sais quels animaux marins ; une poupée de chiffons ; des raquettes à neige ; un harpon en acier avec des barbules hérissées.

La seconde malle, plus grande, est de médiocre facture. On y trouve des jupes et des ceintures tressées dans des feuilles épaisses ; un casse-tête ; une noix de coco sculptée en forme de case ; douze longs colliers de petits coquillages blancs et jaunes ; un masque hideux, en bois noir avec des repeints rouges, la bouche tordue, la langue à demi sortie ; trois bâtons à fouir ; une « fourchette en bois sombre à trois dents torses, dite fourchette de cannibale » ; cinq statuettes en bois à forme vaguement humaine ; huit « pierres magiques », noires ou vertes ; une « monnaie canaque » ; un sac en toile contenant toutes sortes de graines étranges ; une coiffe en plumes d'oiseaux, qui tombe déjà en poussière.

Enfin, j'ai retrouvé parmi les papiers d'Octave une note qui m'avait échappé et qui évoque votre Société. Je n'ai pu ni tout déchiffrer ni tout comprendre, et il est bien certain qu'Octave n'eût pas voulu qu'une telle ébauche soit diffusée à quiconque. Mais puisqu'il était écrit qu'il ne mettrait pas en forme l'état de ses réflexions, pour ainsi dire cristallisées peu avant sa disparition, il m'a semblé, compte tenu de vos relations et de votre fonction, que ce brouillon vous serait peut-être utile. Je vous en fais une copie. Vous verrez qu'il y rudoie un certain Leroy : je compte sur votre délicatesse à cet égard.

Je suis, Monsieur le Président, votre très humble et dévouée servante.

. . . .

POUR / CONTRE LA SOCIÉTÉ DE GÉOGRAPHIE

La Société de Géographie a tort parce qu'elle a raison. Elle a tort d'aller chercher à connaître les peuples sauvages — on ne peut jamais les connaître ; qui les observe les change : cette curiosité est donc impossible et ne peut déboucher que sur une illusion —, mais elle a raison de tenter d'y être la première. À tout prendre et puisque l'homme blanc finira par parcourir l'ensemble des terres émergées, mieux vaut que ce premier contact soit celui d'un homme de science que celui d'un reître [? mot incertain], d'un pasteur ou d'un négociant âpre au gain. Ou des trois ensemble.

Les forêts ne seront jamais assez épaisses, ni les déserts assez arides ou glacés.

L'essentiel est dans la Paix. Et la Paix est dans la Fuite.

Lu dans le dernier numéro de la Revue de la Société de Géographie un long mémoire de Leroy sur les Indiens du Nord-Québec. Leroy des imbéciles ! Ces facétieux sauvages lui ont tout raconté, mais tout à l'envers et bien évidemment il n'y a rien compris. Il répète leurs fables sans jamais s'interroger. Travail de perroquet.

Les Indiens parlent à Leroy. Par leurs mensonges salvateurs, seule stratégie possible, ses Indiens fuient. NP a fui. Les enfants de NP fuient. Je reste seul.

[Trois lignes illisibles, sauf le mot Australie]

Sauvage parmi les sauvages. Sauvage pour les sauvages.

Dans le jardin du gouverneur, du point le plus haut, par-dessus les murs, il regardait la mer.

Le mouvement importe plus que la vision [? ou mission ? mot incertain]

NP s'est enfui pour retrouver la paix. Le sourire de NP pendant toute la séance plénière de la Société de Géographie.

Qu'est-ce que la paix d'un sauvage? Quelle en est la valeur?

NP n'est pas [4 mots illisibles]

Monsieur le Président, de cette autre rive de tous les savoirs humains, où je suis le premier à accoster, je ne suis pas sûr de vous apercevoir encore.

La fuite de NP est une défaite personnelle et une donnée scientifique.

La fuite de NP est pour moi une trahison, un aveu, une promesse, une marque de confiance et d'amitié; et, qu'importe, hélas, une victoire scientifique.

17

Il regarde les deux îlots au milieu de la baie :
l'un, couvert d'une végétation luxuriante, dont
dépassent des palmes d'un vert brillant, toujours
balancées par la brise ; l'autre, absolument stérile,
juste un tas de sable qui réverbère la lumière verticale.

Waiakh ramasse des coquillages. Il lui fait un
geste de la main. Tout autour de la cheville
gauche, son tatouage ne le gêne plus.

Maintenant, il connaît des mots.

Quartier-Maître lui a donné le mot du Soleil.
Son nom. L'Est. Le vent d'Est.

La vieille lui a donné le mot de l'Eau. La
gourde. Les larmes. Les mares dans les méandres
des ruisseaux temporaires.

Waiakh lui a donné le mot de la Fourmi. Son
nom à lui.

La vieille lui a donné les mots du Ce-qui-

est-bon-à-manger et du Ce-qui-n'est-pas-bon-à-
manger.

La vieille lui a donné le mot du Feu. Le foyer.
Le bois que l'on frotte. L'arbre dont l'écorce
donne ce bois. Les boutons de fièvre.

Chemineau lui a donné le mot du Mépris-et-
du-Dégoût. Les paroles que l'on murmure le soir
pour écarter les créatures mauvaises de la nuit.

Waiakh lui a donné les mots du Viens! et du
Attends!

La vieille lui a donné le mot du Silence. Son
nom à elle.

La vieille lui a donné le mot de la Chasse.
L'animal bondissant qui se tient debout sur son
train arrière, en appui sur sa longue queue.

La vieille lui a donné le mot du Dormir-sans-
rêves.

D'autres mots inutiles dorment dans sa tête.
Narcisse. Pelletier. Goélette. Saint-Paul.

Quartier-Maître lui a donné le mot de la Sagaie.
Son nom à lui. La constellation de la Croix-du-
Sud, immobile dans le ciel austral.

La vieille lui a donné le mot du Chanter-
ensemble. Battre le rythme avec les mains. Taper
avec un bâton sur un caillou sur les temps forts.
Marmonner à voix basse. Avec les autres. Avec
tous les autres.

DU MÊME AUTEUR

Composition Cmb Graphic
Impression Novoprint
à Barcelone, le 15 mai 2014
Dépôt légal : mai 2014
1er dépôt légal dans la collection : juillet 2013
ISBN 978-2-07-045320-7/Imprimé en Espagne.

271626